MIROIR SECRET

SHIRLEY MACLAINE

MIROIR SECRET

Mon plus grand rôle, ma vie.

Éditions 13
9 Bis rue de Montenotte
75017 PARIS
Tél. : (1) 46.22.44.54

Traduction de « It's all in the playing »
par Françoise Hayward

ISBN 2-86804-437-9

INTRODUCTION

Je me redressai, en étirant les bras vers le ciel, et je respirai profondément. J'avais besoin d'oxygène. L'altitude, au sommet de la chaîne des montagnes de la Cordillère Blanche, était de 6 700 mètres dans les Andes, au Pérou. Je n'étais qu'à 3 600 mètres et pourtant je sentais mon cœur battre précipitamment. Finalement, ça vaudrait peut-être la peine de venir ici, juste pour se remettre en forme avant un nouveau show. Avec un pareil entraînement, donner deux spectacles par soir, au niveau de la mer, serait un jeu d'enfant. De là je voyais au loin la vallée du Rio Santa, que les Andins appellent le « Callejon de Huaylas. » La vallée du Rio Santa est un endroit tellement splendide qu'il vous coupe le souffle, littéralement. C'est peut-être pour cela que j'étais essoufflée.

Avec des mots, on ne peut donner qu'un faible aperçu de la beauté des champs de maïs ondulant sous le vent, des lacs d'eau turquoise, silencieux, et des cascades irisées qui déferlent dans la vallée riche et fertile tout en bas. En toile de fond, les sommets couverts de glace se profilent dans une splendeur de givre à l'horizon.

J'ai toujours aimé les montagnes, j'y éprouve une sensation de paix et d'exaltation, le sentiment très vif que quelque chose de merveilleux va m'arriver d'un instant à l'autre. Et même quand il ne se passe rien, ça n'a pas d'importance parce que là-haut, chaque moment est magique. Je me demandai ce que Gerry penserait de cette ancienne terre inca, de sa nature secrète, mystique. J'étendis la main pour peler un bout d'écorce sur un quinquina. Ça ressemblait plus à du tissu qu'à de l'écorce. Gerry disait que les moments les plus heureux de sa vie étaient liés à la nature; pourtant, il n'avait jamais eu beaucoup le temps de s'y consacrer. L'odeur du genêt et de l'eucalyptus se fondaient dans l'air glacial de la montagne. Mon Dieu, comme il me manquait.

Ça faisait dix ans que notre histoire d'amour, intense, tumultueuse, avait provoqué en moi l'étincelle, le déclic de cette connaissance de moi-même qui m'avait poussée à écrire *L'Amour-foudre.* C'est ce qui m'avait d'abord conduit ici, dans ces montagnes. Suffisamment longemps. Maintenant je pouvais être objective avec Gerry dans le film que j'étais en train de réaliser à partir du livre. J'avais de bonnes raisons d'être reconnaissante envers Gerry, dont l'attitude rigide et sceptique à l'égard des valeurs spirituelles m'avait poussée à aller encore plus loin, seule, et avec l'aide de mon ami David. David... Il condensait en lui tous les gens qui m'avaient servi de guides spirituels dans un personnage qui deviendrait réel à l'écran. Je pensais à tous ceux qui m'avaient permis, d'élaborer, de cristalliser le personnage de David. Est-ce que tous ces « guides » verraient le film avec leurs sens spirituels? Est-ce qu'ils en auraient seulement connaissance?

David – ma création, cet ami merveilleux, insaisissable, gentil, solide, m'aidait, dans le labyrinthe de mon âme, et me laissait trouver mon propre chemin. J'avais créé David. Je m'étais créée moi-même. Est-ce que la vie était comme un film, seulement un rêve?

Je sentais un air à la fois vif, frais, mêlé d'une chaleur douce, comme un baume sur mes bras nus. Je voyais les champs de canne à sucre tout en bas dans la vallée. L'air était si transparent que je pouvais distinguer les petites taches des moutons et des vaches sur les flancs rocailleux des montagnes, et les piments rouges à l'ombre desquels les montagnards venaient s'abriter du soleil dans leurs ponchos brillamment colorés. Ces couleurs vives permettent aux montagnards de se reconnaître de loin, chaque village ayant sa propre couleur. Les animaux jouent un rôle très important dans la vie familiale des paysans et des montagnards de cette région des Andes. Il n'y avait pas de lamas ni d'alpacas [1] par ici, mais les porcs surveillaient les enfants, comme des chiens domestiques, et les moutons étaient considérés comme le bien le plus précieux à cause de leur laine.

Je m'assis sous le quinquina et mordis dans une pomme que j'avais apportée avec moi. L'ironie, dans ce paysage éton-

1. *Alpaca ou alpaga : lama domestique à laine douce.*

nant, c'est qu'il gardait la trace des catastrophes naturelles qui n'effrayaient que les gens venus là récemment. Les autres, ceux qui habitaient ici depuis des générations, étaient fatalistes et complètement résignés. Ils vivaient dans la menace des volcans et des tremblements de terre comme d'autres vivent dans la crainte de l'orage.

Huaras, par exemple, qui est une petite ville de 50 000 habitants aujourd'hui, a été ravagée par un tremblement de terre le 31 mai 1970. Ce fut la plus grande catastrophe naturelle de l'histoire de l'Amérique : 67 000 morts, à la suite d'un séisme de cinquante secondes, suivi d'une série de secousses qui ont duré toute la nuit. En 1972, la superbe ville de Yungay fut ensevelie par une gigantesque avalanche qui fit 18 000 victimes. Il n'y eut que 240 survivants, qui échappèrent au torrent de 3 millions de mètres cubes de glace et de boue parce qu'ils assistaient à un spectacle de cirque en dehors du trajet de l'avalanche, et qui réussirent à grimper sur un éperon rocheux

Gerry, il y a longtemps, avait voulu me dissuader d'aller au Pérou. Nous avions parlé du destin des 240 survivants. Pourquoi avaient-ils échappé au désastre? Pour lui, il s'agissait d'une coïncidence. Moi j'étais persuadée que c'était leur destin. En mangeant ma pomme, je repensais à d'autres catastrophes. Qu'est-ce que je ferais si je me trouvais prise dans un tel cataclysme? Pis encore, si je survivais? Pourquoi moi? Mais aussitôt, cette idée fit place à une certitude, parce que je me rappelais que, dans d'autres vies, bien des fois, **j'avais connu** d'autres désastres. Encore aujourd'hui, j'ai une sainte horreur des lames de fond. Je **savais** que j'avais vu, figée d'horreur, un mur d'eau, une montagne écumante, s'abattre sur moi et m'engloutir. Le souvenir que j'en avais était horrible. La sensation d'être sucée, aspirée au large, était encore plus terrifiante que la vision des tonnes d'eau qui me recouvraient instantanément. Je me souvenais que j'étais morte « enfin », soulagée de sentir que la souffrance et la panique avaient cessé. Je savais, j'étais persuadée que j'étais morte des dizaines ou des centaines de fois et que je vivrais et que je mourrais encore et encore.

Je réfléchissais à tout ce que je venais de vivre.

J'étais épuisée par le tournage du feuilleton télévisé (cinq heures) tiré de mon livre *L'Amour-foudre* dans lequel j'avais joué mon propre rôle. C'est à cause d'une toute première expérience au Pérou que j'avais commencé à m'intéresser à d'autres aspects de la vie. Un voile s'était déchiré lentement, et j'avais commencé à explorer d'autres aspects, d'autres dimensions de la vie. Et le champ des connaissances était infini. Le fait de savoir que j'avais eu d'autres vies avant celle-ci n'était qu'un aspect de cette connaissance. La vie ne s'arrêtait jamais, elle était éternelle. J'en étais absolument certaine. Je commençais à m'apercevoir que tout ce qui m'arrivait dans la vie, c'était moi qui l'avais créé pour mieux me connaître. Le film *L'Amour-foudre* était pour moi comme une image, une métaphore qui me renvoyait quotidiennement à cette vérité.

En regardant l'horizon, je me demandais ce que j'avais appris grâce à cette expérience. En partant de l'idée que j'avais créé ma réalité, à tous les niveaux, j'étais complètement responsable de tout ce qui s'était passé. Mon aventure au Pérou m'avait permis de voir, comme dans le puits de la vérité, l'illusion dans l'illusion de ma vie. Comme une pierre jetée dans l'eau, il y avait le « moi », au centre de la connaissance. Plus je connaissais le « moi », plus j'étais en harmonie avec moi-même; et plus je comprenais les autres. Tout partait de là. Tout part du « moi ».

C'est vrai, la vie est un film et chacun y joue son rôle. Le tout est de savoir comment on le joue. Parfois, on se plaint du rôle qu'on s'est écrit. Parfois on aimerait mieux jouer le rôle de quelqu'un d'autre. Très souvent, aussi, nous jugeons le jeu des autres, et le nôtre, de façon très sévère. Pourtant dans une « pièce », nous savons bien qu'il faut des protagonistes et des antagonistes, des bons et des méchants pour donner la couleur, l'intérêt, et la tension comique ou dramatique. Sinon, ce serait ennuyeux. Pourquoi sommes-nous donc si intolérants vis-à-vis de ces valeurs, positives et négatives, qui animent le théâtre de la vie?

Voilà le thème de ce livre. La vie est devenue comme une pièce, comme un film, pour moi. J'écris et je joue chaque jour le contenu de ma vie. De même, tous les personnages qui interviennent dans ma vie, je les choisis, sur scène, comme dans la coulisse, parce qu'ils sont amusants, mystérieux, insupportables, énervants, horripilants, drôles, aimants ou réconfortants... Ceux qui ne déclenchent aucune émotion en moi ne sont pas dans ma pièce. Parce qu'ils n'ont rien à m'apprendre. Donc, ils existent à peine pour moi. En revanche, ceux qui vivent dans ma pièce ont tous quelque chose à m'apprendre sur le monde ou sur moi-même. Certains ne font qu'une courte apparition, le temps de me servir de miroirs, et ils sont très vite remplacés par de nouveaux acteurs qui ont des choses nouvelles à m'offrir. Et chacun fait la même chose dans sa propre pièce. Nous existons tous sur des niveaux de réalités simultanées.

Quand j'étais petite, je faisais un rêve qui revenait souvent – et qui, avec le recul, était assez prophétique. J'étais poursuivie par un gorille. Je courais vers un précipice. Arrivée au bord, j'avais le choix. Je pouvais faire face au gorille ou sauter dans l'abîme. Alors je me tournais vers le gorille et je lui disais: « Qu'est-ce que je fais maintenant? » Et le gorille levait les bras en l'air en disant: « J'en sais rien ma p'tite, c'est ton rêve ».

C'est la même chose aujourd'hui.

C'est comme ça que je perçois les choses, tout ça, c'est mon rêve à moi. C'est moi qui suis la cause de tout ce qui m'arrive – le bon et le mauvais –, et je peux choisir la manière de l'aborder, et ce que je vais en faire. Quelle leçon en tirer? Nous disons peut-être tous la vérité? Notre vérité, telle que nous la voyons. Chacun a peut-être sa propre vérité, et il se peut que la vérité en tant que réalité objective n'existe pas. C'est encore plus flagrant quand on fait un film, parce qu'on peut créer la vérité qu'on veut. Surtout quand il s'agit de mettre en scène sa propre vie. Certains m'ont accusée de faire preuve d'un culot et d'une arrogance incroyables en réalisant *L'Amour-foudre* pour la télévision, mais du fait d'avoir à jouer mon propre rôle dans un film, j'ai pu voir de plus près le phénomène de l'illusion dans l'illusion. Ça a commencé au Pérou il y a dix ans, et ça s'est terminé au Pérou dix ans après. Mais ce sont les arrêts, les obstacles en cours de route qui ont créé la véritable histoire.

CHAPITRE 1

Les gens de la chaîne de télévision ABC m'ont contactée un jour pour me proposer de faire un feuilleton télévisé à partir du livre *L'Amour-foudre.* D'après eux, la recherche métaphysique commençait à se populariser et le public avait l'air de s'intéresser aux Ovnis et aux extra-terrerestres, ce qui expliquait le succès de *La Guerre des étoiles, E.T., Rencontres du troisième type*, etc. Je n'ai d'abord pas pris leurs suggestions au sérieux. Dans mon esprit, mes activités d'écriture étaient séparées de ma carrière d'actrice. Mais quelque temps après, je compris que chacune de ces activités n'était qu'un aspect de créativité individuelle qui venait de la même source pour y retourner.

Ce jour-là, je me trouvais dans un restaurant de la vallée de San Fernando, en train de parler avec mon ami Roddy MacDowall. Celui-ci me dit que Colin Higgins, scénariste-réalisateur d'*Harold et Maud* et de nombreux autres films, trouvait qu'on pourrait faire un bon film avec le livre *L'Amour-foudre.* Un film, ou un feuilleton télévisé? Un public exigeant qui paie sa place pour voir le film, ou des télespectateurs distraits qui se lèvent pour aller boire une bière entre deux « pubs »? A mon avis, deux heures, ça n'était pas suffisant pour raconter l'histoire, et après tout, dans chaque famille américaine il y a au moins une personne qui a eu une expérience mystique, éprouvé un « déjà vu », été témoin d'un Ovni, d'une coïncidence extraordinaire, etc. J'appelai donc Colin.

– Écoutez, lui dis-je, je crois que la télé me paraît un bon média pour transposer mon histoire d'amour réincarné avec un membre du Parlement britannique, et ma rencontre au Pérou avec un homme qui prétend avoir été en contact avec une extra-terrestre venue des Pléiades. Qu'en pensez-vous?

– Moi je crois que ça pourrait marcher au cinéma comme à la télé. Ce que vous me racontez est déjà amusant.

Dieu sait que Colin Higgins s'y connaissait en comédie et

en farces « amusantes ». Je me demandais s'il trouverait les salaires de la télé, « amusants »... et si son agent (un grand ponte d'Hollywood) trouverait le fait de voir Colin galérer à la télé « amusant ». En réalité, ça n'avait pas d'importance. Colin et moi sommes devenus rapidement amis et je m'aperçus qu'il avait entamé une recherche spirituelle très approfondie. Il m'a même présenté un médium très compétent dont je n'avais jamais entendu parler. J'avais en face de moi un être humain qui mettait réellement en pratique les valeurs spirituelles dont il parlait, ce qui est extrêmement rare, comme j'ai pu le constater depuis plus de vingt ans dans ce métier.

C'est comme cela que nous avons développé une amitié personnelle et créative à toute épreuve. Le fait d'être en accord spirituellement nous préservait de tous les incidents de parcours et de tous les accrochages inhérents au travail d'équipe créatif, tels que la lutte pour le pouvoir, la supériorité sur l'autre, les caprices d'humeur, les blocages d'écrivains, et la peur du public...

Colin est un grand garçon d'une beauté époustouflante, avec des cheveux bruns bouclés tellement épais que le premier jour j'avais envie d'y passer la main. J'ai hésité parce que j'avais peur qu'il s'agisse d'une perruque, mais c'était ridicule. Ce sont ses cheveux. Il est né « coiffé » comme on dit. Et cette chevelure magnifique est le signe de sa créativité...

Ce que j'aime aussi chez Colin, c'est sa démarche. Je peux prédire son humeur rien qu'en le voyant marcher. Quand il est malheureux, ses bras lui tombent de chaque côté et il a l'air de marcher sur place. Mais surtout il a un petit sourire désabusé, résigné, qui me rappelle celui d' « Harold (et Maud) ». Quand il est en forme, ses yeux pétillent, il parle beaucoup plus clairement, beaucoup plus vite, et quand il marche ses bras bougent avec enthousiasme. Il fume parfois une cigarette pour se donner l' « air adulte » et son humour est absolument corrosif. Il est souvent très attentif à l'aspect « amusant » des gens, mais quand il se laisse aller, son espièglerie est irrésistible. Il a en lui l'essence du comique, et pour moi il est « Harold », même si je suis une « Maud » plus jeune; et c'est ainsi qu'« Harold » et moi avons commencé à prospecter pour trouver des scénaristes qui adapteraient le livre *L'Amour-foudre.*

En fin de compte, nous avons fait le travail nous-mêmes; parce que nous connaissions le matériel mieux que quiconque.

Pourtant, c'était la première fois que j'écrivais un scénario, et Colin est un scénariste de cinéma, ce qui n'a rien à voir avec le découpage de la télévision, saucissonné par les « pubs ». Normalement, il faut un an pour écrire un scénario de deux heures. A ce rythme-là, les Ovnis avaient le temps d'atterrir, si nous devions passer deux ans et demi à travailler sur le script.

Colin était impressionné par le fait que je pouvais « travailler dur ». Je lui avais montré un premier jet de cinq cents pages sur un autre sujet que j'avais entamé. Après quoi, j'ai examiné, du point de vue de l'écrivain – et non plus comme actrice –, le scénario de certains films que j'avais beaucoup aimés comme *Tendres passions*. J'ai pu admirer la subtilité du travail d'artiste et d'artisan qui se cachait là. Puis j'ai commencé à rédiger les trois premières heures de *L'Amour-foudre* comme si c'était un exercice d'entraînement « sur le tas ». Colin me dit : « Maintenant, on sait qu'on peut le faire ».

Ensuite, il a écrit un synopsis détaillé pour résumer les cinq heures de scénario basé sur le livre. On devait avoir quatre personnages principaux : Gerry, mon amant parlementaire; Bella Abzug, mon amie de toujours; mon ami David qui m'a initiée et guidée dans ma recherche spirituelle; et puis moi.

Stan Margulies, le grand producteur de *Racines*, en homme de télévision expérimenté, nous fit travailler jusqu'à ce qu'il pense que nous étions prêts à proposer notre projet à Brandon Stoddard, le grand patron des programmes de fiction à ABC.

Je croyais que les producteurs de télé avaient les dents plus longues et plus acérées que leur intelligence, mais je me trompais... Brandon Stoddard était différent.

Brandon nous fit donc venir dans son bureau, et il nous écouta délirer, Colin et moi, pour vendre notre histoire en l'embellissant au fur et à mesure. Il restait assis à nous écouter sans parler, comme un étudiant talmudiste qui sait que lorsqu'il prendra la parole, il ne fera qu'une bouchée de son adversaire et lui clouera le bec en deux phrases. Homme-enfant au regard intense, intelligent, au milieu d'un visage semé de taches de rousseur, Stan était tellement respecté dans le milieu qu'il n'avait pas besoin de faire de discours.

Brandon avait une coproductrice et sur ce coup-là, on sentait qu'elle avait envie de se faire l'avocat du diable. Avant cette réunion, Colin était déjà allé la trouver et elle avait fait des suggestions « intéressantes » sur le personnage de Shirley telles que : « Elle a trop de succès, elle n'a pas assez de problèmes avec lesquels un public télé peut s'identifier. On pourrait peut-être lui coller une jambe cassée pour qu'elle ne puisse plus danser, ou alors, elle pourrait se suicider quand ça ne marche plus avec Gerry, et c'est à ce moment-là que sa recherche spirituelle interviendrait... Ça serait plus logique. »

Quand j'ai fait remarquer à cette femme redoutablement efficace dans la course au pouvoir que ses suggestions détruisaient la plus élémentaire vérité, elle me sortit son argument de choc, sa devise, et sa raison sociale : « Mais il faut tenir compte de l'indice d'écoute. » Il nous faudrait contourner l'incontournable.

Heureusement, Brandon n'avait besoin de personne pour prendre une décision. Il écouta les plaidoieries de chacun et chacune, et nous encouragea, Colin et moi, à revenir avec un scénario complet dont nous serions satisfaits. Ça faisait des années qu'ABC essayait de sortir une fiction basée sur la métaphysique et le résultat n'était jamais assez bon pour être tourné. Il était conscient de l'intérêt croissant des Américains pour ce sujet et il voulait être celui qui aurait le courage de le mener à bien.

Colin et moi étions très impressionnés, et c'est ainsi que l'affaire fut montée.

En juin 1985, Colin est venu travailler dans ma maison du Nord-Ouest pacifique. Son agent ne savait pas ce qu'il faisait chez moi. On aurait pu croire qu'il s'agissait entre nous d'une aventure amoureuse typiquement hollywoodienne, mais Colin et moi n'y pensions même pas. Il avait une petite amie sous la main, et moi je n'avais personne depuis un moment. Les journaux pouvaient bien raconter n'importe quoi à notre sujet, ça nous faisait rire.

Nous étions donc dans ma maison. C'est un endroit sublime qui évoque la beauté et la joie permanente, avec des arbres tout autour. Elle est située sur le sommet d'une montagne en face le mont Rainier, et elle surplombe une rivière qui descend en cascades. Dans ma piscine chauffée j'ai une vue panoramique de 360 degrés. Cette maison est mon paradis à moi. Je l'ai achetée en dansant deux fois par soir – et madame la pédégée voulait me saboter la jambe pour « ses indices d'écoute »! Je n'ai aucun complexe à dire ce que je pense, et ce que je gagne, car je crois que l'on mérite tout ce que l'on gagne par son travail.

En tout cas, mon assistant, Thomas Sharkey, que tous mes amis et moi appelons Simon en raison d'une de nos vies antérieures communes, s'occupe de la maison pour moi. Il prend soin des chiens (un beau labrador nommé Sultan et un esquimau blanc nommé Shinouk). Il s'occupe aussi du potager, des fleurs, des poules, et des oiseaux qui se font pourchasser par les chiens. Simon est aussi un remarquable cuisinier, et c'est très important car Colin et moi adorons manger. Comment raconter les délices d'un flan au caramel et à la noix de coco « APRÈS » l'écriture d'une bonne scène? Et la scène était d'autant mieux écrite que nous savions qu'il y aurait du flan coco-caramel comme récompense. Nous écrivions dans la cuisine. On aurait pu choisir une autre pièce pour écrire, mais c'est là que les choses intéressantes se passaient. Quand Simon était « en cuisine » c'était comme s'il mettait du charbon dans la locomotive de notre scénario : l'odeur des crevettes grillées, de la soupe de lentilles à l'ail, du pain cuit au four, et de la tarte au pommes nous motivait assez pour écrire *Citizen Kane* si on nous l'avait demandé.

Colin avait commencé par être acteur. Par conséquent il était très attentif à leurs problèmes. Aussi, avant d'écrire une scène sur le papier, on la jouait à voix haute. Parfois j'étais « Shirley » et parfois c'était lui, et on changeait de rôle en cours de route. Simon ne comprenait pas à quoi cela rimait. Pour lui les écrivains « écrivent ». Alors il essayait de se faire tout petit en arrosant le roastbeef, pendant qu'on s'envoyait des insultes par la figure. Parfois, en pleine « dispute », Colin changeait brutalement de ton et disait : « Non! Ça marche pas! On va essayer ça! » Simon était très heureux de voir qu'on faisait honneur à ses gâteaux et à sa cuisine de chef. Le scénario épaississait en même temps que nous... on mangeait et on travaillait treize heures par jour, avec parfois un petit plongeon dans la piscine ou une balade à pied pour faire une pause. Nous ne répondions pas au téléphone et notre histoire seule comptait pour nous. En dix jours on a réussi à couvrir les trois premières heures de feuilleton.

La chose la plus merveilleuse dans notre collaboration, c'est que nous étions tout à fait honnêtes, spirituellement, à cause de notre recherche parallèle. Nous savions l'un et l'autre que tout ce qui nous arrivait, de bon ou de mauvais, nous en étions responsables, parce que nous l'avions créé, suscité. C'est pourquoi nous pouvions éclaircir au fur et à mesure tout ce qui aurait pu porter ombrage à notre relation; et du coup, les tensions s'évanouissaient. Comme si les épreuves disparaissaient quand on avait compris pourquoi elles étaient devant nous. Il est vrai que Colin et moi avons le même point de vue sur la vie. Pour nous, c'est un film, où nous rejouons les mêmes scripts, en apprenant des choses différentes à chaque fois. Chacun choisit son script en fonction des leçons qu'il veut apprendre. La créativité est une expression nécessaire de la vie, comme si, en étant vivant, on était obligé de créer. Être créatif, c'est un peu se rapprocher de Dieu ou de l'Esprit universel, peu importe le mot que l'on choisit. Nous sommes en contact avec des forces hors de notre portée et de notre compréhension empirique. Nous étions déjà familiers avec le procédé de communication spirite avec des médiums. Il s'agit de communiquer avec des entités qui jouent le rôle de « guides » pour nous aider, grâce à un médium compétent. J'ai déjà expliqué cela, dans *L'Amour-foudre* et Colin et moi voulions le traiter de façon authentique pour la télévision.

CHAPITRE 2

Le spiritisme est très populaire et très controversé en ce moment. Il y a de vrais médiums, et il y a ceux qui sont empêtrés dans de gros problèmes émotionnels et qui transmettent des choses confuses et sans intérêt « de l'au-delà ». J'ai pu observer les deux types de médiums et ils sont tous les deux fascinants. Mais il y a beaucoup de gens qui sont persuadés que les médiums « jouent la comédie »; qu'ils se mettent dans un état d'auto-hypnose et prétendent enseigner des révélations compliquées dans la vérité métaphysique.

J'ai donc étudié méticuleusement le langage émotionnel qui émerge pendant une séance de spiritisme. J'ai « essayé » de très nombreux médiums. Quand j'ai rencontré Colin j'en avais déjà vu travailler une vingtaine, tous m'ont fait part de premières expériences identiques. Au cours d'une méditation ou d'un état d'esprit particulièrement paisible, un guide spirituel commence par leur parler (généralement par télépathie, directement dans leur esprit, ce qui les pousse à croire qu'ils sont devenus fous), puis la situation étant « acceptée », les entités se servent des médiums pour faire parvenir leurs informations (par l'écriture automatique, l'alphabet « ouija », ou directement en prenant possession du corps du médium). Dans tous les cas, le médium perçoit une transformation de ses sens, de ses perceptions, et aussi de sa façon de vivre. Bien sûr, il leur faut affronter la curiosité malveillante ou déplacée des autres mais généralement ce désagrément est largement compensé par la sérénité qui vient lorsque l'on est convaincu que la mort n'existe pas, puisque les guides avec qui ils « parlent » habitent une dimension spirituelle réelle, compatible avec ce qui se passe sur terre.

J'étais curieuse de savoir comment les guides spirituels utilisent le corps du médium. Chacun d'eux m'expliqua la même chose. Les guides, les entités, ne « possèdent » pas le corps du médium. Ils l'« éclipsent ». Le médium met son « moi » en état de transe, et permet à l'entité de l' « éclipser » en lui laissant l'énergie qui donne accès au larynx, aux mains, au visage, au corps, etc.

Certains médiums peuvent sortir de leur corps et d'autres mettent simplement leur « moi » en état d'inconscience. Tous disent qu'ils ne se souviennent pas de ce qui s'est passé pendant leur transe, et certains sont préoccupés à l'idée que l'entité ait pu les humilier ou leur faire dire et faire des choses inappropriées ou gênantes. Certains médiums, en écoutant les cassettes enregistrées pendant leurs transes, m'ont dit qu'ils avaient été parfois choqués de ce qu'ils entendaient. Il arrive que les croyances du médium et de l'entité divergent profondément, mais en aucun cas une entité ne peut se servir d'un médium sans sa permission.

Colin m'avait donc présenté son maître spirituel, une entité appelée Lazaris. Lazaris est une entité qui communique par l'intermédiaire d'un médium appelé Jach Pursel. Jach est un homme charmant, gentil, sans prétention, qui vit et travaille près de la galerie d'art Illuminarium de San Francisco. Il apprécie les belles et les bonnes choses, et nous allons souvent dîner ensemble. Il me raconta comment Lazaris était venu « se présenter » à lui, un jour où il était en état de profonde méditation. Au début, il était très mal à l'aise et perturbé par ce qui lui arrivait, mais après en avoir parlé à ses amis, il a fini par accepter cette « relation » avec une entité dont il a eu la certitude qu'il s'agissait d'un être aimant et bénéfique.

Lazaris est un guide spirituel, et un « enseignant » qui parle de la réalité divine, invisible, à notre portée dès que nous en sommes conscients. Lazaris prétend que la tendance naturelle de l'homme est d'être en harmonie, tout comme les plantes, les animaux. « Exister » tout simplement est le secret de l'harmonie. C'est pour cela que la nature est notre maître. Il dit aussi que l'univers est parfait. C'est à cause de sa perception déformée que l'homme ne parvient pas à entrevoir cette vérité.

Colin et moi commencions à comprendre que la lutte, le conflit et la douleur n'étaient pas toujours nécessaires dans le processus créatif. En réalité, pour nous, c'était déjà du passé. C'est surtout parce que l'on croit que l'on a besoin de surmonter des difficultés que l'on se crée des obstacles et des empêchements dont on pourrait fort bien se passer.

J'appelai donc Jack Pursel pour une raison précise. Nous

avions donné notre premier script de trois heures aux gens d'ABC, et la réponse de Stan n'était pas très enthousiaste.

Je fis part de mes inquiétudes à Jack qui demanda conseil à Lazaris. Sa réponse était très claire :

– Inconsciemment, dit-il, vous n'êtes pas certaine de vouloir vous exposer devant cinquante millions de gens, ce qui est énorme par rapport à quelques millions qui ont lu vos livres. Le résultat est que vous empêchez le projet d'avancer.

J'étais étonnée, parce que « intellectuellement » j'avais compris la profondeur de ce concept, mais au fond de moi, je ne l'avais pas senti.

– Précisément, dit Lazaris, vous avez une peur cachée du jugement d'un public de masse. Reconnaissez cette vérité, et si vous parvenez à surmonter cette peur, l'énergie du projet sera dégagée et vous verrez que ça repartira sans problème.

– Pourquoi est-ce que je ne reconnais pas ma peur? je lui demandai.

– Parce que, dit Lazaris, vous ne comprenez pas que vous créez votre réalité à chaque moment de la journée.

J'avais envie d'entendre ça encore une fois...

– Vous voulez dire que c'est moi qui ai créé la réaction trop tiède des producteurs?

– C'est exact. Vous avez rêvé cela déjà, n'est-ce pas?

– Oui, mais, cette conversation aussi...

– Oui c'est vrai. Vous m'avez aussi créé pour que je vous le dise.

– Alors, c'est ce que vous voulez dire quand vous parlez d'une connaissance qui est à notre disposition, à notre portée, quand nous le voulons?

– C'est exact. Dans la dimension spirituelle, on peut voir parfois plus clairement parce que nous n'avons pas la densité de la vie physique pour faire écran. Mais d'un autre côté, nous n'avons pas la richesse d'expérience que donne la vie dans un corps.

– Est-ce que vous souhaitez avoir un corps, parfois? lui demandai-je.

– Si je le souhaitais vraiment très fort, je l'aurais. Ce serait ma réalité. Mais pour le moment, je suis heureux et comblé par le fait de vous conseiller, vous et d'autres, qui nous permettent de nous rendre utiles et de vous aimer.

Je réfléchis un bon moment avant de poser ma dernière

question : Alors, vous dites que si je surmonte ma peur, ABC et Stan vont changer d'avis et d'opinion au sujet de mon script?

– Nous le croyons, répondit-il. Oui, essayez.

Je raccrochai. Toute la conversation avait eu lieu au téléphone car Jack arrivait à se mettre en transe et à travailler par téléphone. En réalité, le fait de parler avec une entité spirituelle désincarnée n'avait rien de nouveau pour moi. J'adorais depuis longtemps ce genre de discussion et c'était aussi réel pour moi que si j'avais parlé à un ami en chair et en os. Après avoir raccroché, je fis le point pour juger le contenu de la conversation, car j'étais le meilleur juge.

Il arrive que les guides spirituels se trompent, surtout en ce qui concerne leur évaluation du temps, et des chiffres mathématiques. Dans leur dimension, le temps linéaire (passé, présent, futur) n'existe pas. Pour eux tout se produit simultanément dans un hologramme. Pour paraphraser Einstein, « le temps linéaire n'existe pas, c'est une invention de l'homme ».

J'ai eu la chance d'attirer et de « créer » des grands médiums qui ont une excellente appréciation du « temps ». Mais ce qui compte surtout pour moi, c'est comment je « ressens » leurs conseils et leurs projections dans le futur. Leur comportement est également très révélateur pour moi, notamment en ce qui concerne l'argent. Et cela intéresse le public autant que la presse.

Le matérialisme est un sujet que nous devons tous confronter dans cette société, que nous soyons riches ou pauvres, croyants ou non-croyants. L'appât du gain et de l'argent existe partout, dans l'Église comme dans le gouvernement, ainsi que dans la vie quotidienne de chacun de nous. On peut comprendre que l'avidité est mauvaise et va à l'encontre de la spiritualité, mais l'abondance n'est pas le signe de la non-spiritualité. Le problème de la spiritualité et du matérialisme est très complexe.

Est-ce que des conseillers spirituels ont le droit de recevoir de l'argent? Jésus et ses disciples étaient nourris, logés, et leurs dépenses quotidiennes étaient prises en charge par la communauté. L'argent n'était pas un moyen d'échange dans les affaires spirituelles; mais aujourd'hui on ne peut pas lui substituer autre chose. Quel que soit le métier qu'on exerce, on fait payer le prix de nos services et on paie de la même manière (que l'on soit acteur, médecin, psychiatre, etc.). Cela devient un échange d'énergies. Les services sont une forme d'énergie, et l'argent est de l'énergie gagnée.

A mon avis, quand des médiums rendent un service d'ordre spirituel, ils doivent recevoir une rémunération conforme à la qualité de ce service. Si le prix est trop élevé, la demande va diminuer, et si le matérialisme excessif motive un médium, les renseignements qu'il communiquera seront peut-être déformés, confus, parasités...

J'en ai donc conclu que c'est à moi de déterminer la valeur matérielle et spirituelle d'un échange et d'en juger la signification.

Ceux qui sont vraiment alignés sur la force divine ne tombent pas dans l'excès. La véritable abondance, c'est de créer notre réalité avec la grâce de l'énergie divine, sans aucune crainte. Car l'avidité vient de la crainte de la pauvreté et du manque d'estime de soi.

Après avoir raccroché, je pris note des conseils de Lazaris. Au fond, je n'étais pas sûre d'avoir envie d'exposer ma quête spirituelle devant le public de la télé américaine. Et puis le fait de me jouer, moi, Shirley, y était pour quelque chose. Celui qui avait acheté mon livre s'y intéressait sans doute un peu, mais tourner un bouton de télé pour me voir, c'était différent...

J'avais été tellement conditionnée à ne pas juger avec mon cœur mais avec mon intelligence que ce n'était pas facile de faire exactement le contraire. Après tout, le cœur était peut-être moins impulsif et spontané que l'intelligence, contrairement aux idées reçues.

J'en parlai avec Colin. Il comprit aussitôt. Il avait eu les mêmes pensées. Même si son sourire ne devait pas apparaître sur l'écran, son nom serait crédité, ou discrédité de la même manière que moi. Jusqu'à présent, il avait poursuivi sa recherche spirituelle de façon très privée. Colin s'était intéressé de près à tout ce que la culture américaine générait : médiums, médecines douces, régimes de santé, séminaires métaphysiques, visions de vies antérieures, cri primal, expérience de renaissance, danses sur le feu, etc. De là à signer un film qui traitait ouvertement de sujets confidentiels, il y avait un grand pas. Bien entendu, pour lui, c'était logique que l'« énergie universelle » respecte notre réticence, et c'est pourquoi notre script était sur la touche pour le moment. Une fois ce point éclairci entre nous, nous **savions** que le virage était pris.

Ceci étant réglé, nous avons parlé de ce qui, dans notre vie, était vrai et réel. Et ce que nous avions à dire l'était pour nous, même si notre histoire était complètement différente. Le public était habitué à des histoires de viols, cascades de voitures, de flics et de sagas décadentes dans les milieux privilégiés.

A la fin de la discussion, nous étions convaincus l'un et l'autre de l'utilité et de la sincérité de notre projet, par conséquent lorsque les gens d'ABC nous ont téléphoné quelques jours plus tard pour dire que nous pouvions continuer à écrire la suite du script nous n'étions pas surpris. La leçon? C'est qu'il faut libérer la peur, et, ce que l'on veut, on l'obtient sans effort, tout naturellement.

Et c'est ainsi qu'on a écrit la suite du script – en mangeant et en riant comme des fous.

Brandon l'a lue dans l'avion entre New York et Los Angeles – c'est là que se fait le travail le plus créatif de la télé, dans ces bureaux solitaires en plein ciel, sans téléphone, sans rendez-vous. Brandon appela Stan Margulies une semaine plus tard pour nous convoquer tous les trois, Stan, Colin et moi. Cette fois nous nous attendions à une réponse favorable.

On était tous dans le bureau de Brandon, à 10 heures, sauf Colin qui pourtant n'a pas l'habitude d'être en retard. Il est arrivé au milieu du café-thé-toast, sans faire de commentaires sur son retard.

Brandon s'éclaircit la gorge, croisa les jambes et déclara :

– Je me sentais bien quand j'ai fini de lire votre script. Je veux le faire.

Sourire radieux des intéressés.

– Tout ce que je vous demande, ajouta Brandon, c'est de bien faire comprendre au public l'idée de justice cosmique, et aussi que chacun de nous est responsable de sa propre réalité. C'est à ça que les téléspectateurs « veulent » répondre.

Brandon, en bon Américain conscient des valeurs morales, voulait être certain que la signification du karma serait comprise et que cela aurait une bonne influence sur le monde. Cette loi du karma est très simple. Nos actions bonnes ou mauvaises ont un effet sur les autres, mais surtout sur **nous**. La justice karmique ou justice divine est que l'on récolte ce que l'on sème, dans cette vie actuelle ou dans une prochaine.

– Et je veux tout le monde sur le pont pour le début du tournage le 15 novembre, parce que je veux une option de programmation en mai 86, ajouta Brandon.

Stan faillit s'étrangler avec son pain danois.

– Brandon, dit Stanley de sa voix d'érudit talmudiste, on est déjà en retard. Ça veut dire qu'on va faire des journées de vingt-quatre heures.

Brandon sourit, et tapa du pied.

– Ça fait rien, je le veux quand même. Maintenant, faites-moi un budget, 12, 15 millions de dollars, peu importe. On tient un sujet en or, moi, je vous le dis. C'est super ce qu'ils ont pondu ces deux-là! Et puis, si je ne le tourne pas, ma sœur va me tuer. Il y a plus de gens qui s'intéressent à ces trucs-là que vous ne croyez. Et je veux qu'on soit les premiers à ABC.

On se regardait tous les trois. Brandon était intarissable...

– Je sais que vous avez du travail avec le script, le casting, la production et tout ça, alors perdez pas de temps. Allez-y maintenant. Pour l'argent, y a qu'à demander, vous l'aurez! Moi maintenant je pars en vacances.

Brandon se leva, nous serra la main, sourire, clin d'œil et zou, il était déjà parti.

Stanley se gratta le ventre, fixa le plafond au-dessus de lui et déclara : « Vous qui nous regardez là-haut, on va avoir besoin de vous! »

Je pris mes affaires, me levai et regardai Colin. Il avait les yeux pleins de larmes.

– Ma vraie Maud, Ruth Gordon, est morte ce matin, dit-il, c'est pour ça que j'étais en retard. Je suppose qu'elle a décidé de voir là-haut si c'était plus rigolo.

– Oh Harold, dis-je, sachant ce que signifiait pour lui cette mort, symboliquement. Elle veut probablement que tu intègres tes talents spirituels. Elle va pouvoir t'aider beaucoup plus facilement d'où elle est maintenant.

Colin acquiesça, et me fit un sourire malheureux. C'est une chose de savoir que nos êtres chers sont à côté de nous avec leur esprit, mais le chagrin de la séparation est terrible. Je lui pris la main et nous sommes sortis ensemble.

CHAPITRE 3

Le mois d'août s'achevait et le début du tournage était prévu huit semaines et demie plus tard. On n'avait trouvé ni le réalisateur, ni les acteurs. Colin n'était pas habitué à la réalisation des films de télévision. Dix-sept plans par jour, et souvent davantage, c'était beaucoup trop pour un artiste créatif comme lui. Il n'aurait pas le temps de réfléchir, ou même de recommencer et d'apprendre, en cas d'erreur. Il aurait sur le dos les espions de la chaîne de télé. Il ne devrait jamais montrer la moindre indécision, ou le moindre mouvement d'humeur, et il faudrait travailler deux fois plus vite que pour le cinéma.

Il en conclut qu'il ne pouvait pas assurer la réalisation des cinq heures de film télévisé, compte tenu de cette pression excessive.

J'étais d'accord avec lui. Il valait mieux peaufiner le script tous les deux, et laisser la réalisation à un professionnel de la télévision.

Les pages blanches du script, suichargées de couleurs différentes – pour chaque nouvelle version du texte – sont devenues arc-en-ciel.

A Los Angeles, nous travaillions dans la maison de Colin, près du canyon Benedicte. Son bureau était confortable, accueillant, avec des murs en lambris, des canapés somptueux, et une grande photo du cosmos au-dessus de la cheminée. Quelque part dans la galaxie, parmi des millions et des milliards d'étoiles, il y avait un petit point noir avec une flèche qui indiquait en grosses lettres « VOUS ETES ICI ». Cette photo mettait toujours nos séances de travail dans une bonne perspective... Que sommes-nous?

Colin avait une femme de ménage qui s'appelait Alice. Elle m'appelait toujours « mon chou », et Colin « monsieur Higgins ». Je pense qu'elle devait sentir que je n'étais pas « fière » et que j'étais à l'aise et « chez moi » avec les gens comme elle. En tout cas, Alice faisait le poulet rôti comme personne, et elle nous ravitaillait abondamment en petits gâteaux et en crèmes glacées.

Elle ne répondait jamais au téléphone parce qu'elle savait que « M. Higgins » était trop curieux pour résister à la tentation de savoir qui et pourquoi on l'appelait. Moi ça me rendait dingue. Il était toujours tellement poli et généreux avec ses amis. Alors que j'étais en train de me creuser la cervelle pour essayer de faire paraître drôle un médium, il courait bavarder avec ses copains, et je devais faire du bruit avec mon crayon, taper ostensiblement sur le bureau avec mes ongles jusqu'à ce qu'il raccroche en riant et en disant « D'a-a-a-accord! » Je n'avais jamais collaboré avec quelqu'un auparavant, et lui non plus. Moi j'étais plus rapide, plus disciplinée, et plus énergique. Lui était beaucoup plus pointilleux sur les détails, plus spécifique. J'étais plus exigeante. Il était plus fantaisiste et plus imaginatif; mais tous les deux on était très concentrés. Colin était très attentif aux mots et aux expressions comme dans ce passage du dialogue où je regarde les étoiles en disant que ce sont « des éclats de zircon tellement proches qu'on pourrait les attraper ».

– C'est beaucoup trop compliqué, ce genre de phrase, me dit Colin, beaucoup trop poétique pour décrire une nuit froide dans les Andes. Comment Shirley va dire une chose pareille?

Je haussai les épaules.

– Facile dis-je, moi je suis comédienne, c'est juste une question de métier.

Colin répliqua :

– Tu répètes toujours la même chose, le métier, le métier!

– Ouais! comme dans la vie! on apprend en faisant.

Le producteur Brandon Stoddard avait suggéré en premier le nom de Robert Butler pour la réalisation. Butler avait dirigé les films pilotes de *Hill Street Blues* et *Moonlighting*, et s'il était libre, on espérait bien lui mettre le grappin desssus. Butler était disponible, mais « est-ce qu'il accepterait de travailler pour nous? ».

Combien de réalisateurs accepteraient de tourner une histoire d'amour sur fond de réincarnation, d'extra-terrestres et d'entités spirituelles?

L'anniversaire de ma fille Sachi avait lieu le 1er septembre. Je décidai d'organiser une petite fête en son honneur à Malibu et j'invitai Kevin Ryerson, le médium que j'ai décrit dans *L'Amour-foudre.* La question était de savoir s'il jouerait son propre rôle dans le film ou s'il fallait trouver un acteur qui simule les interventions des entités, c'est-à-dire qui soit capable de changer de personnalité de façon radicale. J'invitai donc en même temps que Kevin Robert Butler, notre producteur, Stan Margulies, Colin, mon agent Mortimer Viner et des amis de Sachi. En dehors de Colin, personne n'avait assisté à des séances de spiritisme. Sachi était habituée, et elle avait des tas de questions à poser à plusieurs entités qu'elle n'avait pas contactées depuis longtemps. Ce serait donc très utile pour tout le monde.

Il y avait pas de mal de gens qui n'avaient rien à voir avec le film et qui ne connaissaient de l'au-delà que ce qu'ils avaient vu dans *L'Exorciste...* ou qui s'en foutaient. Mais comme je ne crois pas au hasard, j'étais persuadée que tous les gens qui se trouvaient là ce soir-là avaient une bonne raison de s'y trouver. Cela me donnerait l'occasion de mesurer le degré de scepticisme, et de prévoir ce qui m'attendait de la part d'un grand public de téléspectateurs, dont beaucoup resteraient persuadés que « dans tout ça y a un truc, c'est pas possible autrement... ».

Aussi, après le dîner, les cadeaux et le gâteau d'anniversaire, nous avons baissé les lumières (les entités spirituelles disent qu'elles peuvent mieux voir nos fréquences de vibrations lumineuses quand l'électricité ne fait pas d'interférences avec les yeux du médium). La séance commença.

Tout le monde attendait que Kevin entre en transe, et c'était un moment de transition crucial. Si les gens croyaient que le médium « jouait la comédie », c'était précisément à ce moment-là. Moi je calculais combien de temps ça prendrait, et je me posais des questions professionnelles. Il ne fallait pas couper la scène de préparation sinon le public aurait l'impression d'un montage truqué. Il fallut quatre minutes à la première entité pour se manifester. Est-ce que ça ne serait pas trop long à l'écran? Est-ce qu'on pouvait se permettre d'attendre aussi longtemps?

– Salutations! dit-il, comme d'habitude. Précisez, je vous prie, le but de votre réunion.

Tout le monde s'approcha. Quelle curieuse façon de s'annoncer! Sachi salua John à son tour, avec beaucoup de respect. Elle expliqua que nous étions tous réunis pour son anniversaire, et que même si parmi tous il y avait des gens que John pouvait considérer comme des étrangers, en réalité, nous étions tous amis.

John répondit aussitôt :

– Pour moi, il n'y a pas d'« étrangers »; il n'y a que des amis qui ne se sont pas encore rencontrés.

La remarque ne fut pas perdue pour tout le monde... Certains avaient l'air de la « digérer ».

– Oh! dit Sachi, excusez-moi.

Elle hésita. John enchaîna en lui souhaitant un heureux anniversaire et en la félicitant d'avoir choisi d'être incarnée dans une période comme celle que nous vivons en ce moment. Elle le remercia. Il demanda s'il y avait des questions. Personne n'ouvrit la bouche. Il y avait comme un gros malaise dans l'assemblée. Crainte de parler en public – même devant des personnes connues; nouveauté de l'expérience... Je suppose que jusqu'ici aucune des personnes présentes ne s'était posé la question de savoir comment se passait la confrontation avec une personne « non solide », invisible, désincarnée.

Je devinais que Bob Butler et Stan examinaient la possibilité de faire jouer l'entité spirituelle « John », en se servant de Kevin, comme vrai médium, dans le film. Ils essayaient d'adopter une attitude professionnelle, mais en même temps je sentais qu'ils étaient très curieux. Je décidai de briser le silence en demandant à John s'il accepterait de répéter et de se conformer au script que nous avions écrit pour lui. Il répondit en substance : « Si je peux dire un texte qui corresponde à mon système philosophique et qui sera proche des paroles que j'ai dites lors de nos premières réunions, j'accepte volontiers. » Stan et Bob me regardèrent. Mortimer toussa poliment. Je le connaissais bien celui-là. Il avait sûrement envie de dire un truc du genre « Vous faites aussi les vitres? » Il adorait plaisanter et même carrément déconner quand il était énervé ou qu'il voulait mettre les gens à l'aise. Je continuai néanmoins avec des questions pratiques.

– Pas de problèmes, John. Mais si je vous demande de refaire une scène plusieurs fois, ou d'aller plus vite, est-ce que vous pourrez le faire?

– Oui, bien entendu.

– O.K.! Maintenant, dites-moi : est-ce qu'on aura des problèmes techniques avec le matériel à cause de vos fréquences électromagnétiques?

– Cela pourrait présenter des difficultés, dit John. C'est pourquoi je vais baisser mes fréquences par rapport aux instruments, pour éviter tout incident avec votre matériel.

Le regard de Stan s'illumina comme fasciné. Bob me jeta un coup d'œil oblique, et Mortimer avait l'air d'être en transes. Il était préoccupé à l'idée qu'un acteur joue son rôle (l'agent de Shirley), et il essayait de mettre Paul Newman sur le coup. Je continuai à poser mes questions :

– John? Est-ce qu'il y a des gens dans l'équipe qui vont nous créer des ennuis parce que tout ça est trop nouveau pour eux?

John secoua la tête : « Non. Nous sentons qu'il y aura un respect mutuel dans le travail, et que la coopération sera consciente et inconsciente. Chacun s'adaptera selon sa personnalité. »

Stan sourit et se pencha en avant : « J'aimerais préciser qu'au cinéma, on a souvent besoin de recommencer la même scène plusieurs fois. Pourrez-vous dire vos paroles sans rien changer ou allez-vous improviser chaque fois que vous recommencerez? » John souriait pour lui-même. « Ça fait des milliers d'années que je répète le même enseignement. Je ne crois pas que la durée d'un film fasse beaucoup de différence. »

Tout le monde se mit à rire.

– Il peut y avoir de très légères différences, mais dans l'ensemble, ce sera le même contenu de langage. Je savais que les mots, le langage spirituel, donnent souvent une impression de « déjà vu » ou plutôt de « déjà entendu ».

Mais Stan était préoccupé par les aspects concrets du film :

– John, comme vous le savez, nous allons tourner au Pérou la majeure partie du film. L'altitude va être dure à supporter pour tout le monde, sans parler des sujets que nous allons aborder : je veux parler des rencontres extra-terrestres. Est-ce qu'on doit s'attendre à des difficultés ou est-ce que ça va bien se passer?

John tourna la tête et Kevin frissonna.

– Pause, dit John. Une entité désire parler.

Un mouvement de surprise traversa l'assemblée. Kevin avait l'air parcouru d'une nouvelle énergie, et l'expression de son visage avait changé complètement.

– Salut, tout le monde, dit une nouvelle personnalité. Je m'appelle Tom McPherson. Comment allez-vous, tous?
– Ça va bien, Tom, merci.
– Bon alors, j'ai cru comprendre que vous aviez peur d'avoir des problèmes entre vous, et aussi à cause de l'altitude. C'est bien ça?
– Tout à fait, dit Stanley.
– Tout d'abord, il faut continuer à trier vos collaborateurs sur le volet. Vous avez déjà compris que personne ne fait partie de cette aventure par hasard. Vous feriez bien de vérifier deux fois les fiches médicales de vos équipiers, surtout en ce qui concerne le cœur et la tension. En dehors de ça, rien de plus que pour un tournage ordinaire.
Je me demandais quels techniciens seraient malades.
– Et pour la météo?
– Tout d'abord, vous pouvez influencer le temps par votre état d'esprit, et vous le savez déjà.
Plusieurs personnes se raclèrent la gorge :
– A mon avis, les meilleures dates pour filmer devraient tomber entre le 11 janvier et le 24 février.
Je vis Stan faire une rapide calcul sur son calendrier de poche. Il avait l'air satisfait.
– Dites-moi, Tom, est-ce qu'on aura besoin d'un service de sécurité pour nous protéger de ce groupe de terroristes d'extrême gauche?
Tom réfléchit un moment.
– J'examine l'endroit où vous allez travailler, et je constate que vous ne les intéresserez pas. Mais faites-vous tout petits quand même, et profitez-en pour bien documenter le tournage du film pour votre future publicité.
– Pourquoi? parce qu'on pourrait avoir des surprises.
– Oh, dit-il, il y aura des surprises, bien entendu. Mais je ne vais pas vous les révéler maintenant. Vous aurez accès à des phénomènes inhabituels d'ordre spirituel pendant ce travail.
Stan était assis, et se grattait la tête. J'éclatai de rire :
– Vous voulez parler d'Ovnis, Tom? demanda Stan.
Tom secoua la tête.
– Ça vous plairait, n'est-ce pas?
– Oui, certainement, répliqua Stan en souriant et en se frottant le nez, comme s'il pensait déjà à la publicité.
– Disons que si ça arrive, ce ne sera pas le fait du hasard, dit Tom.

Bob Butler s'esclaffait tout seul comme si cette affaire allait se révéler plus excitante qu'il ne l'avait prévu au départ.

Je soupirai en pensant à tout le travail de réécriture qui nous attendait compte tenu des suggestions de Tom.

– Tom, dis-je, vous avez une salle pleine de témoins ici. Etes-vous vraiment sérieux dans tout ce que vous dites?

– Tout à fait catégorique.

– Pourquoi?

– Parce que ce serait une démonstration merveilleuse de la vibration du karma collectif que chacun de vous peut avoir avec ce genre de phénomène. Il pourrait y avoir une coopération avec les entités qui cherchent à la simuler. De plus, la terre va recevoir une nouvelle vague d'informations; une recrudescence d'Ovnis. C'est dans l'air... parce que la réceptive collective est prête.

Tout le monde se regardait. Cette sorte de prédiction était plutôt choquante. Colin et moi avons souri, Stan et Bob ont haussé les épaules; Mortimer clignait des yeux, le visage de Sachi marquait un profond étonnement, et les autres s'agitaient, parce que sans doute, c'était la fête d'anniversaire la plus étrange à laquelle ils aient assisté.

– Rappelez-vous, continuait Tom, que la conscience collective de l'équipe sera un facteur décisif. Chaque individu est capable de voir un Ovni. La conscience collective est réceptive selon la somme de réceptivité de chacun de ses membres. Si l'âme humaine est perturbée ou malade, cela affecte le « Tout », non seulement le fait de voir des Ovnis, mais tous les événements d'importance internationale. Quand on étudie la dynamique de l'histoire humaine, on est devant l'histoire de la race humaine, n'est-ce pas?

Nous avons tous acquiescé, de façon solennelle, comme si nous comprenions ce que cela signifiait. Bob Butler but une grande gorgée d'eau. Je voyais qu'il avait envie de parler de choses concrètes.

– Tom, dit Bob, combien de prises pouvons-nous prendre avec vous? Je veux dire, combien pouvons-nous utiliser de caméras pendant que vous êtes là avec les autres entités de Kevin? Est-ce que vous pouvez répéter vos répliques vingt ou vingt-cinq fois de suite comme la plupart des acteurs?

Tom hésita. Je vins à la rescousse pour mettre les choses au point.

– Je pense qu'il se demande, dis-je, combien de temps vous autres guides spirituels pouvez rester dans le corps de Kevin sans trop le fatiguer. Il ne faudrait pas que la production soit arrêtée à cause de ça.

– Je vois, dit Tom. L'instrument, Kevin, peut généralement rester en transe pendant environ deux heures, trois ou quatre fois par jour. Cependant, cela dépend de la personnalité de celui qui passe par lui. Si c'est seulement celle de John, il peut rester facilement deux heures parce que la vibration de John est plus élevée et elle absorbe moins d'énergie, dans « l'instrument », que nous autres. Laissez-lui une période de repos de trente minutes, et il pourra recommencer une séance de deux heures. Est-ce que ça vous paraît convenir à votre tournage?

Tout le monde avait l'air satisfait.

– Oui, ça serait formidable!

Je posai une autre question scientifique.

– Si nous avons trois ou quatre caméras en même temps, est-ce que la quantité de fréquences électromagnétiques ne risque pas de faire du mal à Kevin ou à qui que ce soit?

– Non, pas du tout, répliqua Tom. En tout cas, nous allons garder notre fréquence la plus basse possible, pour ne pas perturber votre matériel. Par contre Kevin risque de souffrir de la chaleur des lumières; il a tendance à mal supporter les coups de chaleur, ce qui lui arrive plus souvent à cause du soleil qu'à cause d'une chaleur artificielle.

Tom s'arrêtait après les réponses, attendant la question suivante, avec cette manière un peu distante et particulière qu'ont les entités spirituelles de communiquer par le son et par la lumière. Stan demanda si nous devions prendre des précautions médicales pour aller au Pérou. Tom suggéra que nous apportions autant de nourriture et d'eau que nous pourrions. Il mit en garde les gens qui souffraient de problèmes cardiaques et circulatoires. Comme le repérage n'avait pas encore été fait, on demanda si nous devions tourner à Huancayo, là où avait eu lieu mon aventure réelle. Tom nous recommanda d'être vigilants en ce qui concernait notre logement sur place.

Ensuite Butler, revenant à un sujet plus métaphysique, demanda une fois de plus à quels types de phénomènes spirituels on devait s'attendre pendant le tournage. Le Pérou et les entités de Kevin n'étaient pas les seules aventures au programme. Nous devions aussi tourner avec un médium suédois, à Stockholm, qui communiquait avec une entité appelée Ambres. C'était avec lui que j'avais eu ma première expérience. Tom expliqua alors que pendant cette séance filmée avec Ambres, il y aurait des perturbations intéressantes à cause des tendances médiumniques de certaines personnes y compris moi-même, parce que le niveau des énergies serait très élevé. Je le notai dans ma tête. Ensuite, Sachi posa quelques questions sur sa vie personnelle et sur les douleurs qu'elle avait dans le dos et dans le cou. Tom lui répondit avec humour, en lui expliquant les causes de blocages karmiques. Ils avaient été, lui et Sachi, de très bons amis, à l'époque élizabéthaine, et, comme ils venaient d'un milieu très pauvre irlandais-écossais, ils faisaient du théâtre de rue et arrondissaient leur fin de journée en faisant les poches des gens riches. Tom réparait maintenant ses erreurs en donnant de l'aide et des conseils aux autres, et à Sachi en particulier, puisqu'il lui avait appris à voler. Elle adorait lui parler et suivait généralement ses conseils.

Je demandai ensuite à Tom comment mon livre *Danser dans la lumière* serait reçu. Il me dit que ceux dont l'art est d'« interviewer » commencent à s'habituer à des sujets métaphysiques et spirituels depuis que j'ai osé traiter des sujets que même les plus « fous » n'auraient jamais osé aborder, comme dans *L'Amour-foudre.* Il me dit que *Danser dans la lumière* était un livre plus controversé parce qu'il était tellement personnel que le lecteur était obligé de choisir. Ou bien, il me considérait comme une folle, ou il se demandait s'il n'y avait pas une part de vérité, dans cette dimension spirituelle qui faisait partie de ma vie. Il continua en disant que ça faisait longtemps que j'étais connue du public et jusque-là on ne m'avait jamais prise pour une folle. Alors, ils devaient, ou bien me tourner le dos et m'accabler de leurs préjugés, ou bien ouvrir le livre et y jeter un coup d'œil. Mais le processus de compréhension ne pouvait se faire que petit à petit, de proche en proche.

Je regardai les gens autour de moi. Ceux qui n'avaient jamais entendu parler de spiritisme étaient sur la défensive et regardaient tout cela d'un œil glacé. Il y avait aussi ceux qui posaient des questions sur leurs souffrances, leurs angoisses, leurs colères, leurs conflits. Les réponses semblaient les soulager. Quelqu'un posa des questions sur le Sida. Tom répondit avec prudence :

– Si vous voulez une explication spirituelle, dit-il, à mon

avis c'est blanc et noir. Cette maladie frappe avant tous les individus qui sont socialement désinvestis. Le Sida, si vous l'avez remarqué, est devenu une sorte de maladie de la conscience sociale.

– Qu'est-ce qu'on peut faire contre ça? demanda un jeune homme. Il pourrait y avoir un renversement de la situation, du karma. Mais il faudrait que tout le monde s'entraide et intensifie la demande spirituelle et scientifique, et le karma s'atténuerait. Ne demandez pas non plus, pour qui sonne le glas, parce qu'il sonne pour tout le monde. La mort n'a pas de préjugés. Ce n'est plus seulement une peste « gay ». Mais la recherche va s'intensifier en même temps que la propagation de la maladie.

– Est-ce qu'il y a des aspects positifs à cette maladie? lui demandai-je.

– Oui bien sûr. Voyez-vous, cette maladie doit servir à aider la compréhension humaine, comme toutes les maladies. C'est une question de conscience. Le corps suit l'esprit. Quand vous êtes dans un mauvais état d'esprit bas, déprimé, malheureux, « débranché », le corps manifeste cet état d'esprit. Vos médecins et psychanalystes commencent à voir le rôle que la conscience joue dans la maladie...

– Vous voulez dire que la santé, ou la maladie, sont une question d'attitude alors?

– Oui. Le processus de guérison est stimulé par une attitude reliée à l'énergie pure. Cette maladie est apparue, dans votre société, pour mettre l'accent sur les problèmes de stress dans le système immunitaire. Quand ce système n'est pas aligné sur les forces positives universelles, il s'effondre. Vous verrez la maladie décroître si vous vous débarrassez de vos préjugés.

Un grand silence suivit ce discours.

– Je vais être obligé de m'en aller bientôt, ajouta Tom. Je ne veux pas abuser de l'énergie de l' « instrument ». Encore une question, si vous voulez.

Stan se pencha vers lui.

– Monsieur McPherson, dit-il, est-ce que les gens qui participent à ce projet ont déjà partagé la même énergie créative dans une vie antérieure?

Je n'aurais jamais imaginé que le producteur de *Racines* pose une telle question. Mais il y a producteur et producteur. La réponse de Tom était stupéfiante.

– Absolument, dit-il. Votre groupe était réuni quand a eu lieu la première transformation artistique et culturelle sous le règne d'Akhenaton. Vous étiez déjà complètement novateurs dans l'art visuel, comme vous le serez aujourd'hui.

Stanley avait les larmes aux yeux. Je ne savais pas pourquoi.

– Je dois partir maintenant, dit Tom. Que les saints vous protègent. Dieu vous bénisse.

Un frisson traversa le corps de Kevin. Puis John retourna dans le corps de Kevin pour une dernière salutation :

– Salutations, dit-il. Cherchez la paix dans les choses que vous recevez en esprit, car vous verrez qu'elles poursuivront l'œuvre de votre créateur, et, en vérité, vous êtes cette œuvre. En comprenant cela, vous verrez que vous avez de nombreuses pensées, mais que vous n'avez qu'un seul esprit. De même, il y a beaucoup d'âmes, mais il n'y a qu'un seul Dieu. Chacun de vous est une pensée et une création dans l'esprit universel que vous appelez Dieu. Marchez dans la lumière de Dieu Père-Mère. Dieu vous bénisse. Amen.

John quitta le corps de Kevin. Pendant un instant, c'est comme s'il n'y avait plus personne du tout dans le corps de Kevin. Tout doucement, il reprit conscience. Il se frotta les yeux, puis il s'étira.

– Coucou! on est arrivés. On est là! dis-je pour le rassurer.

Il ouvrit les yeux et dit « alors, c'était comment? »

Stan se leva et le remercia.

Il n'avait guère envie de parler. Certains devaient être persuadés qu'ils avaient en face d'eux un magicien et un mystificateur; d'autres commençaient à entrevoir toutes les conséquences, si les entités de Kevin étaient réelles. Je remerciai Kevin et Stan vint me rejoindre près de la table chargée de desserts.

– Je suis stupéfait! J'ai travaillé pendant deux ans sur un feuilleton télévisé basé sur la vie d'Akhenaton. C'est seulement aujourd'hui que je comprends la profondeur de ma passion. Je crois Tom quand il dit que nous avons tous été réunis dans le passé.

Je le regardai dans les yeux.

– Vraiment? lui demandai-je.

Il pressa son plexus solaire :

– Je le sens là.

Colin vint me rejoindre.

– Alors, tu crois que Kevin peut jouer son personnage, demanda-t-il. Et les entités? Tom dit qu'il a été comédien. Tu crois qu'il sera bon?

J'éclatai de rire. Mais sa question était justifiée. Si le public refusait de croire que les séances de spiritisme étaient authentiques, il n'y avait plus de film. Nous étions confrontés à un problème pirandellien : Kevin, les entités, et moi allions jouer nos propres personnages.

La réponse serait professionnelle. Qui serait le plus crédible, Kevin, ou un acteur de métier?

Mortimer murmura à l'oreille, entre deux bouchées de gâteau : « J'avais jamais compris jusqu'à ce soir où tu en étais, mais je ne suis pas sûr que ça me plaise. Je suis content de pouvoir parler à mes belles orchidées. Tu crois qu'elles vont bientôt me répondre? Est-ce que je vais devenir leur agent? »

Je ris et le bourrai de coups de poing.

– Ecoute, me dit-il. Peu importe qui va jouer Kevin. Mais qui va me jouer, moi? Newman n'est pas disponible. Qu'est-ce que tu penses de Clint Eastwood? il lui faudrait pas trop de répliques...

Mortimer embrassa Sachi, lui souhaita un bon anniversaire et s'en alla. Stan me dit qu'il allait rentrer chez lui et dire à sa femme qu'il avait été un pharaon égyptien, pendant que Colin regardait dans sa tasse en pensant peut-être à Ruth Gordon.

Bob Butler sortit en disant.

– Je signe où vous voulez, quand vous voulez.

Après le départ des derniers invités, je suis restée seule près de la fenêtre à regarder les vagues. Je me demandais si nous réussirions à émouvoir les gens, à ébranler les préjugés et à entamer le scepticisme. Combien de gens pourraient s'identifier avec une Shirley « en quête spirituelle » avec l'aide d'entités sans corps. Qui, d'ailleurs, se préoccupait de questions spirituelles? Pour moi, personnellement, l'existence d'êtres spirituels désincarnés est la preuve que nous ne mourons jamais; que nous changeons seulement de forme et que nous allons dans d'autres dimensions; que toutes les âmes existent quelque part et qu'elles guident les autres. Je connaissais beaucoup de gens qui pensaient comme moi. Mais je n'étais pas sûre de savoir ce que pensait le téléspectateur moyen.

J'ouvris la fenêtre coulissante pour aller sur le balcon. Et les critiques de télévision? Je savais que 70 % des Américains – selon un récent sondage – avaient eu une expérience avec l'autre monde. Si les critiques ne faisaient pas partie des 70 %, comment pourraient-ils porter un jugement objectif sur la qualité artistique de notre travail? Ils ne jugeraient que sur la base du ridicule et de l'absurdité de croyances qu'ils reniaient, peut-être par crainte d'être eux-mêmes ridicules. Moi la première, si j'avais à faire la critique d'un spectacle basé sur un charabia de cinquième dimension auquel je ne comprendrais rien parce que ces sujets ne m'intéressent pas du tout. Je le déclarerais superficiel et idiot. De même, si mes croyances spirituelles étaient bien ancrées, et que le contenu métaphysique me dérange et me choque, je ne parviendrais pas à être objective sur la forme artistique. Enfin, si j'étais une pure intellectuelle, éloquente, cynique et sceptique, convaincue que Dieu et la Justice cosmique sont des mythes, que l'homme est voué à la tragédie – prêt à se faire sauter et la planète avec –, par désespoir ou à cause de conflits inévitables, j'attaquerais violemment toute cette histoire de karma. Comment supporter sans colère une explication de la condition humaine qui me laisserait sans identité – une identité définie par les limites, la colère et le désespoir, plutôt que l'espoir idéaliste et positif d'une responsabilité basée sur la loi du karma (cause-effet).

Je restai longtemps sur mon balcon à contempler l'océan. A quoi bon les regrets? Pourquoi garder tout ça dans un tiroir? Est-ce que l'opinion des autres m'importait à ce point-là?

Je me penchai pour regarder les vagues écumantes de la marée montante, et je pensai tout haut :

« Tu as vécu ta vie, devant un public. Pourquoi t'arrêter maintenant? » Et je rentrai à l'intérieur.

CHAPITRE 4

La semaine suivante, je demandai à Kevin de faire une séance de répétition avec ses « entités ». Tom et John entreraient dans le subconscient de Kevin pour apprendre leur texte.

Colin était déjà là, dans mon appartement de Malibu, quand Kevin entra.

Kevin nous mit tous les deux dans un état de méditation, par les sept chakkras (centres d'énergie situés le long de la colonne vertébrale). On devait se concentrer sur chaque point en chantant la note de musique correspondante – il y a sept notes de musique, sept couleurs sur le spectre des couleurs, et sept chakkras. Chaque note de musique correspond à une couleur qui vibre à la même fréquence. Quand on chante « OM » (considéré en hindou comme le premier son originel du langage) tout en visualisant la couleur qui correspond à chaque chakkra, l'énergie du corps devient tout à fait harmonieuse. Kevin nous expliqua que lorsque trois personnes méditent ensemble l'équilibre est facile à réaliser parce que chacune représente l'esprit, le corps, et l'âme.

Après la méditation, Colin et moi avons décidé de faire exactement comme si on se réunissait pour la première fois.

Kevin entra en transe. Un moment d'attente. Puis John entra comme il le fait toujours en disant « Salutations. Précisez le but de votre réunion ». Mot pour mot, Colin et moi avons récité le script; je me présentai comme si on ne s'était jamais rencontrés et nous avons commencé par la scène de notre première réunion. John, par la bouche de Kevin, était parfaitement en place avec même une petite touche de dignité biblique en plus. Au moment exact, conformément au scénario, il s'est arrêté et il a déclaré : « Pause. Une " entité " désire parler ».

Après quelques minutes d'attente, Tom McPherson est entré.

– Je vous donne le bonjour à tous. Comment allez-vous? Je

me mis à rire, comme la première fois que Tom était apparu, et il dit, – tout comme il l'avait dit à ce moment-là – « Je ne m'attendais pas à voir cette réaction aussitôt. »

Je ris, à nouveau. Tom toussa, puis il demanda une tasse que je lui tendis. Il la porta à ses lèvres et dit :

– Est-ce qu'il y aura vraiment quelque chose à boire dedans quand on jouera la scène, ou non?

J'étais sidérée. Il avait changé de ton exactement comme un véritable acteur.

– Désolé, ajouta-t-il, ce n'est pas que je veuille étoffer mon rôle, même si notre « instrument » (Kevin) s'est étoffé de 7 ou 8 kilos ces derniers temps.

Je ne pouvais pas m'empêcher de rire, et je n'arrivais pas à **jouer** la comédie. J'étais moi, et non la personne que j'étais dix ans auparavant. C'est vraiment une sensation curieuse de passer de soi, à soi, contamment comme si on était deux personnages distincts.

– J'espère, dit Tom, que vous jouerez votre rôle de façon plus authentique pendant les essais filmés. Vous n'étiez pas du tout comme ça quand on s'est rencontrés.

– Vous non plus, répliquai-je.

– Tout à fait exact, avoua Tom.

J'attendis qu'il ait fait semblant de boire pour dire ma réplique.

– Buvez votre thé, Tom, pour que je puisse dire mon texte.

– Il n'y a pas d'indication de mise en scène à cet endroit, disant que je dois boire mon thé.

– Mais si, lisez le script.

– Impossible : Je ne pourrais pas, et Kevin n'est pas doué pour comprendre les ordres.

– O.K., dis-je, continuons.

Tom joua le reste de la scène à la perfection. Il trouvait les temps forts, et réussissait même à embellir son rôle. Quand la scène fut terminée, Colin et moi l'avons applaudi très fort. Tom nous remercia et il en profita pour nous raconter qu'il avait joué pas mal de pièces de Shakespeare dans les rues, quand il était pickpocket à mi-temps; mais en ce moment, il préférait s'occuper de l'esprit des gens plutôt que de leur faire les poches, ce qui était beaucoup plus sage. Après quoi, nous nous sommes assis pour parler.

– Dites-moi Tom, dit Colin, est-ce que vous serez fidèle

au script, même si vous en avez marre de le refaire plusieurs fois?

– Oui, dit Tom, et puis, je suis en train de travailler mon nouvel accent. Comment l'avez-vous trouvé?

Colin me fit un clin d'œil. Tom se comportait comme n'importe quel autre acteur soucieux d'être parfait, et conscient en même temps d'être sur la corde raide, à risquer l'humiliation s'il se plantait. « J'avais cet accent ajouta Tom quand j'avais vingt-cinq ans. C'est une fréquence beaucoup plus joyeuse. J'aimerais mieux vous donner un son léger plutôt que la voix grave et mûre de mes trente-cinq ans – qui est celle que j'utilise habituellement. – Vous êtes d'accord?

– Ça marche, dit Colin, mais ne poussez pas trop dans le sens collégien, non plus. O.K.?

– Ne vous en faites pas, dit Tom.

– D'autres suggestions? – Je lui demandai. N'ayez pas peur de proposer autre chose!

– Eh bien, dit Tom, j'aimerais me lever et essayer de danser une petite gigue irlandaise pour vous, si j'arrive à me servir de cet " instrument " – le corps de Kevin. A ce propos, nous deux, on a dansé sur le pont d'un bateau pendant mon incarnation de pickpocket. Vous ne vous en souvenez pas, mais on s'est payé du bon temps tous les deux.

– On était amis?

– Oui

– Pourquoi vous ne me l'avez jamais dit?

– Vous ne me l'avez jamais demandé.

– Oh! oui. C'est vrai. Vous ne répondez qu'aux questions que l'on vous pose.

– Tout à fait, dit Tom. Je lui fis un sourire malicieux, espérant le « voir » à travers le corps de Kevin.

– O.K., dis-je. Est-ce que vous pouvez utiliser le corps de Kevin pour danser une gigue?

– Oh oui, dit Tom.

Alors, il se pencha et regarda ma moquette.

– Je dois dire que c'est plus facile de danser sur un pont en bois que sur ce tapis. Je vais sûrement me tromper dans les pas. Vous ne m'en voudrez pas?

– Allez-y, je vous en prie. Voyons ce que vous avez envie de faire.

Tom pencha la tête de gauche à droite. Puis, tout doucement, il se leva de sa chaise.

– Il faut que j'adapte mes fréquences de vibration exactement sur celles de « l'instrument ».

Il fit quelques pas;

– Est-ce que vous auriez un bandeau s'il vous plaît? La lumière du soleil interfère avec ma capacité de voir la fréquence de la lumière du sol.

Tom était debout. Il n'osait pas bouger. Je courus lui chercher une écharpe. Je l'attachai autour des yeux de Kevin.

– Ah! dit Tom joyeusement, ça va beaucoup mieux.

Ensuite, Tom se prépara à danser. Il mit ses mains sur ses hanches et nous donna un spectacle époustouflant de sauts, et cabrioles, sur le rythme imaginaire d'une gigue irlandaise. Tout en dansant, il nous raconta des anecdotes sur les incarnations que Sachi et moi avions eues avec lui. Il nous raconta notre vie de pirates, comment il avait adopté Sachi comme pupille, comment je lui avais sauvé la vie dans une autre, etc. Il nous fit une démonstration étourdissante qu'il conclut en citant la dernière ligne de mon livre *Danser dans la lumière* (que Kevin n'avait pas lu!)

– Oh, **oui** s'exclama-t-il, la danse et le danseur ne font qu'un.

Tom était stupéfiant. Quand il eut terminé son show, il se rassit.

– Bon, alors, qu'est-ce que vous en pensez? dit-il à bout de souffle. Vous pouvez en faire quelque chose?

Colin et moi étions subjugués.

– Je pense que ça va dépendre de Bob Butler. C'est lui qui jugera. (En réalité, la scène fut tournée comme prévu dans le script, sans les pitreries irlandaises de Tom.)

– Oui, bien entendu, c'est normal que votre M. Butler soit « juge », parce que, quand, moi, j'étais pickpocket, il était magistrat en Angleterre; et il est encore sûr d'être la seule personne sensée du projet. Au fait, est-ce que je vous ai parlé de l'influence d'Akhenaton sur votre ami Stan? Ça pourrait l'aider à réfléchir, n'est-ce pas?

– Quel farceur, ce Tom! Bien sûr, on en a déjà parlé. Pourquoi me le demandez-vous?

– Vous avez raison, répliqua-t-il. J'aime les compliments. Est-ce qu'il y aura d'autres questions avant que je parte?

– Non merci, dis-je.

Alors, je me souvins d'une pensée qui m'obsédait depuis quelques semaines. J'avais l'impression bizarre d'être « guidée », « inspirée », poussée à ajouter une scène en particulier, dans le scénario, parce que le « guide » trouvait que ça manquait de suspense. Je demandai à Tom si c'était une impression ou si j'avais raison.

– Si vous voulez le savoir, dit Tom, il s'agit de votre vieil ami Alfred Hitchcock.

– Hitch? dis-je très excitée.

– Oui. C'est bien lui. Il a décidé de vous aider, parce qu'il se rappelle qu'il n'a pas toujours été très correct avec vous dans le travail, n'est-ce pas?

– C'est vrai, Tom. Il a été très dur avec moi d'une certaine manière.

– Bon, alors maintenant, il essaie de réparer en vous aidant à mettre du suspense dans ce scénario spirituel. Vous travaillez sur des cycles de trente ans tous les deux. Il y a trente ans, il était présent à un moment très important de votre carrière, à vos débuts, et il revient pour vous aider dans cette nouvelle phase d'expression, avec le feuilleton télévisé. Pourtant il en prend plein les dents en ce moment.

– Pourquoi?

– Parce que, la loi du karma étant parfaite, certains acteurs qu'il a maltraités quand il les dirigeait sont en train de faire des « remakes » et des suites de ses grands films classiques, pour des séries télévisées qui portent son nom – et d'après lui, c'est très mauvais. S'il lui restait des cheveux, il se les serait déjà arrachés.

Colin et moi étions morts de rire. On était intarissables sur le sujet. Il n'avait que du mépris pour les acteurs, répétant toujours que nous étions du bétail. Et voilà que Tony Perkins et Burt Reynolds – entre autres– tournaient des « remakes » de ses films. Hitchcock ne pouvait pas se retourner dans sa tombe, mais il devait sûrement ronger son frein en ayant pour punition de donner un coup de main... astrale, à tous ceux qu'il avait martyrisés.

– Mais, ajouta Tom, il le fait toujours avec humour. Dieu lui a joué un tour à sa façon, et il rame... avec humour.

– Zut! dites à Hitch que je suis désolée de ne pas avoir assisté à ses funérailles.

– Oh! dit Tom, il ne s'en est sûrement pas aperçu. Il n'y était pas non plus. Il a toujours eu horreur de ça.

Une pensée me traversa :

– A propos, Tom, sous quel nom voulez-vous apparaître au générique, si vous le désirez, bien entendu?

– Certainement, dit Tom. Je suis un professionnel, après tout.

– Évidemment.

– Bon, alors dit Tom d'un ton très digne, j'aimerais bien voir Tom McPherson dans le rôle de Tom McPherson.

– D'accord. Et pour John?

– Un instant s'il vous plaît, dit Tom.

Il « revint » au bout d'un moment;

– John aimerait qu'on l'appelle Jean, le fils de Zebedee.

– Oh! dis-je. Pas de problème.

J'eux soudain un flash.

– Est-ce que Jean de Zebedee n'était pas Jean le bien aimé?

– Tout à fait exact.

– Alors, est-ce que c'est le même qui a écrit *Le livre des Révélations?*

– Oui. C'est le même dit Tom. Vous pouvez dire que nous autres, « entités », nous jouons notre propre rôle, si vous voulez. Je dois partir maintenant. Les saints vous protègent.

Et il s'en « alla ». Kevin redevint conscient et nous sommes allés tous les trois sur le balcon pour regarder les vagues. Kevin avait mal aux genoux et il se demandait pourquoi. Je lui ai dit qu'il avait dansé une gigue irlandaise.

Le lendemain, je garai ma voiture dans le parking des production ABC. En sortant, je remarquai un homme portant un dossier à couverture rose sous le bras. Son visage me disait quelque chose. L'homme s'appelait Tom Hulce, et il venait de rater un Oscar. C'est son confrère Murray Abraham qui venait de l'emporter dans *Amadeus.*

– Eh! Tom l'appelai-je, ce sera pour une autre fois...

Tom me sourit et m'embrassa.

– Qu'est-ce que tu fais avec ce script rose? lui demandai-je.

Quand Stan m'avais demandé de quelle couleur je voulais le script, j'avais dit « rose ».

– C'est le tien, ma chérie. Tu ne reconnais pas ton propre script?

J'étais perplexe.

– Mais qu'est-ce que tu fais avec, Tom?

– C'est parce que je l'ai lu et que je l'ai aimé. Alors mon agent m'a demandé si j'aimerais le lire avec d'autres acteurs, juste pour le pied. T'as pas envie de voir ce que ça donne?

Si j'en avais envie? Mais je n'aurais jamais espéré voir un acteur de l'envergure de Hulce le lire « pour le pied ».

Bras dessus, bras dessous, nous sommes entrés dans l'immeuble d'ABC. Ce fut l'un des moments les plus excitants de toute ma vie. Comme le jour où j'ai eu mon bébé, le jour où j'ai gagné l'Oscar, et quand j'ai rencontré Clark Gable! Il y avait une pancarte : « Lecture du script : *L'Amour-foudre* », sur la porte d'une salle de répétition. J'ouvris la porte, entrai, et trouvai Colin, Stanley, Dean O'Brien (le chef de production), deux assistants réalisateurs, et une longue table entourée d'acteurs qui allaient re-créer ce que j'avais vécu et écrit. Les cinq dernières annés ressurgirent d'un seul coup. C'est une expérience incroyable... Être sur le point de voir jaillir de sa propre vie des personnages qui vont exister dans un film, c'est vraiment bouleversant. J'avais envie de crier : « Alors, c'est vrai? vous me prenez au sérieux? vous m'aimez? » Mais c'était encore plus fort que ça. Cette salle était remplie de gens qui s'apprêtaient à lire de façon professionnelle, un script qui traitait sérieusement, et respectueusement, de médiums, de spiritisme, d'êtres désincarnés, d'Ovnis, comme si c'était un autre aspect de la réalité. Ce n'était pas une fantaisie de Spielberg. C'était vrai. Ça m'arrivait à moi. Et soudain, je réalisai que Brandon Stoddard et ABC allaient investir 13 millions de dollars parce qu'ils « croyaient » dans l'impact de ma quête spirituelle.

Chacun s'assit à sa place et les présentations furent faites, de façon protocolaire. Tom était le seul acteur que je connaissais personnellement, mais les autres étaient tous également des professionnels.

Pour moi, cette lecture était un événement, et une énorme satisfaction personnelle.

Colin et moi pouvions entendre le rythme, la tension, l'intensité de l'histoire d'amour, et tester la crédibilité des relations entre les personnages. Et ça marchait. Il restait encore du travail à faire, mais, en gros, tout était là. Le plus étrange, c'était d'avoir cette vision de moi, Shirley, dans les bras d'un acteur qui jouait le rôle de l'homme que j'aimais, que j'avais aimé immédiatement. J'étais rassurée : je pourrais jouer le jeu et me montrer dans le « miroir secret » et indiscret de l'écran. J'allais pouvoir, sans crainte, jouer mon plus beau rôle, celui de ma vie, il y a dix ans.

Je pourrais jouer le personnage de Shirley avec le scepticisme, l'absence de foi et de croyance religieuse, et la confusion dans laquelle je me trouvais quand j'avais entamé ma recherche spirituelle dix ans plus tôt.

CHAPITRE 5

Il y avait des brassées de fleurs qui nous attendaient de la part de Stan et de la compagnie, quand nous sommes arrivés dans le studio. Kevin était assis dans le fauteuil de maquillage. La maquilleuse ne comprit pas tout de suite qu'elle avait affaire à un médium. Mais Kevin lui fit remarquer que McPherson mettrait un bandeau sur « Ses » yeux et que ça risquait d'abîmer le maquillage. Elle lui demanda qui était McPherson et il lui expliqua. Elle était tellement fascinée qu'elle a mis trois heures à lui étaler son fond de teint de façon « artistique ».

Toute l'équipe était prête à recevoir les visiteurs de l'au-delà. C'était la première fois – mais ce ne serait pas la dernière –, que je constatais le silence respectueux, sur le plateau, dans l'attente de la présence d'êtres non visibles. C'était très amusant de voir que même les plus endurcis et les plus frondeurs faisaient soudain preuve de respect, parce que après tout « c'était peut-être vrai... »

Il y avait aussi l'attitude prudente des gens d'Hollywood qui savent où sont leurs intérêts... « Quand il y a de l'argent quelque part. »

L'équipe était prête. Kevin aussi. Il connaissait bien son texte et (d'après lui), il était déjà en contact avec Tom et John. L'équipe, bien entendu, ne savait pas à quoi s'attendre.

Bob Butler était très à l'aise dans un studio d'enregistrement. Je me demandais comment il se comporterait avec une équipe de cinéma. Il dirigeait Kevin depuis la cabine, et très vite celui-ci s'habitua à avoir une voix en face de lui, au lieu d'un visage. Tout le monde était prêt. Kevin simula avec son chapeau et son manteau, son entrée chez moi, à Malibu. C'était drôle et attendrissant de voir Kevin se livrer à ce petit jeu, lui qui d'ordinaire ne se préoccupait jamais de son physique, quand il était « utilisé » par d'autres entités.

Bob donna le compte à rebours à l'ingénieur et la séance commença. Kevin entra et récita son texte. Il était nerveux. Je faisais ce que je pouvais pour l'aider, et je lui soufflais ses répliques. Il expliqua à « Shirley » ce qui allait se passer : il était comme une sorte de téléphone par lequel les êtres désincarnés pouvaient parler. Coup d'œil aux gens de l'équipe pour voir leurs réactions. Il n'y en avait pas un qui bronchait. Ils ont tout vu, à Hollywood. Quant à moi, j'avais oublié mes répliques. Quelqu'un me tendit un script.

Kevin entra en transe, comme sur le script. Les techniciens ne savaient pas ce qui se passait. Ils attendaient. Quelques-uns changèrent les lumières. John de Zebedee parla le premier : « Salutations. Précisez le but de cette réunion. »

Plusieurs personnes se reculèrent instinctivement. Je riais en douce... John jouait son rôle à la perfection, avec une grande précision. Lorsqu'il déclara : « Une pause s'il vous plaît. Il y a quelqu'un d'autre qui désire parler. » il y eut comme une réaction palpable du côté de l'équipe. Quelqu'un murmura :

– Est-ce que ce type va rafler tous les Oscars d'interprétation ou est-ce que c'est vrai ?

Moi-même, j'étais partagée entre le désir de regarder les réactions de l'équipe devant cette séance authentique de spiritisme et l'obligation de jouer mon rôle. J'avais beaucoup de mal à me concentrer.

Avec tout son brio et sa verve irlandaise, Tom McPherson « entra » à son tour dans le corps de Kevin. « Je vous donne le bonjour à tous » dit-il pour commencer et il se lança dans son texte, tout comme John, sans une seule erreur. Kevin, lui, avait eu des problèmes à se souvenir de son texte, mais les entités n'en avaient aucun. Tom expliqua cela plus tard par « nos angoisses terrestres ». Il nous raconta aussi que quand le réalisateur criait « Action », « l'aura » de chaque personne, sur le plateau, devenait boueuse, opaque. « De quoi avez-vous peur ? La vie est un film, pas seulement le film que vous êtes en train de faire. » Il a raison Tom, ce n'est jamais que du **CINÉMA**.

Ensuite, Tom s'adressa à l'équipe en disant « J'aimerais vous encourager tous, à apprécier le fait d'avoir un corps. Ça fait quatre cents ans que je n'en ai pas et ça me manque. Quand on flotte comme ça dans l'air comme un saint... on n'a pas le choix, on ne peut pas faire autrement que d'être bon, meilleur, et même encore mieux que ça... » Toute l'équipe éclata de rire. Tom expliqua ensuite qu'il avait été un pickpocket irlandais.

– Comment un pickpocket peut-il être un guide spirituel? dit un des techniciens.

Un autre lui répondit :

– C'est son karma; il est obligé de payer pour ça.

Je notai le nom de ce dernier – cheveux longs et boucle d'oreille – en me disant qu'on devrait l'emmener avec nous au Pérou.

On avait déjà bien avancé dans le travail quand, soudain, Tom se dirigea vers moi et me prit les mains. Une vague d'électricité chaude, presque liquide, me traversa.

– Est-ce qu'on pourrait danser une petite gigue irlandaise, milady, maintenant?

J'étais complètement désemparée, comme dans un état second.

– Allez, continua Tom, aidez un vieux pickpocket à se tenir sur ses jambes. Vous êtes avantagée vous ici; aidez-moi à tenir debout, et après, ça ira tout seul.

Je lui obéis. Tom regarda ses pieds.

– Le sol est ferme, dit-il, ce n'est pas le pont en bois d'un bateau, mais ça ira.

Et il m'entraîna dans une gigue irlandaise en me tenant les mains, légèrement. Tout en dansant il me raconta les incarnations que nous avions eues ensemble comme pirates. Je me demandais combien de temps il devrait payer pour effacer ses dettes et être quitte avec son karma.

Je riais pendant que Tom improvisait son texte. Puis je m'aperçus que j'avais envie de vomir. Ce n'était pas la danse. C'était autre chose. J'étais malade, et je ne savais pas comment faire pour arrêter cette nausée.

– Tom, lui dis-je. Il faut que je m'asseye.

Les gens autour de moi croyaient que ça faisait partie du script. Personne ne bougea.

– Oui, jeune fille dit Tom. On va s'asseoir.

Il me guida jusqu'à une chaise. Les gens autour de nous étaient fascinés. L'un d'entre eux murmura :

– Ils sont vraiment bons ces deux-là.

Tom s'assit face à moi.

– Comment vous sentez-vous, ma belle? dit-il, un peu inquiet.

– Je suis malade. Franchement. Pourquoi? Qu'est-ce qui m'arrive?

– Eh bien, dit-il, si vous tenez à savoir la vérité, je croyais que vous pourriez jouer votre rôle dans le même état d'esprit, par conséquent au même niveau de fréquence qu'il y a dix ans. Mais vous ne l'avez pas fait, et moi je n'ai pas eu le réflexe de me mettre sur votre fréquence à temps. Je pensais que vous pourriez vous adapter en dansant avec moi. Comme vous ne l'avez pas fait, notre contact physique vous a rendue malade, parce que c'était trop pour vous. Je suis désolé.

Les techniciens avaient l'air complètement incrédules.

– Oh! dis-je, je suis désolée, moi aussi.

– Oui, jeune fille, ajouta-t-il, je croyais que vous faisiez semblant : pardonnez-moi, mais si vous aviez joué votre rôle, en tant que professionnelle, ça ne se serait pas produit.

Un des types de l'équipe alluma un cigare.

– O.K., dis-je. J'ai compris. Vous n'avez pas besoin de m'humilier en face d'eux.

– Oh! répliqua Tom, un petit peu d'humilité n'a jamais fait mal à personne. Ça remet les choses à leur place; pour moi aussi, c'est nécessaire, constamment.

Je m'apprêtais à lui donner un coup de poing sur l'épaule mais je retirai ma main à temps; je ne voulais pas risquer d'être encore plus malade.

– Est-ce que je m'en vais maintenant? demanda Tom, ou bien est-ce que je dois tout recommencer?

J'étais vraiment mal en point.

– Je crois qu'on ferait bien d'en rester là, Tom. Si on a besoin de le refaire, j'en parlerai avec Kevin.

– Les saints vous protègent, dit Tom. Et il « s'en alla ».

Les lumières s'éteignirent sur le plateau. L'équipe était debout, personne ne bougeait. Kevin reprit conscience.

– Comment ça s'est passé? demanda-t-il avec sa curiosité familière.

Le type au cigare se dirigea vers lui, et lui demanda très poliment :

– Excusez-moi, monsieur, mais ou étiez-vous pendant ce temps-là?

– Où j'étais, demanda Kevin ingénument.

– Ouais.

– Je dormais, pour ainsi dire.

– Vous dormiez?

– Oui. C'est comme ça que je le ressens en tout cas. Ma

personnalité disparaît et laisse la place à d'autres. C'est pour cela qu'on m'appelle un médium – un intermédiaire – si vous aimez mieux.

Le type fumait son cigare et réfléchissait.

– Oui, ajouta Kevin, je suis une des rares personnes au monde à être payé pour dormir pendant le travail

Kevin et moi avons ensuite quitté le studio d'enregistrement. La séance fut ajournée pour que je puisse répéter dans un autre état d'esprit. Puis nous avons dîné tous les deux. Nous avons parlé longuement, et quand Kevin m'a raccompagné à ma voiture, j'ai oublié de reprendre mes fleurs.

En entrant dans mon appartement, à Malibu, une odeur de fleurs m'accueillit. Je fis le tour de l'appartement pour découvrir d'où venait ce parfum, mais il n'y avait pas de fleurs. Des tas de plantes vertes, mais pas une seule fleur. Je m'assis, plutôt perplexe. J'avais déjà entendu parler d'odeurs de fleurs qui accompagnaient les visions spirituelles, ou extra-terrestres. Je ne comprenais pas comment cela pouvait se produire. Le téléphone sonna : c'était Kevin.

– Écoutez, dit-il, ça fait un moment que je suis assis là à réfléchir et à me demander comment je pourrais vous envoyer vos fleurs. Vous les avez laissées dans le coffre de ma voiture. Je les ai sorties et je les ai mises dans l'eau, mais ne sachant pas quand je retournerais à Malibu, je vous les ai envoyées par télépathie.

– Comment?

Je n'avais pas encore réalisé, avant cet instant, que j'avais oublié mes fleurs.

– Oui, dit Kevin, je me demandais si mon truc avait marché...

J'éclatai de rire :

– Mon appartement est littéralement embaumé et pourtant les seules fleurs que je possède sont en soie.

– Oh! dit Kevin calmement. Je m'améliore. Ce n'est pas inhabituel quand deux personnes sont sur la même longueur d'ondes. Cela montre aussi que vous développez votre potentiel de médium, comme le disait McPherson. Je n'aimais pas du tout ce que j'entendais.

– Je ne veux pas devenir médium, Kevin, dis-je. Moi je veux savoir ce qui m'arrive, à tout moment.

– Oh! mon dieu, bien sûr que non. D'abord, c'est vous et

vous seule qui donnez la permission de servir d'« instrument ». Je vous ai souvent dit que c'était sûrement inscrit dans mon destin de servir de téléphone humain cette fois-ci, et j'ai donné mon accord.

Je réfléchis aux événements de la journée. J'avais senti le scepticisme des gens de l'équipe. Est-ce que Kevin jouait la comédie, ou est-ce que quelque chose dans son subconscient parvenait à s'exprimer de cette façon? Je lui posai une question qui pourrait peut-être donner la preuve de l'authenticité de ses dons de médium.

– Kevin, dites-moi, êtes-vous le seul médium qui communique avec Tom McPherson?

A ma grande surprise Kevin répliqua :

– Non. Je connais au moins deux autres personnes qui sont en contact avec lui. Si vous voulez parler avec Tom par l'intermédiaire de quelqu'un d'autre, dites-le-moi.

Tu parles! Je le prendrais au mot, c'était certain. Je le remerciai pour l'envoi de fleurs télépathiques, et je raccrochai, espérant pouvoir me reposer un peu.

Aussitôt, un autre coup de téléphone suivit. C'étaient deux collègues de Jack Pursel, de San Francisco. Jack est le médium qui communique avec Lazaris, une entité de très haut niveau spirituel, qui n'a jamais été incarné. Par conséquent, même s'il prétend comprendre parfaitement la dimension physique et terrestre, il ne parle pas de façon « terre à terre ». Donc, Michael et Peny voulaient absolument savoir comment s'était passée la première expérience, test avec Kevin; petite jalousie bien compréhensible entre confrères et amis. Je leur racontai ce qui s'était passé quand j'avais dansé la gigue avec Tom : ma nausée etc... Silence au téléphone.

– A mon avis, dit Michael, ce n'était pas très fort de la part de McPherson. Enfin, est-ce qu'il avait besoin de vous faire subir tout ça?

– Je suis sûre que ce n'était pas nécessaire, mais c'était ma faute, autant que la sienne.

– Non, il n'aurait pas dû, répétaient Peny et Michael au bout du fil.

– Ne vous inquiétez pas! C'était sans importance.

– Comment, s'indigna Peny, vous n'étiez pas en colère contre lui?

– Moi? J'étais étonnée de leur réprobation. Mais non, pas du tout! En quoi ai-je pu être offensée?

– Parce que McPherson a été trop loin et il n'avait pas le droit de le faire.

Pendant plus d'un quart d'heure, ils essayèrent à tour de rôle de me convaincre que je méritais mieux que ça, que je devais – comme au bon vieux temps de la psychanalyse débutante et bégayante – faire face à ma colère et à mon agressivité, et que c'était mauvais de les refouler, mais sincèrement, je n'arrivais pas à me mettre en colère contre McPherson. Alors finalement, ce sont eux qui ont fait les frais de ma colère refoulée...

– Écoutez je leur ai dit, pour clore le débat, j'essaie vraiment d'être furieuse mais j'y arrive pas, alors, c'est peut-être vous qui êtes furieux. Vous avez peut-être un compte à régler avec McPherson, et je comprends très bien que chacun ait envie de croire que son « entité » spirituelle ou son guide sont les meilleurs.

Chacun raccrocha poliment. Je sentais que les ennuis commençaient. « La bataille des dieux » était engagée. Et comme j'étais dans l'œil du cyclone, d'un mouvement métaphysique en expansion rapide, ma caution ressemblait de plus en plus à un trophée. C'était comme les studios d'Hollywood. Ils avaient tous quelque chose d'unique à offrir pour vendre du rêve. Moi je n'arrivais jamais à choisir. Je les aimais tous.

Bob, Colin, Stan et moi, n'arrivions pas à décider si Kevin devrait faire son numéro de spiritisme. On se demandait si les conversations sérieuses n'allaient pas endormir les téléspectateurs. C'était une expérience fascinante, en réalité, mais au cinéma est-ce que ça « passerait »? John était le plus sérieux, par conséquent le moins apte à coller avec la dramatisation recherchée par les téléspectateurs.

Nous étions assis dans la salle de répétition, en train de parler de ce problème, lorsque Kevin nous téléphona. Il était vraiment « branché », celui-là.

– Écoutez, dit Kevin, sans préliminaires, John sera parfaitement en place le jour J, et il se mettra en harmonie avec la réalité terrestre, pour que le public de la télévision y trouve son compte.

Je transmis le message à mes associés, sans aucun sarcasme. Ils faisaient des yeux ronds. Je revins à Kevin.

– Alors, tu dis que John va « moderniser » sa performance?

– Ouais! dit Kevin. A propos, est-ce que Butler croit toujours qu'il est le seul mec sensé du projet?

Je me mis à rire.

– Eh bien! dit Kevin, il est bien allé faire un repérage au Pérou n'est-ce pas?

– Oui. J'attendais la suite...

– Demandez-lui de vous raconter ce qui lui est arrivé là-bas?

Kevin raccrocha et je regardai mes partenaires. Stan, Bob, Dean O'Brien et le directeur artistique avaient fait un repérage depuis que nous nous étions vus la dernière fois. Nous n'avions pas encore eu le temps d'en parler.

– Alors, c'était comment, le Pérou?

– Assieds-toi, dit Stanley.

Je m'assis.

– O.K., commença-t-il. On était en voiture tous les quatre avec notre interprète et chef de repérage. On cherchait le signe que tu décris dans ton bouquin comme étant le point de rencontre des Ovnis. On avait déjà pris des photos, de villes, de lamas, de bébés, de montagnes et du moindre rocher qu'on avait rencontrés. Alors, bien entendu, la pièce de résistance serait le signe des Ovnis.

Je me demandais où il voulait en venir.

– Ouais?

– Eh bien, on s'est endormis tous les quatre en même temps, comme si on était tombés dans les pommes. Et quand on s'est réveillés environ une heure plus tard, on a demandé à notre chauffeur dans combien de temps on arriverait au « signe ». Il nous a regardés d'un drôle d'air et il n'a pas compris pourquoi on lui posait la question. On a insisté, et il a dit : « Mais monsieur Margulies, vous l'**AVEZ-VU**. Vous l'avez tous vu. Vous y êtes allés et vous avez pris des photos. Vous en avez parlé entre vous. Vous ne vous souvenez pas? » Non, aucun de nous ne s'en souvenait. C'est comme si on l'avait effacé de nos mémoires. On ne se rappelle toujours de rien, et il n'y a rien sur le film qu'on a pris.

Je regardais Stan sans rien dire.

– C'est pourquoi, dit-il, M. Butler ne pense plus qu'il est la seule personne sensée du film. Apparemment, ou bien nous sommes tous fous, ou quelque chose est en train de se passer. Est-ce que Tom McPherson n'a pas dit qu'on arriverait à filmer des Ovnis si la conscience collective était assez réceptive?

– Oui, je répondis.

Stan et les autres échangèrent des regards.

– Le message n'est peut-être pas prêt?

– Peut-être, dis-je déçue.

– Mais ça n'est pas tout, dit Stanley.

– Quoi d'autre?

– Quand nous sommes revenus, on a demandé à quelqu'un du bureau péruvien, là-bas, de prendre des photos du fameux signe Ovni pour le reproduire...

– Ouais?

– La moitié seulement du signe est visible sur leurs photos. C'est comme si ça n'existait pas complètement pour nous.

Je réfléchis un moment.

– Oui, vous avez peut-être raison, dis-je.

– Bon sang! Shirley, dit Stan, comment avons-nous pu oublier ce qu'on avait fait?

– Je n'en sais rien. J'imagine que quelqu'un essaie de vous dire quelque chose.

Stan regardait au ciel d'un air exaspéré: «Oui mais QUI?»

CHAPITRE 6

Danser dans la lumière fut publié vers la mi-septembre. J'avais promis à mon éditeur que je participerais à une tournée de promotion. Aussi, pendant le travail de préproduction pour *L'Amour-foudre*, je fis des allers et retours dans différentes villes américaines pour y parler librement de l'évolution de ma recherche métaphysique et spirituelle. C'était complètement différent de la tournée que j'avais faite deux ans auparavant. Je ne sais pas si les journalistes et les rédacteurs de magazines me prenaient plus au sérieux ou si les reporters qu'ils envoyaient pour m'interviewer avaient été choisis pour leur plus grande ouverture d'esprit. En tout cas, j'ai été agréablement surprise de constater que la plupart d'entre eux avaient déjà beaucoup travaillé eux-mêmes dans ce domaine. Ils étaient davantage conscients des vies successives, des traumatismes des vies antérieures, des sources d'énergie chakkra, de la loi du karma, etc. Certains avaient rencontré des médiums qui, de leur côté, développaient leurs talents et leurs contacts avec l'au-delà, à une vitesse accélérée. Le contenu des messages et des informations était réconfortant, enrichissant, hautement sophistiqué, et, la plupart du temps, irréfutable. Certains, parmi les journalistes les plus réputés pour leur scepticisme, commençaient à s'y intéresser personnellement; à tel point que nos interviews tournaient rapidement à la confidence plutôt qu'à la routine des questions-réponses. Je remarquai cependant que ces journalistes compensaient en étant d'autant plus sceptiques après coup dans leurs articles. C'est normal. Ils avaient une image à défendre et ils devaient paraître doublement objectifs pour leur patron. Les émissions en direct à la radio ou à la télévision, en particulier celle de Larry King, où je répondais aux appels téléphoniques des spectacteurs étaient vraiment époustouflantes. J'ai bien du répondre à trois cents correspondants, et, en dehors d'une femme qui m'a dit que « mon truc c'était de la sorcellerie, **pas une personne** n'a prétendu que ce que je disais était insensé. Au contraire. Je me demandais même pourquoi je n'avais pas davantage de détracteurs dans le camp opposé. Les invités des shows ne comprenaient pas non plus. Les gens commençaient peut-être à sentir qu'il y avait des réalités non visibles, non palpables dans leur vie aussi, comme celles dont je faisais l'expérience. Ils téléphonaient pour parler de leurs souvenirs de vies antérieures; de ce qui leur arrivait pendant la méditation, comment ils avaient découvert différentes méthodes de guérison non conventionnelles, quels médiums je pourrais leur recommander, quels livres ils devraient lire, les visions qu'ils avaient eues quand un être cher les avait quittés, sans parler, bien entendu de tous les témoignages d'Ovnis qui étaient de plus en plus nombreux.

Les expériences avec les Ovnis étaient liées à la recherche spirituelle parce que les gens qui appelaient comprenaient que la base de l'enseignement que les extraterrestres apportaient, était à la fois d'ordre scientifique et spirituel, puisqu'il y était toujours question de la Force Divine. Autrement dit, les occupants de vaisseaux spatiaux avaient appris à maîtriser des formes d'énergie invisibles, dans l'univers, et ils s'en servaient de façon positive. C'est pour cela qu'ils pouvaient voyager à de telles vitesses. Pour cette raison aussi qu'ils défiaient les règles du temps linéaire. Pour cela aussi qu'ils savaient opérer la dématérialisation et la rematérialisation. Ils avaient compris la structure moléculaire subatomique de tous les êtres vivants. C'est pour cela qu'ils étaient tellement curieux au sujet de la terre et de la race humaine. Et les raisons pour lesquelles ils ne se présentaient pas de façon « officielle » n'étaient pas dues à une éventuelle panique de la part des Terriens, mais parce que l'humanité aurait tendance à les idolâtrer, à les révérer comme des divinités, en abdiquant toute volonté, et tout désir personnel d'évoluer et de devenir plus responsables.

La leçon de base que nous apportent les extraterrestres est que chaque être humain **est** un dieu, relié à la force de Dieu, et capable de faire et d'apprendre tout ce qui existe. Nous sommes capables d'atteindre la vérité totale qui est en nous, si nous **voulons** l'accepter. La différence entre eux et nous, c'est qu'ils le **savent** et que nous ne le savons pas. Eux, ils ont déjà accepté l'idée qu'ils sont des dieux et nous ne pouvons même pas prononcer ces mots-là. Par conséquent, ils n'ont pas envie de nous apparaître comme des maîtres, nos maîtres, parce que c'est contre la Loi Cosmique d'interférer « karmiquement » avec le rythme et l'évolution d'un autre être humain. Dans la plupart des séries télévisées, on voit les extraterrestres s'emparer du corps des humains pour apprendre à les connaître et les « envahir ». Or ce sacrilège est lourdement payé dans la loi du karma. Alors... Est-ce qu'on doit avoir peur des Ovnis et des extraterrestres? Je crois que tout dépend des responsabilités que l'on est prêt à prendre par rapport à nos connaissances de la science spirituelle. En tout cas, les sujets de conversations lors de ces débats et de ces shows n'étaient pas banals. Je prenais la chose très au sérieux – aussi sérieusement que ceux qui voulaient parler de ces sujets avec moi. Dans le même temps, tout en faisant ma tournée de promotion pour le livre, je m'occupais du casting, par téléphone. Le rôle de Gerry était le plus urgent parce qu'on commençait à tourner avec lui. Gerry, tel qu'on l'avait écrit dans le scénario, était anglais, très intelligent, ambitieux, imposant, sincèrement humain intellectuel à l'excès, charmant, séduisant, grand, avec une crinière de cheveux touffus qui lui retombaient sur le front. Sans nous soucier du véritable Gerry, Colin et moi avions d'abord écrit le rôle en pensant à l'acteur Albert Finney. Mais Albert n'était pas disponible, alors il nous fallait trouver un autre Gerry...

On a ensuite pensé à Richard Harris. Son agent, qui avait envie d'élargir sa carrière vers une plus grande audience télé, adorait le script et voulait qu'il le fasse. Mais Richard refusa. Il m'écrivit une lettre pour m'expliquer ses nouvelles croyances spirituelles. A cause de cela, il avait appris à être plus tolérant avec les autres. Par conséquent, même s'il ne connaissait pas la véritable identité de Gerry, il avait l'impression d'envahir sa vie privée en interprétant l'incapacité de Gerry à comprendre Ma recherche spirituelle. Compliqué! James Fox fut contacté. Mais son agent nous raconta que James était redevenu chrétien et qu'il ne jouerait pas de scènes d'adultère.

J'avais vu Gabriel Byrne dans *Christophe Colomb* et j'avais été très impressionnée. Mais il venait de signer un autre contrat la veille.

Colin et moi commençions à nous faire du souci, car la Grande-Bretagne manquait cruellement d'acteurs de la classe de notre héros. Il fallait qu'il fasse vraiment craquer les femmes, et que le public comprenne pourquoi Shirley n'avait pas pu lui résister – sachant qu'il était marié.

En dehors de Leslie Howard, et de Richard Burton, il y a quelques années, avec qui auriez-vous envie de coucher? Parce que c'est ce que Shirley a fait, sans réfléchir aux conséquences, et sans hésiter.

Alors je me rappelai un acteur que j'avais beaucoup aimé dans un film récent. Il s'appelait Charles Dance et il était nouveau. Il avait tourné très peu de films mais il avait une présence exceptionnelle.

Heureusement, il était disponible et il était d'accord pour lire le script.

Pendant ce temps-là, Stan, Colin et moi sommes allés à Londres pour auditionner d'autres acteurs avant que Charles vienne vous retrouver.

Je campais à l'Hôtel Britannia, dans un duplex bourré d'alcools et de « gâteries ». Tout ce qu'un Anglais aime avoir dans une suite d'hôtel, je l'avais : noisettes, chips, chocolats, fruits, fleurs, thé, scones et muffins [1], et un téléphone qui sonnait toujours à l'étage où je n'étais pas.

Je remarquai que le numéro de ma suite avait été retiré. Lorsque je demandai pourquoi au directeur, il m'expliqua avec beaucoup de tact que, ayant appris que j'étais superstitieuse, il avait eu peur de me donner un numéro qui m'aurait déplu et il avait jugé bon de ne pas m'en attribuer.

Quand je lui demandai comment les gens feraient pour me trouver, il me dit qu'ils n'auraient qu'à chercher la suite « sans numéro ». Explication britannique.

J'accrochai une grande pancarte sur ma porte avec mon numéro, bien visible.

Toutes les auditions se passaient dans ma suite. Je n'avais pas souvent été impliquée dans la tension et l'humiliation des acteurs qui cherchent désespérément du travail. Je me souvenais de mes débuts, de la cruauté du processus d'élimination; la sécheresse d'un ordre qui vous fait perdre vos moyens, comme « Voulez-vous reprendre dès le début et vous mettre à pleurer? », l'image fausse que les acteurs ont d'eux-mêmes, qui est évidente pour ceux qui vont les rejeter parce qu'il faut que deux images coïncident : celle du rôle et celle de l'acteur.

Un par un, ils passèrent le seuil de l'hôtel. Chacun d'eux a bu du thé avec moi, histoire de rompre la glace entre nous,

1. *Scones et muffins : sortes de petits pains ronds que l'on mange tièdes avec le « breakfast »*

avant de nous lancer dans une scène d'amour torride sous l'œil de trois autres étrangers, plus un directeur de casting impassible et impatient. J'en avais le cœur brisé à chaque fois.

J'étais tellement remuée par leur anxiété que je n'avais pas besoin d'autre émotion pour leur donner la réplique. Je pensais à tous les exercices de préparation qu'ils avaient dû faire avant de venir. Je pensais à la tension qu'ils devaient endurer à l'idée de jouer un personnage que je n'avais pas seulement écrit, mais qui faisait aussi partie de ma vie. Il y avait des rires nerveux, des cendriers pleins à ras bord, des regards perçants, des confidences instantanées, et de la transpiration sur les cols de chemises.

C'était interminable. Les inconnus auditionnaient de cette manière. Les « grands » et les moins grands étaient invités à déjeuner. Selon leur degré d'insécurité, ils lisaient le script à l'avance. Ceux qui étaient sûrs d'eux n'avaient aucun problème pour dire ce qu'ils en pensaient. Ceux qui n'étaient pas sûrs d'eux parlaient argent et contrat avant d'auditionner. Alors je me suis dit que déjeuner avec eux (sans engagement) me donnerait une idée de la manière dont ils travaillaient, quelles affinités on avait, si je les trouvais intelligents, impressionnants, décontractés ou rigides, trop petits ou pas assez photogéniques, et surtout si j'arrivais à m'imaginer dans un lit avec eux.

Bien entendu, ils avaient tous lu le script, qu'ils l'admettent ou non. Alors, entre la poire et le fromage, on commençait à évoquer le personnage pour se faire une idée. Quand l'addition arrivait (sur le compte d'ABC) je savais généralement à quoi m'en tenir. On n'avait pas trouvé l'oiseau rare. Je ne savais plus quoi faire.

Finalement, j'appelai mon ami Albert Finney, une fois de plus. Il m'invita à dîner. C'est un dîner que je ne suis pas près d'oublier parce que ce fut un morceau d'anthologie de la mise en scène au théâtre. Quand on se trouve avec un des plus grands acteurs du monde dans la vie courante, on ne sait plus si on est sur une scène ou si ça se produit « pour de vrai ».

Je me dirigeais vers le restaurant quand il émergea d'un taxi londonien, en habit et cape noire, ses magnifiques boucles brunes comme flottant au vent comme Orson Welles dans *Jane Eyre.* Il me prit dans ses bras.

– Ma chère amie. Comme c'est mêêêrveilleux ! Nous allons faire un repas somptueux, mais avant j'aimerais vous montrer les nouvelles collections.

Sur ce, Finney me prit par le coude et me guida fermement devant toutes les boutiques, en commentant chaque création d'une suite d'interprétations symboliques sur les correspondances entre les couleurs et la politique.

– Ce petit rien de peau nue signale généralement une attitude plus libérale. Qu'en pensez-vous?

Tout ce que montrait Albert offrait un intérêt immédiat. Il était tout le temps en « représentation ». Sa façon de me tenir le bras était tellement énergique, magnétique, qu'il donnait un sens théâtral nouveau au concept de « présence ».

Enfin il me fit entrer dans **son** restaurant. Un endroit qu'il fréquentait depuis plus de trente ans. Tous les jupons de l'endroit – la femme du propriétaire, sa fille, ainsi que toutes les serveuses qui venaient à notre table – avaient été « ses petites amies », et il me les présentait l'une après l'autre à ce titre. Elles rougissaient comme s'il y avait une part de vérité dans la déclaration péremptoire d'Albert. Je pensais à tous les play-boys d'Hollywood. Aucun ne lui arrivait à la cheville dans l'art de théâtraliser le flirt à ce point. Finney était un spectale à lui tout seul et on ne voyait que lui. Aussi, plus tard, après qu'il eut commandé plusieurs sortes de vins, et sept plats différents, je le crus sincèrement quand il me dit en balayant d'un geste large, l'espace devant lui :

– J'ai **tout** prévu pour vous, ma chère. Ce magnifique trio, « le Trio de Paraguay », vient tout droit de son pays natal pour vous faire la sérénade. Tous ces gens charmants sont là pour votre bon plaisir. Et maintenant, que la fête commence, et que la vie nous comble de ses joies.

– Oh mon dieu! il était irrésistible dans ses excès et son absence de limite. Il mangeait comme Philippe Noiret dans *La Grande Bouffe.* La serviette coincée sous le menton, il récitait les vins comme une prière, l'un après l'autre, en me jouant « le Tastevin bourguignon »; excessif, mais classe! Il engloutissait des montagnes de nourriture – arrosée copieusement – en donnant l'impression que c'était ça la bonne mesure. Faire moins que lui indiquait un manque de tempérament et de ta peine à jouir de la vie. Il me donnait un récital de plaisir sensuel et j'admirais béatement la performance, ayant renoncé, dès le canard à l'orange, à le suivre dans ses agapes et ses libations jupitériennes. Bien que je ne sois pas sûre que nous puissions récrire le rôle de Gerry pour coller au personnage, je me fichais qu'il soit aux antipodes du vrai Gerry.

Entre deux bouchées et trois gorgées, il finit par me parler métaphysique. Je savais qu'il avait lu *L'Amour-foudre* et qu'il l'avait aimé, mais quant à épouser le contenu, c'était une autre affaire. Pourtant, il était d'accord avec le sujet. Il me parla de la visite d'une personne de sa famille, décédée, la nuit, dans sa chambre. Il se pencha vers moi en me racontant l'événement.

– Après ça, dit-il, j'ai compris qu'il y avait une autre dimension de la réalité.

Après tout, il était peut-être écrit que ce serait lui qui jouerait Gerry. Le vrai Gerry aurait sûrement flippé complètement s'il avait reçu la « visite » d'un mort, même un parent, et il n'en aurait jamais parlé à personne.

En regardant Finney manger, je me demandais à quoi il ressemblerait, en maillot de bain, quand on tournerait les scènes d'amour et de mer à Hawaii. Il y avait toujours la possibilité de faire ça sous une serviette de plage...

Finney continuait à me raconter ses vacances à Cuzco, et à me parler de la magie du Machu Picchu au Pérou. Il en avait de bien bonnes sur les vaisseaux spatiaux, que l'on voit si souvent dans les Andes. Il était intarissable sur le sujet :

– Oh oui! dit-il, je crois que les acteurs devraient monter dans ces vaisseaux pour faire des séances d'improvisation dramatique. On verrait ainsi les effets de l'apesanteur sur les émotions humaines.

Albert se leva de table et commença à improviser une petite scène – dont on aurait facilement pu tirer une vraie pièce. Puis il alla de table en table, remercier les clients d'avoir bien voulu faire les figurants pour rien – nourris seulement. Il me désignait du bras, reprenant à son compte les gestes de Jules Berry et de Sacha Guitry réunis. Tout ça pour moi? Oh non! il fallait pas! avais-je l'air de dire en saluant à mon tour pour les remercier du grand honneur qu'ils me faisaient. Personne n'avait l'air au courant de ce qui se passait, mais tout le monde s'amusait bien. Puis Finney se dirigea vers le trio de guitaristes paraguayens et il les guida jusqu'à moi.

– Jouez pour ma Dame, je vous prie.

Ils obéirent. C'était de la musique latino, troppo longo, amoroso, forto, bref j'aimais pas ça.

Albert en reprenait, même au dessert, tellement il appréciait. Pendant ce temps-là, je calculais combien de temps il me restait avant l'arrivée de Colin pour aborder la raison spécifique de ma présence à ses côtés, à savoir : « on te veut, Albert, pour le rôle ». Il me restait quinze minutes.

Le trio paraguayen se retira, mieux vaut tard que jamais. Je me penchai vers Albert pour amorcer le sujet. Je vis un éclair de panique dans le regard d'Albert. La Réalité, la vilaine bête aux dents pointues et aux muscles d'acier, la réalité du show-business, voulait interrompre les galéjades et les charades de ce charmant dîner-spectacle, par l'ultimatum : « Est-ce qu'on fait l'affaire ensemble? » Au même moment, Colin fit son entrée et arriva à notre table, comme un cheveu sur le parfait glacé aux groseilles.

J'avais prévenu Albert que Colin viendrait nous rejoindre mais ça n'avait pas semblé le déranger. Pourtant maintenant, il avait l'air à la fois soulagé et paniqué. Avec de grands effets de manches, il invita Colin à s'asseoir et voulut lui commander du café et un somptueux dessert. Colin refusa.

Après quelques échanges de plaisanteries, et une discussion sur Shakespeare et la « presque culture » d'Hollywood, Albert s'excusa, se leva, fit quelques tours de valse du côté des dîneurs, et disparut.

– Comment ça s'est passé demanda Colin.

– Comme tu vois. J'aurais aimé filmer ça en vidéo. Cet homme joue sa vie devant un public permanent.

Colin demanda :

– Alors, vous avez parlé du script!

– Écoute, j'étais sur le point de le faire quand tu es entré. Enfin, c'est pas de chance! Tu parles d'un timing!

– Ouais, dit Colin, je me demande ce que ça peut vouloir dire.

– J'en sais rien, je répondis, c'est comme s'il avait fallu que tu arrives à pic pour démolir la discussion. C'était vraiment bizarre. Tu vois ce que je veux dire.

Colin n'était pas sarcastique.

– Oh oui, répliqua-t-il, je l'ai senti aussi, c'était plus fort que moi.

– Bon, alors il n'y a plus qu'à attendre la suite.

Car c'était une fausse sortie de Finney. Il revint à notre table, comme un tourbillon de paillettes, pour prendre congé une dernière fois :

– Mes amis, dit-il, je dois vous quitter maintenant; j'ai promis de rendre visite à un ami qui a désespérément besoin de moi.

Il nous envoya maints baisers, et fit ses adieux aux « figurants » qui s'attardaient encore dans la salle, comme Dorian Gray quittant son manoir pour se jeter dans la nuit orageuse de Londres.

Colin et moi nous nous sommes regardés sans rien dire, pétrifiés. Puis Colin me demanda :

– Tu crois qu'il pense que notre truc métaphysique c'est de la merde.

J'essayais de récapituler mes impressions de ce dîner extravagant.

– Non, dis-je sérieusement, je ne crois pas que ce soit ça. Mais j'ai l'impression qu'il ne veut pas retravailler, du moins, pas dans un film comme celui-ci

– Oui! Il n'y a pas de hasard dit Colin.

– Ouais! Mais qu'est-ce que ça veut dire?

Colin réfléchit un instant.

– Eh bien, des guides comme McPherson et Lazaris diraient que Finney a décidé de ne pas venir sur ce film et qu'il y a quelqu'un d'autre en ce moment qui danse dans l'air en attendant sa chance.

Je fis tomber ma fourchette.

– T'as bien dit DANSE?

– Oui.

– Tu veux dire que tu penses à Charles Dance? Colin éclata de rire.

– Tu vois comme les choses se mettent en place toutes seules. Y a qu'a ouvrir l'œil. C'était la meilleure de la soirée.

Nous étions quatre, assis dans ma suite, à attendre l'arrivée de Charles Dance. Rose Tobias Shaw, la directrice de casting, donnait des coups de fil. Elle se tourna vers nous.

– Charles attend dans le couloir depuis une demi-heure, dit-elle. J'ai l'impression qu'il y a eu une confusion dans les rendez-vous.

Je n'aimais pas ça du tout, parce que j'ai horreur de ça quand ça m'arrive.

Je me levai, calculant le temps qu'il faudrait à Charles pour sortir de l'ascenseur et arriver jusqu'à ma porte. Si j'allais à sa rencontre personnellement, ça arrondirait les angles... J'ouvris donc la porte et je penchai ma tête dans le couloir. Je vis le grand acteur aux cheveux roux marcher d'un pas décidé vers moi.

– Salut, lui lançai-je, familièrement.

Il ne me sourit pas, au lieu de ça il dit :

– Pourquoi m'a-t-on fait attendre pendant une heure? Vous ne pouvez pas être plus professionnelle?

Nom d'une pipe. Il ne prend pas de gants, pensai-je. Comme il se rapprochait, je lui dis :

– Excusez-moi. Je ne sais pas ce qui s'est passé. Mais ça ne fait rien. Vous êtes là maintenant.

Il me reconnut cette fois et rougit.

– Oh, dit-il, je ne savais pas que c'était à vous que je parlais; je pensais que c'était Rose.

J'avais envie de demander à Rose pourquoi elle se laissait traiter de cette façon, mais j'avais surtout peur qu'il se sente gêné pour notre réunion.

– Je suis très heureuse de vous rencontrer, dis-je en le faisant entrer dans la pièce tout en l'examinant.

Il portait un costume de velours et il rougissait à travers ses taches de rousseur. Il avait une peau d'ambre rose, et même ses cheveux avaient l'air constellés de taches de rousseur. Il était éblouissant. Ses gestes étaient un peu maladroits mais il était bâti comme un dieu grec. Il se retourna et me regarda fermer la porte derrière lui. Je le détaillais ouvertement. Je l'avais vu à la télévision et au cinéma. Je me souvenais de ce regard lointain qu'il avait en interprétant le rôle d'un mari insensible qui rend sa femme complètement folle. Je le dévisageai. Il leva les yeux sur moi et il les baissa. Tout le monde se serra la main et Charles restait debout, gêné.

– Alors, dis-je, voulant briser la glace, ça vous a plu de travailler avec mon actrice favorite, Meryl Streep? Elle est vraiment géniale n'est-ce pas?

Il avala sa salive et cligna des yeux. Je ne comprenais pas ce qui le dérangeait.

– Oh, dit-il, j'ai pas tellement aimé! C'était difficile.

Hummm, je me demandais. Il est furieux d'avoir poireauté une heure et il trouve difficile la fille la plus sympa du business. Il était sûrement honnête. Il **serait** peut-être bon pour Gerry.

Je n'insistai pas sur l'histoire avec Meryl Streep. C'était superflu.

Charles s'assit. Il sortit un paquet de cigarettes et dit :

– Bon. Vous voulez que je lise pour vous?

Bien. Il n'est pas à côté de la plaque. Ou bien il est insécure, ou il veut absolument jouer ce rôle.

Colin, Stan et moi, avons donc donné la réplique. Charles maîtrisait le rôle avec beaucoup de sensibilité, scène après scène. J'avais déjà fait passer environ vingt-cinq acteurs. C'était véritablement un plaisir de voir et d'entendre un acteur qui **ressemblait** et qui **sonnait** comme Gerry. A la fin de la lecture, Charles alluma une cigarette.

Stan et Colin remercièrent Charles et discutèrent de leurs réactions. Comme je venais de jouer avec lui, je ne me rendais pas compte de ce que ça pouvait donner, de l'extérieur. J'étais un peu mal à l'aise parce que je voulais demander si la différence d'âge entre nous était visible et gênante. Il avait trente-neuf ans, et moi j'étais sensée avoir quarante-cinq ans, et Gerry cinquante, quand on s'était rencontrés. Néanmoins je leur posai la question.

– Que penses-tu de la différence d'âge, Stan?

Stan demanda aussitôt à Charles :

– Est-ce que vous pouvez faire plus vieux?

Charles répliqua directement :

– Il faut me prendre comme je suis, vous vous êtes trompé d'acteur!

Est-ce qu'il paraissait vraiment beaucoup plus jeune que moi? ou bien je me faisais tout un cinéma?

– Shirley, dit Stan, vous avez l'air d'avoir le même âge. Le public ne s'en apercevra même pas. Vous êtes très bien assortis tous les deux.

Charles acquiesça, mais ne sourit pas. O.K., pensais-je. Si ça ne le dérange pas.

Je regardai Charles.

– Vous voulez vraiment jouer Gerry? demandai-je.

– Oui! J'aimerais beaucoup, dit-il. J'aurais été très déçu si vous aviez choisi un autre acteur.

Bon, pensai-je. Ça y est. On a notre Gerry. Il faut simplement que j'évite de le faire attendre.

Nous avions encore quelques répétitions avec Charles pour avoir son opinion sur le script. J'aimais travailler démocratiquement, chacun donnant son opinion sur ce que je faisais. Ses suggestions étaient valables, surtout en ce qui concerne le système de classe britannique et le discours que Gerry donne à la Chambre des communes et à la presse sur la pauvreté dans le tiers monde. Dance venait également d'un milieu simple; il s'en souvenait et s'identifiait avec les défavorisés. Cet aspect de Gerry est ce qui l'avait motivé à devenir très influent pour mieux aider les autres. Jusque-là, Dance n'avait pas demandé la véritable identité de Gerry. Il avait le sens très britannique de l'intimité et s'en fichait probablement. De même que moi, je n'avais pas parlé avec Gerry depuis longtemps et je me demandais si les journaux avaient annoncé que Charles Dance jouerait son rôle. Dance fut donc retenu et on arrangea son emploi du temps pour qu'il aille en Amérique faire ses essayages, ses tests de maquillage et les répétitions. Je me demandais s'il voudrait jamais savoir qui était Gerry.

CHAPITRE 7

Colin, Stanley et moi sommes retournés en Amérique pour trouver un acteur pour le rôle de David. Ce rôle était d'ailleurs plus important que celui de Gerry. Au départ, j'avais décidé que ce serait quelqu'un d'extrêmement sensible. Mais il devait aussi être fort. Ce n'était pas évident. Et puis, il ne commencerait à tourner qu'en janvier, au moins sept semaines après tout le monde, alors il n'y avait pas le feu. Le casting de David était pourtant crucial pour moi et il était le personnage central du film. On a discuté les possibilités à l'infini. Finalement, je me suis à moitié décidée, du moins dans ma tête.

John Heard est un de ces acteurs que le public ne reconnaît pas dans la rue, mais que tous les gens du métier admirent. C'est un acteur pour les acteurs, ce n'est pas John Hurt, ou William Hurt. C'est John Heard, un homme dont le style de vie est aussi légendaire que son talent, et son intelligence. Aussi, quand il est entré dans mon appartement à New York avec seulement quarante-cinq minutes de retard, j'étais ravie. Colin l'était beaucoup moins et ça m'amusait. Stan n'était pas là. A la ville, John Heard ressemble à un homme d'affaires bon chic bon genre. Au théâtre, il ressemble à ce qu'on veut. Il paraît beaucoup plus grand en photo que son mètre soixante-dix, et plus costaud qu'il ne l'est en réalité. Il entra, pas rasé (pour nous montrer son côté nonchalant?) avec le script de *L'Amour-foudre* sous le bras. Il nous jeta un coup d'œil furtif sans s'arrêter sur l'un de nous. Il poussa le script sur ma table basse et s'assit, se pencha en arrière, croisa les jambes, et se mit à rire comme si nous étions des crétins de vouloir le faire jouer dans notre film. Colin avait l'air exaspéré mais John m'intriguait, probablement parce qu'il était insolent.

– Eh bien, John, j'admire vraiment votre travail, dis-je.

Il rit à nouveau, comme si j'étais une conne d'avoir dit une chose pareille. Il ne me dit pas merci, ou ce qu'on dit habituellement dans ce cas-là. Il se contenta de se balancer sur sa chaise et il gloussa en douce, pour lui tout seul.

– D'accord, dis-je. Je vois. Alors, qu'est-ce que vous pensez de notre script?

– Je ne l'ai pas lu, répliqua-t-il.

Colin était vert.

– Pourquoi, demandai-je.

Gloussements successifs.

– Parce que, dit-il, j'arrivais pas à le soulever.

Colin virait au bleu, puis au rouge. Moi, je commençais à bien le sentir, ce mec.

– Alors, pourquoi êtes-vous venu?

– Parce que mon dentiste a annulé mon rendez-vous, dit-il.

En avant toute, moi j'étais partante pour ce genre de gags.

– J' suis beaucoup trop rembourré là et puis là, continua-t-il, ça pourra pas coller pour vous.

Je décidai de changer de ton :

– Pourquoi t'as pas demandé à ton dentiste de te refaire toutes les dents pendant qu'il y est?

L'œil de John me lança un petit éclair de complicité. Colin commençait à comprendre qu'il fallait s'y prendre autrement.

– John, dit-il, est-ce que le rôle vous intéresse?

John se mit à rire, sans répondre.

– Enfin, heu, vous savez de quoi il s'agit? Vous avez une idée du personnage de David? Est-ce que votre agent a lu le script?

– J'ai viré mon agent, dit John.

– Oh! dit Colin. Vous avez un imprésario alors?

John regardait par la fenêtre. Il se marrait, sans répondre...

Alors Colin décida de prendre le taureau par les cornes.

– O.K.! dit-il, lisons le script ensemble. Vous arriverez peut-être à sentir ce qui se passe au fur et à mesure.

John haussa les épaules.

– D'accord mon vieux, mais j'ai mal aux dents.

– Je croyais que t'avais annulé ton rendez-vous chez le dentiste parce que tu n'avais plus mal, dis-je.

– Non! Mon problème, c'est que ma copine sait pas faire à bouffer! Alors elle fait des carottes râpées pour maman, pour se faire bien voir de la famille.

Alors, là, on était en plein délire. A part Woody Allen, je ne vois pas qui aurait pu le suivre dans ce genre de conversation idiote. Ou alors on n'était pas assez intelligents, Colin et moi, pour comprendre son humour. John prit le script et le souleva lentement jusqu'à hauteur des épaules comme une paire d'haltères de 10 tonnes. Puis il gloussa en ouvrant la première page.

– Certains réalisateurs disent que j'ai un rire débile quand j'ai la trouille!

Oui, décidément, j'aimais bien son honnêteté intégrale. Même Colin fut désarmé, l'espace d'une seconde. John commença à lire la première scène. Tout de suite, j'ai ressenti ce frisson prémonitoire qui me donne la certitude que j'assiste à un événement. Je savais que certains acteurs étaient bons dès la première lecture, mais les grands l'étaient rarement, à froid. Ce que nous entendions c'était une lecture d'une intensité et d'une intelligence stupéfiantes. Il donnait l'impression d'avoir complètement intégré le dialogue et les principes métaphysiques et spirituels. Est-ce qu'il nous avait fait marcher? Je ne dis rien, parce que j'avais assez de mal comme ça à me concentrer sur le texte et à lui donner la réplique. Finalement, je n'y tins plus. J'arrêtai la lecture et le regardai. Je lui donnai un coup de poing dans le bras. Il me regarda.

– T'es un sacré menteur, John.

– Tu crois? dit-il.

– Oui. Tu as épluché ce script en détail, n'est-ce pas? Comment tu peux être aussi bon, si tu ne l'as pas lu avant?

– Oh, dit-il en m'interrompant. Je ne serai jamais aussi bon après. Je suis un vrai ringard, mais j'ai un truc, je sais courir sous la pluie sans me faire mouiller.

– Mais est-ce que tu l'as lu?

– Non, dit-il, parce que, si je l'avais pas aimé je t'aurais dit la vérité, et je ne voulais pas faire de gaffe.

Je le fixai droit dans les yeux. Il recommença à se marrer.

Juste à ce moment-là, on sonna à la porte. Comme John était en retard, les rendez-vous allaient être bousculés. Mais ça n'avait pas l'air de le gêner le moins du monde.

– John, dis-je, c'est Bella Abzug. Elle est venue ici pour lire son rôle. Est-ce que je peux te mettre dans le salon pour finir ta lecture?

John haussa les épaules. Il se balançait d'un pied sur l'autre, mains dans les poches en faisant une espèce de grimace avec sa langue. Puis il fourra ses doigts dans ses cheveux pour les ébouriffer un peu plus, histoire de bien montrer que son style devait rester impeccablement « en friche ». C'était vraiment un cas celui-là, à la fois compliqué et attirant. Il entra dans le salon et je fermai la porte sur lui pour accorder à Bella le respect qu'elle méritait.

Bella savait que nous cherchions une « Bella », et que nous avions déjà auditionné des actrices, mais elle était persuadée qu'elle devait jouer **son** personnage. C'était évidemment le meilleur moyen pour elle de contrôler le personnage qu'elle s'était créé. Je n'étais pas très chaude pour la faire tourner, sachant que la discipline du spectacle est un métier que l'on n'improvise pas, surtout quand il faut recommencer une scène des dizaines et des dizaines de fois...

Bella était une amie intime depuis la campagne électorale de McGovern en 1972. On avait eu des petits accrochages de temps en temps, mais notre amitié est basée sur une totale honnêteté réciproque. Elle est pragmatique, drôle, généreuse, compatissante, et elle a cette intelligence pétillante et tranchante que j'adore. Elle est aussi ambitieuse, pleine de bon sens, et elle adore se faire voir et se faire valoir. C'est d'ailleurs pour cela qu'elle est tellement charismatique. Et par-dessus tout... je l'aime énormément. Elle entra dans mon living-room en tailleur patriotique bleu-blanc-rouge, assorti à son humeur du moment, puisqu'elle avait décidé de se représenter au Congrès.

– Alors? Pourquoi tu m'as fait venir? dit-elle en se dirigeant vers Colin et moi.

– Eh bien, on aimerait que tu lises ça pour nous, dis-je.

Elle avisa le script sur la table, le prit et commença à le feuilleter.

– Alors tu veux que je lise ça?

– Eh bien, on aimerait te faire auditionner. Tu nous as dit que tu étais libre.

– Mais je vais rougir, dit-elle. Et je ne vais pas fermer l'œil de la nuit à me ronger en me demandant si c'est moi qui aurai le rôle.

– C'est ça le show-business, dis-je.

Colin souriait en nous écoutant dialoguer, notant toutes les nuances qui pourraient être utiles à l'écran.

– Mon Dieu, dit Bella en se regardant parler dans le miroir. Il va falloir que je dise mes propres paroles, n'est-ce pas?

– Exact, dis-je. Et comme tu es d'accord sur le script, tu ne peux pas faire d'objection sur le dialogue.

– Ah mon Dieu, tu vas vraiment m'intimider plus que jamais, dit-elle.

Je souris malicieusement.

– Alors tu vas savoir ce que les autres pensent de toi.

– Sois sympa, tu veux.

Elle fit une pause.

– Tu sais que j'ai besoin que tu sois gentille avec moi.

Elle savait toujours exactement comment me prendre, et ça marchait à tous les coups.

Le téléphone sonna, c'était Stan.

– Salut, dis-je, tout baigne! On va faire Bella maintenant.

– O.K., dit-il. Quand tu auras fini avec elle, appelle-moi.

– Mais tu sais, on fait lire la vraie Bella.

– Quoi?

A l'autre bout de la pièce Bella cria :

– Appelle mon agent.

– Shirley – Stan était très ferme au téléphone – tu sais quel genre de métier ça demande, même pour une actrice confirmée. Comment pourra-t-ELLE répéter la même scène et trouver l'émotion exacte à chaque fois.

– Je ne sais pas, Stan, dis-je, mais elle veut essayer.

– O.K. Appelle-moi quand elle aura fini.

Je raccrochai et l'audition commença. Je jouais mon rôle, et Bella jouait le sien. En même temps, nous gardions secrètement le souvenir des événements tels qu'ils s'étaient vraiment produits. C'était un exercice d'illusion retrouvée. C'était extraordinaire parce qu'à ce moment précis, je me rendais compte que chacune, chacun de nous, cherche à projeter l'image que nous voulons donner de nous – y compris la fausse spontanéité. Bella et moi avions tellement d'images différentes à donner de nous-mêmes. Nous avions le choix dans les vêtements, la coiffure, le maquillage, les gestes. Tout cela était relativement limité, mais par contre les choix devenaient illimités quand il s'agissait des expressions du visage, des intonations de voix. Si j'avais voulu inventer un personnage comme Bella Abzug, je n'aurais jamais pu faire mieux que ce qu'elle avait fait pour elle. Avec ses mains fortes, les rides « d'expression » sur son visage aux pommettes hautes et saillantes, elle donnait un portrait d'elle d'une grande vigueur. En la regardant « **jouer** » les mêmes répliques, et en m'écoutant redire les miennes, j'eus soudain une double vision du temps. Où était le présent? Où était le passé? Nous étions là en train de dire notre texte dans la cuisine et la salle à manger. La même salle à manger. Elle m'aida à mettre la table. La même cuisine, la même table. Elle s'assit pendant que je remuais la salade, et nous lisions nos répliques en même temps : c'était carrément pirandellien. La différence, c'est que je m'apercevais que Bella ne pourrait pas jouer son personnage. Trop forte, trop imposante pour un feuilleton. C'était étonnant. Elle était parfaite quand il s'agissait de passer aux actualités ou dans une émission politique, parce que son envergure collait avec le sujet, mais jouer la comédie, c'était une autre affaire, et je savais que ça ne marcherait pas.

Pourtant, le plus drôle, c'est qu'elle était très vraie. Il n'y avait pas une fausse note dans son numéro car en politicienne chevronnée, elle savait convaincre. Pourtant, la vérité, c'est que c'était **TROP** pour la télévision. Je n'avais jamais été confrontée à ce problème avant, et je commençais à me poser des questions à mon sujet en même temps. Peut-on être **TROP** soi-même? **TROP** réelle?

Après la lecture, Colin et moi voulions parler tous les deux. Bella n'y vit pas d'inconvénient.

– Je sais, dit-elle, en remettant son chapeau, sur le pas de la porte : « Ne nous téléphonez pas, c'est nous qui vous appellerons. A bientôt. »

Elle sortit. Colin la regarda par la fenêtre. Il réfléchit un moment.

– Je sais ce qui me dérange.

– Quoi?

– On a écrit le personnage de Bella comme faire-valoir de Shirley. Les réactions terre à terre à l'égard de la recherche spirituelle de Shirley sont tout à fait comiques. Il est vrai qu'elle est comme ça dans la vie. Mais elle est encore plus que ça. Étant donné qu'on ne donne qu'une facette de sa personnalité, en escamotant la stature politique de sa personnalité, on déborde complètement le personnage si on lui fait jouer son rôle. Autrement dit, elle est trop qualifiée pour le rôle.

Je le regardai, estomaquée.

– Super, dis-je. Mais comment feras-tu pour lui dire qu'elle ne peut pas SE jouer?

– Très gentiment, dit-il avec un petit sourire.

J'allai ensuite rejoindre John Heard dans le salon. Je vis qu'il avait presque fini le script. Il me regarda avec une expression d'incrédulité sur le visage. Il n'avait peut-être pas menti après tout : c'était peut-être la première fois qu'il prenait en pleine figure la lecture d'un script qui parle de spiritisme, de réincarnation, d'extra-terrestres, et de vaisseaux spatiaux qui atterrissent. Il parla le premier.

– Je suis sensé être amoureux d'une extra-terrestre? demanda-t-il.

– Oui, je lui répondis. Peut-être pas de l'amour au sens sexuel du terme, mais cette femme va changer ta vie.

John ne rit pas. Il se contenta de me regarder.

– Mais je suis catholique, dit-il finalement.

Je n'avais pas d'argument à lui opposer, et nous sommes retournés dans le living-room. Nous avons terminé la lecture. Il était tellement doué qu'il avait l'air de comprendre les répliques métaphysiques. C'était peut-être son côté catholique irlandais qui remontait à la surface. Colin et moi étions emballés. John lui-même semblait prendre du plaisir à jouer l'impossible. Il savait que c'était un texte injouable sauf pour un acteur génial qui pouvait balancer avec justesse des platitudes chargées de sens caché. Il lisait le texte comme si c'était la liste des courses du marché de sa femme, et ça marchait.

Il saupoudrait le tout de commentaires sarcastiques tels que « le lac Titicaca? Je dois lire ça sans m'écrouler de rire? Les bons pères vont pas aimer ça du tout dans les dortoirs », ou alors il nous rejouait *Don Camillo* en version originale...

De temps en temps, il extrayait une Lucky Strike d'un paquet avachi, il l'allumait cérémonieusement, et tirait une grande bouffée, qu'il rejetait petit à petit, en faisant des ronds bleutés, tout en fixant ses pieds sans rien dire. Il secouait la tête, réfléchissait et disait tout à coup: « Quand je pense que je pourrais être en train de faire du ski, ou de boire une bière au bar. »

A ce moment-là je n'avais pas encore compris que JOHN ne disait jamais rien qui ne soit pas symbolique. Il fallait déjà apprendre son langage pour avoir une conversation avec lui, mais j'avais déjà connu ça avec Robert Mitchum et Debra Winger. En réalité, ce que l'on pouvait prendre pour un discours de haute paranoïa, mêlé d'insolence intégrale, avait toujours un rapport avec un flot de pensées intérieures, incohérent seulement pour les interlocuteurs. Le jeu consistait à utiliser les autres comme des murs de résonance, ou de pelote basque, pour y envoyer la balle du sadisme, de l'hostilité, de la peur, de l'humour et de l'esprit. La règle consistant à impliquer les autres dans le jeu, sans jamais dévoiler les règles. Avec ce genre de joueurs, on a plusieurs options. Quand le jeu ne se déroule pas comme ils veulent, ils prétendent qu'il n'y a jamais eu jeu. S'ils en ont marre de jouer avec vous, parce que vous commencez à gagner, alors ils deviennent complètement incohérents et vous vous retrouvez en train de jouer tout seul. Tout cela dans le but de désorienter le partenaire et de dévoiler ses faiblesses et ses insécurités. Finalement ce type de paranoïaque consommé réussit toujours à connaître assez bien son partenaire, sans rien divulguer de sa vraie personnalité.

Mais quand ils savent que vous avez vu dans leur jeu, et que vous n'allez pas vous laisser manipuler, ça peut devenir marrant. C'était le cas, entre John et moi.

Les potins sur ma vie privée sont dans tous les journaux, alors c'était plutôt un jeu de spontanéité, d'audace auquel nous nous livrions. Aussi, quand John me parlait de faire du ski ou d'être au bar (je suis sûre qu'il n'a jamais mis les pieds sur une paire de skis de sa vie), il me regardait et il ajoutait : « C'est vraiment toi qui as écrit ce truc ? » ou bien : « Alors comme ça, tu crois que Reagan marche dans la lumière ? » Je lui rétorquais que j'étais sidérée de voir comment il mettait des dialogues aussi difficiles « dans la lumière » et : « Oui, Ronald Reagan pourrait en prendre de la graine... » Il se marrait, faisait quelques ronds de fumée, renversait sa tête en arrière et souriait à ses Charles Jourdan noires.

Colin Higgins avait une réaction différente. C'était un homme carré, assez sensé pour ne pas perdre son temps à des gamineries qui ne pouvaient mener qu'à des retards d'emploi du temps et des heures supplémentaires dans le budget. C'était un aspect, et il pouvait faire avec. Mais la manipulation n'était pas son fort. Colin était un honnête homme qui détestait les insinuations. Pourtant la virtuosité avec laquelle John maniait l'insolence et le culot le laissait vaguement admiratif. Je suis sûre qu'il aurait aimé en faire autant, mais il était trop timide pour une telle audace; alors il observait l'attitude de John comme un professeur devant les pitreries d'un élève indiscipliné mais diaboliquement rusé.

Moi-même, j'avais envie de jouer avec John, mais je ne voulais pas isoler Colin, ce qui aurait ravi John dont la devise était : diviser pour conquérir.

Heureusement la lecture tirait à sa fin, et John se demandait s'il avait le rôle. Et tout le baratin dont il nous saoulait après l'audition revenait à ça : « Est-ce que je fais l'affaire? »

Colin et moi avions un autre rendez-vous, aussi John sortit de l'appartement en tapotant le script amicalement comme pour nous montrer qu'il voulait vraiment jouer David. Quand la porte fut fermée, Colin dit : « Ce mec envoie le bouchon un peu loin. Je ne comprends pas pourquoi. Qu'est-ce que je suis censé apprendre de cette... »

Il regarda par la fenêtre et déclara : « On vient du même milieu catholique irlandais. » Colin marchait de long en large devant la fenêtre et regardait les taxis en bas dans la rue.

– Une chose est certaine, ce type assure vraiment. Il est tellement naturel...

J'étais debout derrière lui.

– C'est curieux, lui dis-je, j'ai l'impression bizarre de voir les choses dans une nouvelle perspective. C'est comme si on était déjà en train de jouer, comme si on jouait dans une pièce à l'intérieur d'une pièce, en abîme.

Colin me sourit, de son sourire espiègle.

– Alors, dit-il, est-ce que John va m'aider à mieux interpréter mon rôle?

J'allai à la cuisine pour boire un verre d'eau.

– Une chose est sûre, dis-je. Il ne nous loupera pas quand on sonnera faux.

– Qu'est-ce que tu veux dire? répliqua Colin.

– Je n'en suis pas sûre, mais je pense qu'il le fera.

Le téléphone sonna. Pas plus de deux minutes et demie pouvaient s'être écoulées depuis le départ de John. C'était son agent.

– John vient de me dire qu'il a l'impression de ne pas avoir fait l'affaire. C'est vrai? demanda-t-il.

J'étais choquée.

– Vous plaisantez? Il est extraordinaire. Dites-moi, est-ce qu'il avait lu le script?

L'agent se mit à rire.

– Allez donc savoir? Vous connaissez John!

– Comment? Vous connaissez John!

– Ça veut dire, on peut jamais savoir, lui encore moins que les autres...

« Vous connaissez John! » allait devenir la phrase clé d'une équipe de gens du cinéma, du nord au sud de l'Amérique... D'ores et déjà, j'étais certaine qu'il était exactement l'acteur que nous cherchions. Après tout, qui il était, c'était **SON** problème.

– Écoutez, Bill, dis-je. Il est encore plus fantastique que nous l'avions imaginé. Il est totalement imprévisible, et ce qu'il nous a donné n'a rien à voir avec ce que nous attendions, c'est tout.

– Eh bien, il voulait juste savoir.

– Est-ce qu'il vous a appelé d'une cabine au coin de la rue?

– Pourquoi?

– Il vient de partir.

– Comme vous avez pu vous en apercevoir, c'est un anxieux...

– Anxieux de plaire?

Silence au bout de la ligne.

– Non, dit Bill. Je suis sûr qu'il vous plaira, mais c'est à cause de ça qu'il est inquiet.

– Pourquoi est-il anxieux?

– Oh, vous connaissez John! répliqua-t-il.

On peut dire que John avait trouvé un agent sur mesure...

CHAPITRE 8

Colin et moi sommes retournés en Californie pour prévenir ABC de notre décision en ce qui concernait John Heard. Le contrat fut arrangé. Nous avons décidé également de faire jouer leurs propres rôles par Kevin Ryerson et ses « entités ». Un acteur professionnel saurait mieux tirer parti des scènes mais ce que l'on gagnerait en performance d'acteur, on le perdrait en crédibilité. Nous voulions, dans l'intérêt de la vérité, que le film soit aussi réaliste que possible, puisqu'on s'aventurait sur un terrain difficile. D'ailleurs, pourquoi ne pas se payer le luxe d'une toute première expérience de spiritisme à la télévision; Puis, il a fallu auditionner toutes les « Bella ». Chaque comédienne avait quelque chose à offrir, et cherchait à imiter un personnage public connu de tous. Pourtant ce fut Anne Jackson la meilleure. Elle était drôle, directe sans être vulgaire, et en plus elle avait un vieux métier qui lui permettait de trouver le rythme et les tics de Bella en un clin d'œil.

Par contre, la vraie Bella n'était pas très satisfaite de notre choix. En politicienne chevronnée, elle commença par me « travailler » au téléphone pour essayer de me faire changer d'avis :

– Écoute! dit-elle. Je sais que tu me fais jouer le repoussoir, le faire-valoir, dans ton script, et ça commence à me chatouiller les oreilles, commença-t-elle.

– Qu'est-ce que tu racontes? lui demandai-je.

– Eh bien, tu ne décris qu'un aspect de moi, je sais, c'est ton histoire, pas la mienne! Mais, tant qu'à servir de faire-valoir, je veux avoir un peu de contrôle sur mon rôle. Tu ne peux pas tout avoir.

Bella était intelligente et sûre d'elle. Tout ce qu'elle disait était complètement sensé – de son point de vue. J'essayai de lui expliquer que ses répliques ne sonneraient pas aussi bien avec elle qu'avec une actrice, parce que sa présence envahirait l'histoire et lui donnerait une autre dimension. Si une comédienne jouait son personnage, ce serait plus efficace, et cela lui ferait gagner un bon nombre de votes, c'était certain, si elle se représentait aux élections.

– Ça va sortir quand? demanda-t-elle, prudemment.

– En mai ou en novembre. Brandon Stoddard n'est pas encore sûr.

– Mais, si c'est en novembre, ça sera après les élections... Si je décide de me présenter au Congrès.

– Oh, alors je dirai à Brandon qu'il vaut mieux le sortir en mai. Il contactera aussitôt les annonceurs et les gens de la programmation.

Je l'entendis rire de son rire rabelaisien.

– Dieu que c'est bon de t'entendre rire comme ça, dis-je.

– Ouais, dit-elle. En tout cas, je suis sûre que les mecs de la chaîne de télé ont peur de mon image politique. C'est pour ça qu'ils ne veulent pas que je joue mon personnage.

– Oh Bella. Sois pas ridicule! Ça n'a rien à voir avec ça!

– Je sais que tu ne me dis pas la vérité, parce que tu ne veux pas les contrarier. Ils ont peur de moi et de ce que je représente. C'est pour ça, j'en suis certaine!... et tu le sais bien.

Je protestai.

– Bella! C'est MOI qui ne veux pas te faire jouer. C'est la vérité! Aucun des mecs de la télé n'a essayé d'intervenir en quoi que ce soit. C'est une décision purement artistique. Je cherche qui saura le mieux jouer ton rôle, non seulement pour le bien du film, mais aussi pour le bien de tes prochaines élections; tu auras des tas de voix si ce rôle est bien joué.

J'aurais pu faire de la politique, moi aussi... Pourtant, elle avait un peu raison, mes arguments étaient un peu tirés par les cheveux.

– Est-ce que t'es en train de me dire que n'importe qui, en dehors de moi, ferait mieux l'affaire que MOI? Et que ce quelqu'un aurait plus de voix que MOI?

Je m'étranglai.

– Oui... c'est un peu ça.

– Tu ne sais pas de quoi tu parles. J'ai parlé à un tas d'amis et ils me disent tous que ce serait normal que je joue mon personnage.

Je ne savais plus quoi dire. On n'aurait jamais dû la faire auditionner dès le départ. Et notre amitié dans tout ça? On avait eu des hauts et des bas, mais cette fois c'est moi qui la rejetais.

– Écoute, dit-elle, je sais qu'ils ont pensé à Marylin Bergman pour mon rôle. C'est ridicule. Même si c'est une amie à moi... Elle écrit des chansons.

– Oui, Bella, dis-je, je sais. Marylin, c'était l'idée de quelqu'un d'autre, pas la mienne. Elle n'est pas comédienne. On aurait eu le même problème de discipline émotionnelle qu'avec toi. C'est pour ça que nous allons prendre Anne Jackson.

– Anne Jackson!

Elle prononça ce nom comme si c'était une marque de pâtée pour chiens.

– Ouais, dis-je. Une des comédiennes de théâtre les plus brillantes. Elle t'adore.

– Elle est rousse!

– Ben, toi aussi, maintenant...

– Elle a les yeux bleus...

– On lui mettra des lentilles colorées.

– Est-ce qu'elle sait marcher comme moi?

– Non, c'est vrai.

– Pourquoi? d'après toi.

– Parce qu'elle est beaucoup plus mince.

Là, Bella monta sur ses grands chevaux.

– Alors tu m'insultes carrément maintenant?! Pourquoi tu veux toujours avoir le dernier mot?

Je soupirai longuement au téléphone et j'ajoutai :

– Eh bien, ma chérie, c'est ça le show-business!

– Alors, dis-moi pourquoi je ne serais pas une star moi aussi?

– Écoute, Bellitchka. C'est à cause de **TOI** qu'Anne Jackson va être super. Et tout le monde sera persuadé que tu es une femme chaleureuse et marrante.

– Parce que je ne le suis pas, moi?

– Si, bien sûr que si! Et tu es encore bien plus que ça. Mais on ne va pas attirer l'attention sur toutes les facettes de ton personnage.

Je l'entendis allumer une cigarette et souffler la fumée dans le téléphone en calculant son prochain coup. « Ouais, dit-elle, c'est bien mon problème, on ne m'utilise jamais au maximum de mon potentiel; et je te remercie, toi ma meilleure amie, de m'épargner un changement brutal de destinée... »

Je laissai passer un long moment de silence, pour marquer le coup. Mais ce n'était pas possible de faire comprendre à Bella qu'elle allait trop loin, et elle enchaîna avec un interrogatoire-piège.

– Dis-moi, ces médiums, ils jouent bien leur propre rôle, n'est-ce pas?

– Oui.

– Et les fantômes – tous ces morts qui parlent – jouent leur rôle eux aussi?

– Bella, ce ne sont pas des fantômes et ce ne sont pas des morts. Personne ne meurt. Tu le sais bien.

– Ah bon? Tu me fais marrer, toi.

– O.K. Continue!

– Bon, alors, tes esprits, là, ils jouent bien leur rôle?

– Oui, je te l'ai déjà dit.

– Alors, pourquoi j'ai pas droit au même respect qu'un esprit?

– Parce que, dis-je, tu as autre chose à faire avec ton temps et je n'ai pas envie que tu « te crèves » en jouant ce rôle.

Je la sentais prête à contre-attaquer, comme si, pour elle, la bagarre était plus importante que la victoire, et, en m'excusant le plus gentiment possible, je raccrochai.

Stan passa sa tête par la porte.

– Petit problème, dit-il. L'agent de John Heard vient d'appeler. Il a décidé qu'il ne pouvait pas jouer le rôle parce que c'est contre sa religion.

Stan balança un papier sur le bureau.

– Voilà, dit-il, quelques noms d'acteurs possibles.

Aussitôt ma gorge se contracta comme si on m'étranglait. La douleur était instantanée. J'avais envie de rire, mais ça me faisait trop mal. Ce n'était pas la première fois que ça m'arrivait. Chaque fois que j'avais une grippe, un rhume ou un mal de gorge, c'était toujours en réaction à une contrariété. Mon envie de rire venait de ce que je réagissais au quart de tour. Généralement, ça prenait un jour ou deux pour se déclarer. Là, l'effet était immédiat. Ce John Heard me GONFLAIT, littéralement. Une petite voix métaphysique me dit : « Alors, c'est quand même formidable de libérer si vite les tensions et les mauvaises énergies?! »

– Oui. Si on veut!

Je m'assis et fixai le mur. Si John Heard pensait pouvoir s'en tirer comme ça avec moi, il se fourrait le doigt dans l'œil. Je n'allais pas me laisser faire. C'était lui, l'acteur idéal pour le rôle. Impossible d'imaginer quelqu'un d'autre. Mais comment ruser et le mettre en confiance? Il n'était pas un catholique pratiquant. Il était davantage un catholique décadent. Alors? Où était le problème? Si problème il y avait. C'était peut-être un jeu... Après quinze minutes de réflexion, j'appelai Bill, l'agent de John.

– Qu'est-ce qui se passe, Bill? Je croyais qu'il était emballé par le rôle.

– Ben oui, mais tu connais John, répliqua-t-il.

– Je vois, dis-je d'un ton prophétique. Mais donne-moi des précisions. Qu'est-ce que c'est que ces salades au sujet de sa religion? Pourquoi il réagit seulement maintenant? Il a eu le temps de réfléchir avant de signer son contrat, non?

– Ouais, enfin heu, c'est pas ça le problème.

– Où est le problème alors?

– Tu veux parler avec John? A vrai dire, moi je ne sais pas.

Bill promit de me passer John au téléphone, quinze minutes plus tard. John déclara :

– Salut! c'est pas à cause de ma religion! C'est à cause de mon dentiste.

– Oh! encore ça!

– Oui, et puis, y a Mélissa.

– Mélissa qui?

– Ben, Mélissa, ma petite amie.

– Tu veux dire qu'elle va te manquer?

Je l'imaginais en train de s'escrimer au téléphone pour me faire avaler un prétexte après l'autre, au hasard.

– Oui, tu sais, elle a la peau très blanche, et elle passe beaucoup de temps au théâtre, à m'attendre dans les fauteuils d'orchestre. Alors elle a peur des coups de soleil...

– Et alors? Où tu veux en venir?

– Heu-eueu...

– J'écoute.

– Ben, voilà. J'aimerais avoir un service-repas à minuit... dans ma chambre d'hôtel.

– T'as des problèmes d'hypoglycémie, un régime spécial?

– Non, c'est au cas où j'aurais faim.

– Bon. T'inquiète pas, tu auras toujours de quoi manger, à n'importe quelle heure du jour ou de la nuit. Je m'en occupe.

– Je suis un peu gros en ce moment. T'as vu comment j'ai triché avec une chemise bleu marine pour cacher mon gros bidon?

– Ouais. C'était astucieux. Mais moi je t'aime bien un peu enveloppé. Je trouve ça mignon.

– Pas Mélissa! Elle dit que je suis un connard...

– Ah bon? Elle a raison?

– Bien entendu.

– Alors, dis-moi pourquoi tu te dégonfles John!

Il n'hésitait plus. Le préambule était terminé, on allait passer aux choses sérieuses.

– Parce que, dit-il, je ne suis pas sûr de pouvoir assurer. Toi, t'as vraiment vécu ton truc. Comment veux-tu que je comprenne ce que tu racontes?

– Hé bien, dis-je, moi j'ai aimé la manière dont tu me l'as joué. Je n'avais pas imaginé le rôle comme ça. Mais ce que tu as fait était MEILLEUR. Et tu remarqueras que je n'ai pas de préjugés...

Pendant la pause qui suivit, je l'entendais presque penser à son argument sur l'Église catholique.

– Écoute, John, dis-je, si tu te préoccupes de ce que va en dire l'Église catholique, on a déjà demandé l'avis de la Censure et de l'Office catholique et ils ont approuvé après avoir lu tout le truc.

– Ah bon? Vraiment? demanda-t-il avec un peu d'appréhension.

– Oui, et ma recherche spirituelle colle très bien avec la leur.

– Ouais? Bon, alors, c'est pas ça la vraie raison. D'abord l'Église catholique m'a tellement emmerdé que j'en ai vraiment rien à cirer.

Quand John parlait comme ça, je comprenais tout.

– Laisse-moi réfléchir cette nuit, dit-il. Je t'appellerai à Malibu à 11 heures du matin là-bas.

Ce n'était plus le même homme qui parlait.

– O.K.

– O.K.

Il raccrocha. J'entrai dans le bureau de Stan.

– Écoute, dit-il. Bonnes nouvelles.

– Quoi?

– La Censure nous donne l'autorisation de tourner. Ils

pensent que le script est correct. Ils ont trouvé une tortue qui a deux cent cinquante ans.

– Super. Est-ce qu'elle peut jouer la comédie?

Charles Dance arriva pour la première répétition avec le réalisateur Bob Butler. Jusque-là, je pense que Charles était persuadé que c'était Colin le réalisateur. Il ne savait pas qu'aux États-Unis, à la télévision, c'est le producteur qui est le créatif. Le réalisateur n'est que celui qui fait aboutir les choses.

Charles était assis dans une pose décontractée, en pantalons bouffants et pieds nus dans ses mocassins vernis. Butler, en veste kaki, athlétique et superbe, faisait la tronche en regardant Charles. Il n'avait pas eu à s'occuper du casting de Charles et John. Il était en repérage. Il dessinait les plans et les décors de plateau, réunissait le personnel, etc. Alors, si quelque chose n'allait pas, il pourrait nous dire sans se gêner : « Où avez-vous pêché ces mecs-là ? » D'autre part, il était persuadé qu'il était la seule personne sensée sur ce tournage.

Quand il a ouvert la bouche pour parler du projet avec Charles, ce n'était pas du Shakespeare :

– En travaillant sur ce projet, Charles, dit-il, je commence à me dire que le « HIC » c'est le spectateur du Milwaukee, dans son sous-sol, avec sa bière. Est-ce qu'il va dire « Hé, Henriette, viens voir ce truc-là », ou bien est-ce qu'il va changer de chaîne? Est-ce qu'il est plus intelligent que nous tous, ou est-ce qu'on ferait mieux de pas penser à lui?

Charles cligna des yeux plusieurs fois, se demandant si Butler voulait une réponse. Moi je n'ai pas pu résister.

– L'un dans l'autre, Bob, si tu veux mon avis, j'emmerde le Milwaukee.

Charles changea de position sur sa chaise rotative.

– Bon, dit Butler, c'est un point de vue qui se tient.

Il fit une superbe grimace et entreprit de se ronger les ongles de la main gauche.

– Mais, continua-t-il, tu mets Henriette et le Milwaukee dans le même sac, ils sont drôlement intelligents... D'accord, tu peux pas les saquer quand ils braillent, individuellement, dans les bars, au point que t'as envie de leur envoyer des mandales quand ils disent ce qu'ils pensent de ton show. Mais tu les mets ensemble, et j' peux t' jurer qu'y a personne de plus intelligent qu'eux. Alors, si j'ai l'air un peu glauque, c'est que j'arrête pas de penser à Henriette et au Milwaukee. C'est toi qui donnes les cartes ma poule, alors assure un peu...

Il m'avait cloué le bec.

Charles me glissa discrètement un petit papier sur lequel il avait écrit : « Est-ce qu'il parle un dialecte de télévision? »

Je regardais droit devant moi sans desserrer les dents. On a commencé à répéter. Bob faisait des commentaires de son cru, du genre : « Y a pas de jus dans cette scène », ou, quand il était particulièrement content, après une scène dramatique, il concluait toujours par : « Ah, les mecs, c'était tellement bon, je signe quand vous voulez... tout ce que vous voulez. »

Charles regardait le réalisateur comme si c'était un indigène surexcité. Je regardais Butler, sachant que sa femme avait une librairie et que, par conséquent, il devait être au courant de tous les livres qui sortaient sur le marché. C'était là, entre les deux, qu'il y avait le vrai Bob Butler.

Charles commençait à s'habituer à l'Amérique, aux gens d'ABC, aux autoroutes, au service dans les chambres d'hôtel. On devait tourner pendant une semaine à Londres, et quelques semaines plus tard, nous reviendrions à Los Angeles.

John Heard me téléphona le lendemain matin.

– Ouais, dit-il, je me souviens quand j'ai quitté mon école de curés à Washington. Je devais jouer ce jour-là. Je ne me suis pas réveillé. Le réveil n'as pas sonné. Les bons pères disaient que si on ne se réveillait pas, on était viré. Alors, merde, je me suis réveillé et j'ai vu que j'étais viré de toute manière, alors, j'ai pris une bagnole et je suis allé voir le match de foot à Washington Lee. Tu vois, je connais bien ton coin.

Il avait raison. J'étais allée dans ce lycée à Arlington en Virginie, sauf que cette nuit-là, si j'avais été plus jeune, j'aurais fait partie des supporters-majorettes.

– Alors, dis-je, je suppose que c'est notre karma de nous revoir.

– Et puis, je ne me souviens plus à quelle heure on est rentrés. C'était une voiture bleu foncé.

– Je vois.

– Alors, après ça, je me suis fait viré, tu penses.

– Ouais. De quelle boîte?

– Écoute, je peux pas dire ce dialogue.

– D'accord John, je sais que ce dialogue n'est pas à la portée de n'importe qui. C'est pour ça que personne n'a encore fait de film sur ce sujet. Du moment que tu es fidèle au sens, tu peux le dire comme tu veux.

– Je peux réécrire des trucs?

– Bien sûr! Du moment que tu sens bien le rôle.

Longue pause.

– Oh, dit-il, je croyais que tu voulais que je dise le texte comme il est écrit.

– Non. C'est pas nécessaire.

– Euh, euh.

– Écoute, dis-je, Colin et moi passons par New York pour aller à Londres et commencer le tournage avec Charles Dance. On va relire ensemble le script mot à mot et on va le récrire exactement comme tu le veux. O.K.?

– O.K. Une autre pause. Très longue. J'imagine, dit-il, que j'ai dit oui, n'est-ce pas?

– Oui, John!

Aussitôt, j'appelai Stan pour lui dire que John ferait le film.

– Bien sûr, dit Stan. Je le croirai quand il atterrira au Pérou.

Quand j'appelai mon agent Mortimer pour lui dire que John nous rencontrerait à New York, il me déclara :

– D'abord, il va te téléphoner pour te dire qu'il trouve pas de taxi, puis il te rappellera pour te dire qu'il trouve pas l'immeuble, un autre coup de fil pour demander où se trouve l'ascenseur, deux autres pour te dire qu'il est dans un restaurant juste en face, puis un autre, du bar, pour te dire qu'il ne peut pas jouer le rôle. Mais ne te décourage pas et ne le lâche pas. C'est un BON.

Mon agent est bien placé pour savoir que je ne suis pas patiente. Mais pas cette fois, pas cette fois. Impatiente, oui, peut-être, mais aussi déterminée et persévérante...

Il était 10 h 40 du matin à New York.

Colin et moi avions fini notre café et nous attendions John. Il avait vingt minutes de retard.

– Bon. Il avait quarante-cinq minutes de retard la première fois, dis-je, pour nous remonter le moral.

Le téléphone sonna : c'était John.

– Écoute, dit-il, j' trouve pas de taxi.

Je décidai de précipiter le mouvement.

– Où es-tu? Dans le bar en face?

J'avais à peine parlé, que je sentais que j'avais été cruelle.

Long silence au bout du fil.

– John, mon immeuble est facile à trouver, tu es déjà venu et l'ascenseur n'est pas en panne.

– O.K. J'arrive.

J'attendis John à la porte et le pris dans mes bras.

– Je sais combien tu es nerveux et combien c'est dur pour toi. J'avais peur que tu ne viennes pas.

John soupira et pencha la tête en disant :

– Merci de m'avoir facilité la chose.

Il entra dans la chambre.

– J' suis parti faire du ski pendant tout le week-end. Je suis crevé. Faites pas attention, je m' suis pas rasé depuis quatre jours.

Il portait une chemise trois fois trop grande.

– Vous avez vu? dit-il en caressant son ventre, j'essaie de cacher ma brioche.

– J'aime bien ton petit ventre.

C'était vrai. John posa le script sur la table basse. Il était surchargé de notes au crayon. Il s'assit d'un air nonchalant.

– Ouais. Tu parles d'un week-end, dit-il d'un air excédé. Je me suis défoncé comme une bête. Ah! la vitesse « tout shuss » au milieu des grands arbres, dans le silence... Quel pied! Un paysage... d'enfer! ou de paradis, comme tu veux...

Colin buvait son café froid sans rien dire.

John continuait :

– Alors, je n'ai pas eu beaucoup le temps de lire le script.

Colin commençait à voir rouge. Je compris alors qu'il nous menait en bateau. Il n'était pas allé skier. Il n'était pas fichu de faire la différence entre une piste de ski et une sortie de secours. Il a dû s'apercevoir, à mon air, que ça ne prenait pas, alors il a immédiatement changé de sujet.

– Vous avez quelque chose à manger? demanda-t-il.

Je lui apportai des sandwiches tout prêts. Tout en parlant du karma de Reagan et de la politique américaine, il engloutissait un sandwich l'un après l'autre.

– Alors, pour toi, Ronald Reagan est dans la lumière? dit-il d'un air de défi.

Il m'en fallait plus que ça pour me démonter.

– Certainement, répliquai-je. Regarde comme il est positif dans son comportement personnel. Je crois que c'est pour ça que les Américains l'aiment.

John alluma une cigarette, très maître de lui tout à coup. Je devinais la violence refoulée en lui, pour la première fois. Mais sa voix était calme.

– Comment peux-tu dire ça quand on le voit traiter les pauvres avec autant de dédain?

John était sérieux? Ce qu'il essayait de deviner, c'était ma sincérité, concernant mes croyances spirituelles. Je lui avais déjà dit auparavant que je ne croyais pas au Mal, que l'enfer n'existe pas. Je lui avais dit aussi que quand on subit une épreuve désagréable, c'est que notre âme a choisi ce moyen pour apprendre et se développer. Alors, maintenant j'allais devoir lui expliquer la responsabilité des pauvres dans leur propre karma.

J'étais accoudée à la cheminée. John avait un fantastique détecteur de mensonges et de baratin. Depuis longtemps, je m'étais aperçue qu'en parlant de ces systèmes de pensée spirituelle, les gens réagissaient autant au contenu de l'information qu'à la qualité de sincérité, à l'authenticité de l'émotion qui portaient des arguments aussi déroutants. John cherchait mon talon d'Achille, la faille dans mon raisonnement. Je devais donc choisir mes mots soigneusement parce qu'il me demandait un cours rapide sur la philosophie du karma, et s'il ne comprenait pas, ce serait ma faute.

– Écoute, John, je commençai, je crois que nous avons tous des vies successives; c'est-à-dire que notre âme fait l'aller et retour, sur terre, des milliers de fois, après quoi, elle n'existe plus qu'à l'état d'âme, de pensée. Nous avons choisi chacun de nos « corps », de nos destins, et nous continuerons de choisir nos habits corporels et nos destins futurs. On peut choisir d'être pauvre et apprendre les leçons que donne la pauvreté. Ou nous pouvons choisir la richesse pour les mêmes raisons. Si on choisit la pauvreté, c'est peut-être parce que, dans une autre vie, on a abusé de la richesse et du pouvoir. On choisit peut-être le pouvoir pour apprendre à s'en servir avec humanité. Chaque personne a ses raisons spécifiques de choisir ce qui lui convient. Alors, Reagan a choisi le pouvoir et la présidence dans cette vie présente. Il assume très bien certains aspects, mais il est aveugle et insensible à d'autres aspects. Cependant chaque personne pauvre à laquelle Reagan est insensible, participe à sa propre destinée. Et tout le monde le sait, au fond, dans un niveau de conscience bien caché.

John ne perdait pas une miette de ce que je lui racontais. Il filtrait, soupesait, flairait chaque parole pour détecter tout ce qui pourrait être suspect.

– Alors, comment peux-tu encore être engagée politiquement après ça? Je veux dire, si tu crois que personne n'a tort, contre qui es-tu?

– Je ne suis plus **CONTRE** personne, dis-je. Je suis **POUR**, maintenant. Je suis **POUR** l'aide et le soutien aux pauvres afin qu'ils arrivent à s'aider eux-mêmes. Je suis pour une plus grande justice économique. Je suis **POUR** l'intégration en Afrique du Sud. Je suis **POUR** que le monde s'en sorte au lieu d'être contre la pagaille qui engendre la décadence. Tu vois, je ne crois pas que nous courons à la catastrophe. Je crois que nous arrivons à une période de transition.

John se croisa les jambes en posant les mains sur son ventre.

– Est-ce que t'es en train de me dire que je devrais tendre l'autre joue si on me frappe?

– Ça c'est ton problème. Souviens-toi seulement que tu as provoqué le coup.

– Moi, j'ai voulu qu'on me frappe?

– Je ne sais pas si toi, tu en as envie, mais tu choisis d'en faire l'expérience. A un certain niveau, tu as été d'accord pour y participer. Il n'y a pas de hasard.

– Alors, il faudrait que je sois indifférent aux malheurs des autres?

Je m'assis. Il commençait à entrevoir une petite lueur dans ce que je disais.

– Non, dis-je. Mais ça dépend. Par exemple, si un de mes amis a envie de se défoncer à la coke, j'essaierai de le dissuader, dans la mesure de mes possibilités, mais si ça ne marche pas, c'est qu'il a décidé de faire l'expérience de l'autodestruction, et je n'y peux rien. C'est son choix.

– Tu veux dire qu'on n'est pas responsable de nos frères humains.

– Si, bien sûr que si. Mais il faut bien admettre que parfois, ils n'ont pas envie qu'on les aide et il faut respecter ça.

John sourit un instant et redevint très sérieux.

– Tu sais que ton frangin est en train de brancher une de mes copines.

– Oh! dis-je, il y a sûrement une explication karmique à ça.

Il fit une moue d'agacement.

– Ouais, dit-il, alors comme ça, je dois pas m'occuper des autres parce qu'ils risquent de me faire couler avec eux. Et l'amour, qu'est-ce que t'en fais?

J'essayais de comprendre de qui il voulait parler. Est-ce que Mélissa avait des ennuis? Ou un de ses amis? Est-ce que c'était à cause de cela qu'il était réticent pour venir tourner? Je m'approchai de lui et touchai son genou. Il tressaillit légèrement.

– Je pense, dis-je, qu'il faut aider ses amis à voir ce qu'ils ont de meilleur en eux. S'ils ne veulent pas, il ne faut pas sacrifier ce que l'on a de mieux en soi. Parce que, dans ce cas, ça fait deux personnes qui souffrent.

John soupira.

– Les religieuses m'ont piégé tout petit : j'aime souffrir!

– Alors, on va souffrir sur le script. O.K.? Colin et moi devons aller à Londres demain.

– Tu sais, dit John, un chauffeur de taxi ne penserait jamais que je suis brillant. Il penserait que toi, tu es brillante.

– Pourquoi tu me dis ça?

– Parce que c'est comme ça quand on est riche et célèbre.

– Tu veux être riche et célèbre?

– Non, parce que ça ne dépend pas du talent.

– Eh bien, moi, j'ai toujours entendu dire que tu étais génial, dis-je.

– Je sais, mais c'est seulement parmi les gens du métier.

– Oui. Je pense que tu as raison.

– Les autres croient que je suis John Hurt ou William Hurt. Et ils ont peut-être raison.

Pendant cette mini-séance de philosophie à bâtons rompus, Colin était resté complètement impassible. C'est comme s'il enregistrait les différentes phases de la scène pour les replacer dans un futur script. Il enregistrait chaque détail, chaque nuance, tout en évaluant ses propres réactions.

John me demanda quels livres il devrait lire pour s'éduquer. Je lui donnai quelques titres. Puis nous avons lu le script. Il était vraiment virtuose. Il me dit qu'un de ses amis lui avait dit que le langage métaphysique était difficile à écrire, et que Colin et moi avions fait du bon travail. Il dit aussi qu'il s'était fait virer d'une production anglaise prestigieuse pour avoir été glandeur et inattentif. Quand une de ses collègues actrices lui avait demandé si tous les acteurs américains étaient comme lui, il lui avait répondu, « Tu parles, Charles ». Mike Nichols avait hésité à lui confier un rôle parce qu'il sentait qu'il n'était pas sûr de lui.

Ça m'amusait de voir John se caricaturer devant nous, et je sympathisais complètement avec son manque de confiance en lui. Aucun acteur au monde digne de ce nom n'est à l'abri de ce genre d'angoisse.

Comme la journée tirait à sa fin, John, ayant fait son numéro de clown, et fini de commenter sa vie et son œuvre, regarda Colin droit dans les yeux. Colin lui sourit tranquillement, sans rien dire.

John haussa les épaules et dit :

– Alors?

Colin répliqua simplement : « Vous les petits gros, vous tombez toutes les bonnes femmes. »

John gloussa un petit coup.

– Ouais... mais dis donc, finalement, j'ai pas changé un mot du dialogue.

John se leva, récupéra le script et sortit.

Colin le regarda partir par la fenêtre.

– Il va être merveilleux, dit-il, en regardant les lumières des voitures en bas. Il est brillant, il est insupportable, et tellement imprévisible que personne ne pourra s'endormir avec notre dialogue-spirituel « je-sais-tout ».

– Et quoi encore? Je voulais en entendre davantage.

– Et, continua-t-il, il va nous manipuler tellement, il va tellement nous pousser à bout et nous mettre au pied du mur chaque fois que quelque chose ne sera pas au point qu'on sera sûrement plus sages après ça.

Colin se tourna vers moi. « John fera un David catholique irlandais, qui va nous balancer un dialogue spirituel que tout le monde sera capable de comprendre. Ce n'est pas un hasard si on travaille ensemble. »

Ça demanderait des semaines avant que John vienne jouer avec nous.

Colin eut la même pensée que moi.

– Ça va prendre du temps avant qu'on travaille ensemble, dit-il. Il avait l'air un peu sceptique.

– Mais on y arrivera, lui dis-je. Tu peux en être sûr.

CHAPITRE 9

En arrivant à Londres, je vis que la presse se posait pas mal de questions sur le personnage politique que Charles Dance interprétait. Il y avait des photos de Charles et de moi dans tous les journaux, et des extraits de mon livre où il était question de ma liaison cachée avec un personnage important de la Chambre des communes. Je devais revoir mon parlementaire britannique mais, cette fois, ailleurs dans le secret d'une chambre d'hôtel. Je retournai dans la suite de mon hôtel. J'ai dû demander aux techniciens de mettre un transfo sur mon « diffuseur de sons » pour pouvoir dormir. Cette machine est la clé de ma productivité, chaque fois que je quitte Malibu. Elle est basée sur le principe des sons blancs, aquatiques. Je peux, rien qu'en tournant un bouton, entendre la pluie, le ressac des vagues se brisant sur les rochers, les cascades, etc., à partir d'une bande enregistrée qui tourne indéfiniment. Je m'allonge sur mon lit et j'imagine un véritable océan sous ma fenêtre.

Je crée ainsi ma propre réalité, même si je suis en plein centre ville, au milieu des klaxons et du trafic égyptien, des sirènes de Manhattan, des tramways de San Francisco, et de tous les tapages nocturnes qui peuvent résonner dans le couloir de ma chambre d'hôtel. Cette machine est aussi précieuse pour moi, que mon passeport. Sans elle, j'ai toujours peur de ne pas pouvoir dormir, même quand il n'y a pas de bruit autour de moi.

Alors, avec ma machine branchée sur le courant britannique, je croyais que je n'aurais pas de problèmes pour dormir. Ce ne fut pas le cas.

Je commençais à tourner un nouveau film, mais cette fois, je jouais mon propre rôle et ce n'était pas la même chose. J'étais vraiment préoccupée à l'idée de revivre cette histoire d'amour. Ce n'était pas le fait de revenir dix ans en arrière qui m'inquiétait, mais de comprendre ce qui s'était passé entre Gerry et moi.

C'est une chose de se remémorer une histoire d'amour, mais la rejouer, c'est une autre aventure. C'est pourquoi, la première nuit, je n'ai pas pu fermer l'œil, tellement j'étais anxieuse et excitée.

Charles et moi avions décidé de répéter les scènes dans les endroits proches du lieu de tournage. On s'asseyait à une table de restaurant en récitant notre texte, et les serveurs, voyant qu'il n'y avait pas de caméras, venaient nous servir tout naturellement. Nous marchions enlacés sous les arbres, recommençant la même scène à l'infini. Il essayait d'entrer dans son rôle. Moi j'essayais de retrouver la vérité que j'avais vécue. C'était un peu comme si nous devions jouer tous les moments de notre vie, et Charles se demandait pourquoi c'était si difficile de l'admettre. Mais il ne me demanda jamais qui était le vrai Gerry.

On se préparait tous les deux, commes des boxeurs avant le combat; parce qu'une fois que les caméras tournent, on ne peut plus faire machine arrière, il faut foncer, au risque d'en prendre plein la figure.

Le maquillage, les vêtements, la coiffure peuvent vous aider à devenir quelqu'un d'autre. En ce qui me concerne, j'avais fait le tour de ma garde-robe et j'avais apporté certains vêtements que j'avais portés réellement dans les scènes que j'allais revivre. Je prenais conscience de mon visage, et de toutes les expressions qui, je le savais, avaient dû faire flipper Gerry. Ma façon de parler devait être exactement « la mienne », et non pas celle d'un autre personnage. D'habitude quand je commence à entrer dans un personnage, j'essaie de le voir bouger, et marcher. En tant que danseuse, j'ai besoin de voir cette autre femme, de l'extérieur : comment elle se déplace à travers une pièce pour accueillir un ami, assise à un bar en train d'apprendre une mauvaise nouvelle, ou se précipitant dans un aéroport pour retrouver un amant. Dès que je sais comment elle bouge et comment elle s'habille, je peux comprendre quel personnage elle est, véritablement. Mais cette fois, j'étais en plus, obligée d'« **ÊTRE** » au lieu de **JOUER** – et c'était une sensation nouvelle.

J'avais déjà eu d'innombrables séances de maquillage et de costumes. Et dès le départ, je parlais de Shirley en disant « **ELLE** ». « **ELLE** » ne porterait jamais un machin comme ça... Dans cette scène, elle est vraiment malheureuse, alors, pas de maquillage! Tout en me rappelant constamment que, **ELLE**, c'était moi. Mais petit à petit, cette attitude a disparu, et la professionnelle a repris le dessus. Si je sentais que ce que je faisais ou disais ne sonnait pas bien, je le changeais. La vérité n'avait plus d'importance, ce qui comptait c'était l'autre vérité, celle du film. Lorsque Butler, Colin et Stan ont vu ce changement s'opérer en moi, je pense qu'ils ont réalisé que je pouvais regarder ma vie avec la lucidité et le détachement professionnel qui font passer en priorité la qualité du jeu et la magie de l'identification. Je me suis surprise moi-même. C'est à ce moment-là que j'ai compris que j'avais déjà JOUÉ ma vie, dès le départ.

Chaque geste, chaque décision avaient été choisis; ma vie ne m'était pas « tombée dessus » comme une avalanche qui m'aurait entraînée moi et les gens autour de moi... C'est bien moi et moi seule qui avais créé le flot, le courant, les gens, les événements, les échecs, les succès. Chaque matin, j'avais créé ma réalité pour la journée. Je pouvais changer la fibre même de mon existence puisque je savais que je pouvais le faire. Je le voyais bien maintenant. Mais dix ans auparavant, j'étais trop confuse pour le voir.

Cette fois, en rejouant le conflit de ma liaison avec Gerry, je le voyais sous un autre angle. J'avais décidé d'en faire l'expérience à fond pour mieux me connaître. Gerry avait certainement choisi de m'aimer pour la même raison. Il est probable que la chimie qui s'opère entre deux personnes amoureuses accélère les leçons qui nous demanderaient sans cela plusieurs années d'apprentissage.

Peut-être qu'en tombant amoureuse d'un homme marié, on apprend autant sur la femme que sur le mari. En tout cas, les leçons qui m'étaient réservées étaient bien spécifiques. Elles ne pouvaient servir qu'à moi seule. Bien sûr, vu de l'extérieur, mon comportement avait dû paraître complètement irrationnel. Emportée par la passion, je prenais l'avion pour passer quelques jours avec lui aux antipodes, sans me préoccuper de mon travail ou de ma famille. C'était plus fort que moi. Je ne me posais même pas la question. J'y allais, et je m'étonnais que les autres ne me comprennent pas.

Puis, parmi les rares personnes qui connaissaient son identité, courait ce genre de jugement : « Mais qu'est-ce qu'elle lui trouve? » Comment expliquer l'inexplicable attraction entre deux êtres, à des gens d'âge mûr qui ont oublié l'inconscience et la brutalité du coup de foudre. Et maintenant cette histoire allait devenir un feuilleton télévisé. L'histoire et les acteurs ne faisaient plus qu'un.

Sur le plan technique, tout se passa parfaitement bien la première semaine. L'équipe de cameramen anglais de Brad May était remarquable. Brad n'avait pas l'habitude de travailler avec des Anglais : ils étaient très rapides et très forts. C'était la première fois que je travaillais en lumières douces. Le résultat était naturel, très flatteur et dans le style drame vécu. Au début, j'ai eu du mal à m'y faire. Moi, j'ai été habituée à travailler avec les grosses lumières traditionnelles des plateaux d'Hollywood. Je n'arrivais pas à sentir la scène avant de recevoir les lumières. C'était pour moi le signal du départ, et l'autorisation de laisser venir l'émotion. Sans la protection de ce dôme de lumière, j'étais intimidée, comme si ma vie privée était envahie. Je ne me sentais à l'aise que dans la chaleur et l'artifice des lumières. Elles étaient là pour transfigurer la moindre de mes expressions en me protégeant de la lumière naturelle du jour. Dès que les lumières étaient allumées, mon talent remontait à la surface. Quand les lumières s'éteignaient, je redevenais anonyme, je ne savais plus jouer, je ne voulais plus être le centre de l'attention, bref, je n'étais plus une comédienne.

Alors, il m'a fallu faire des efforts énormes pour m'adapter à ce nouveau style d'éclairage. Quand j'ai vu les rushes, j'étais ravie de découvrir mon nouveau visage, mais c'est la sensation intérieure qui me gênait.

En même temps que mes problèmes d'adaptation à la lumière, je n'arrivais pas à dormir, malgré ma précieuse machine, dont je montais le son au maxi – au point que les femmes de chambre de l'hôtel croyaient entendre un ouragan quand elles arrivaient à mon étage. Impossible de savoir pourquoi. Peut-être l'idée d'avoir devant moi cinq mois de tournage intégral?... Je faisais des exercices de danse dans ma tête. Je chantais des mantras. Quelqu'un m'envoya une cassette spéciale de San Francisco. C'était un message de Lazaris qui me disait gentiment : « Tu te sentiras reposée si tu y crois. Chaque heure de sommeil te donnera quatre heures de repos. » Ce message était sensé influencer le subconscient. Des clous!... Au lieu de cela, je dialoguais comme une forcenée avec moi-même au point d'avoir le cerveau saturé.

Avec la tension de la première semaine de tournage, je dormais deux heures par nuit. Alors, j'ai commencé à avoir peur de ne plus pouvoir dormir. J'essayais de rêver, de faire du yoga et de la méditation en plein milieu de la nuit, mais rien à faire!

J'ai fini par tomber malade de dépression. Comme je n'arrivais pas à dormir, je regardais les actualités à la télé, ce qui n'arrangeait pas mon moral. C'était une catastrophe après l'autre. J'ai vu le déluge de boue au Chili, et les malheureux enfants à moitié engloutis attendant les secours et agonisant pendant quatre jours. Vingt cinq mille morts. Et moi je hoquetais d'horreur devant ma télé.

Conférence de Genève entre Reagan et Gorbatchev. Un peu d'espoir dans toute cette folie. Je pleurais et je me disais que ce n'était pas possible. Après cette période d'horreur et de déprime, il faudrait bien que ça s'arrête, et je retrouverais l'équilibre, et le sommeil.

Alors je pris une décision. J'appelai Gerry. Le vrai Gerry. Ça faisait un moment que nous ne nous étions pas parlé. Je pensais qu'il avait dû savoir ce que je faisais, par les journaux.

– Salut, dit-il, avec son enthousiasme habituel. Oui, je savais que tu étais ici.

Je l'imaginais, avec ses cheveux ébouriffés et ses boutons de chemises attachés n'importe comment. Je le voyais en train de tourner impatiemment sur son fauteuil pendant que sa secrétaire rôdait autour de lui d'un air obséquieux.

– Comment ça va, Gerry? dis-je en prenant ma voix douce et féminine.

– Bien, dit-il. Je vais très bien, mais on a ces problèmes de restriction budgétaire... L'économie internationale est en train d'agoniser on dirait...

Il n'avait pas changé. C'était toujours les mêmes priorités. Je me demandais ce qui avait pu changer en lui depuis... et s'il avait lu *L'Amour-foudre*.

– Eh bien, le monde n'est peut-être pas encore au bord de l'apocalypse. C'est peut-être le début d'une transition.

– Oui, dit Gerry; alors, il vaudrait mieux que ça vienne vite.

Je m'assis sur mon lit. Il m'entendit peut-être le faire. Alors il hésita, et moi aussi. Je décidai alors de me jeter à l'eau et de lui dire ce que j'avais sur le cœur.

– Gerry, dis-je, ça fait un moment que j'ai envie de te parler, mais je ne savais pas comment faire.

Je le sentis fondre dans un sourire.

– Moi aussi, dit-il.

– Est-ce que ça t'a créé des ennuis? lui demandai-je.

Il éclata d'un rire de bonne humeur.

– Ah non! pas vraiment, dit-il, j'ai seulement été obligé d'apprendre à manger mes pommes autrement. La façon dont tu le décris dans ton livre est trop précise. Les gens de la droite ont cru pouvoir me coincer avec ça, mais ils sont trop stupides pour savoir utiliser ce genre d'indice.

– Alors, tu n'as pas souffert des retombées?

– Ah non, pas vraiment! dit-il, en faisant semblant de s'apitoyer sur lui-même.

J'avais envie de lui parler des deux maîtresses que les journaux lui avaient attribuées après moi, mais je fis preuve de classe, jusqu'au bout. Nous avons donc parlé politique. Il dit que le président Reagan adorait parler de ses rôles d'acteur dans les séries B, que Margaret Thatcher était allée à Moscou (où, paraît-il, la fanfare présidentielle est de premier ordre). Puis, il parla de niveau de vie et de problèmes annexes. Je voyais son regard enfiévré rien qu'au ton de sa voix. J'étais irrésistiblement attirée par lui, comme au premier jour. J'étais vraiment incorrigible! j'avais tellement envie de le voir. Mais je ne dis rien.

– Comment va ta famille? dis-je, directe.

– Oh, ils vont bien. Toujours pareil. J'aimerais te voir. Toujours aussi imprévisible dans ses enchaînements.

– Vraiment? j'insistais lourdement.

– Oui, j'ai envie, vraiment... Et toi?

– Moi aussi!

– Quelles sont tes heures libres?

– On commence à 6 heures du matin et on s'arrête parfois à 11 heures du soir.

– Eh bien, on pourrait peut-être dîner ensemble? dit-il.

– Et comment peut-on faire pour éviter d'avoir notre photo à la une des journaux?

Il réfléchit un moment et déclara :

– Je t'appellerai plus tard dans la semaine.

– O.K.? mais je pars à la fin de la semaine.

Silence.

– Où vas-tu, après?

– En Suède. Comme dans le livre.

Un autre moment de silence, puis il dit :

– La Suède... Oui, je me souviens bien... Oh mon...

Je fondais, au bout du fil. Il continua :

– Est-ce que M. Dance me ressemble?

Ma gorge s'étrangla.

– Non, Gerry. Personne ne peut te ressembler – même pas toi.

Il rit encore.

– Oui, dit-il, je vois que tu es toujours aussi... persévérante.

– Oui, je le suis, tu le sais bien.

– Écoute, dit-il, je te rappelle et on trouvera le moyen de se voir.

Nous avons raccroché avant d'avoir pensé à nous trouver des noms de code. Il était imbattable pour les problèmes internationaux, mais pour les petits détails quotidiens, il était vraiment au-dessous de tout.

Cette nuit-là, j'ai pu enfin dormir.

Et la nuit suivante aussi. Mon problème de subconscient s'appelait sûrement Gerry.

Le tournage avançait bien. Je commençais à m'amuser. Je commençais même à comprendre le jargon de réalisateur de Bob Butler. Entre deux prises, quand j'étais en plein centre ville, j'allais dans les magasins de King's Road. Je rendais visite à de vieux amis quand j'avais un peu de temps et j'attendais le coup de fil de Gerry. Colin et moi avons dîné avec John Cleese (de *Monty Python*). Il déclarait qu'il avait horreur de la sentimentalité dans les films parce que ça fait croire au public que le romantisme est la réalité. « Imagine! dit-il, moi, j'aimerais filmer une histoire d'amour quinze ans après le coup de foudre, et les baisers passionnés entre deux avions... Dans mon histoire on verrait qui sort la poubelle, et qui épluche les légumes. » Puis il ajouta qu'il avait pleuré quand son chat était mort, et qu'il s'était rendu compte qu'il était trop romantique. « J'ai cessé de pleurer depuis », nous a-t-il déclaré.

Je devais être une romantique incurable. J'étais persuadée qu'on peut s'aimer encore de façon romantique, même quand on a sorti la poubelle.

Samedi matin arriva. Nous venions de finir de répéter

quelques scènes pour la Suède. Charles quitta ma chambre pour aller à un rendez-vous; aussitôt le téléphone sonna.

– Nous avons un M. Vancouver au téléphone. Est-ce que vous prenez la communication?

Gerry et moi avions passé une de nos plus belles semaines clandestines à Vancouver.

– Bien sûr, dis-je.

– Ah! C'est toi, enfin! dit-il.

– Qu'est-ce que tu veux dire par, enfin?

– Je t'ai appelée toute la semaine.

– Mais tu n'as pas laissé de message.

– C'est vrai! dit-il. Et puis, j'ai eu la brillante idée de me faire appeler Vancouver.

– Oh! Gerry. Moi, je t'ai attendu et tu m'as tellement manqué. Où es-tu. Tu as l'air de m'appeler de si loin.

– Je suis à la campagne, dans l'appartement d'un ami. Je voulais te rencontrer là.

J'étais interloquée :

– Comment voulais-tu que je le sache?

– Oui, je sais bien. C'est un peu un problème... Alors heu... est-ce que tu peux venir?

– Maintenant?

– Oui, dit-il. C'est très beau ici. Je pourrais demander à mon chauffeur de venir te chercher.

– Gerry, dis-je, je travaille, et nous partons demain pour la Suède. Je ne peux pas.

– Oui, dit Gerry. Je comprends. Je peux être dans mon bureau dans deux heures. Je t'enverrai mon chauffeur. J'ai une réunion de budget dans l'après-midi, mais je veux absolument te voir...

Deux heures plus tard un grand jeune homme discret vint me prendre. Il se contenta de me parler du temps et des nouvelles du jour. J'évitai la presse en empruntant une porte derrière l'hôtel. Il me laissa devant le bureau de Gerry. Le samedi, il n'y a personne. Je n'étais jamais venue le voir dans son bureau. C'est ici qu'il recevait mes coups de fil, dormant souvent là, et attendant, tout seul, en réfléchissant à notre histoire. Je me dirigeai vers la porte. Elle était ouverte. J'entrai. Son magnétisme emplissait la pièce, et il me sourit avec tant de bonheur que le brouillard de Londres s'envola d'un seul coup. J'allai à sa rencontre. Il me serra la main et il me prit dans ses bras. Je le sentais solide, fort, contre moi. Les sensations bien connues revenaient d'un seul coup. Nous avions besoin de nous regarder. Gerry m'examina attentivement, m'attira à lui et me dit : « Mon Dieu, tu es vraiment devenue une célébrité ces derniers temps. Tu es magnifique. »

Moi aussi je le regardais, sans perdre un détail de ses expressions et de ses gestes. Sa cravate était de travers, ses chaussettes tire-bouchonnaient sur ses chaussures mal lacées, et il portait un pantalon à rayures avec une veste à carreaux de couleurs différentes. Il n'avait vraiment pas changé, et le même sentiment déferla sur moi, avec la même intensité.

– Merci Gerry. Tu n'as pas trop changé malgré ton travail et tes soucis. Tu as l'air en pleine forme.

Il s'arrêta, le regard braqué sur ma bouche. Je me souviens qu'il m'avait regardée comme ça le premier soir, et ça m'avait bouleversée. Ça et le regard pétillant d'intelligence. J'avais envie de l'embrasser, mais je me suis retenue. J'examinai son bureau.

– Alors, c'est là que tu travailles, hein? C'est fou ce que les banalités aident à faire passer les moments difficiles et périlleux.

Gerry se mit à marcher devant les rayons de sa bibliothèque. Il se déplaçait sans se préoccuper de l'air qu'il pouvait avoir, alors que moi, je me demandais si mon mascara avait coulé sur mes joues ou si mes chaussures plates allaient bien avec ma jupe longue.

Gerry se pencha sur une des étagères.

– Je garde toutes tes lettres cachées dans mes livres, ici, dit-il. Je n'ai pas pu les détruire.

Il prit un livre.

– Non, Gerry, arrête! Ça va! J'ai pas envie de relire mes lettres. J'ai mon compte de moments de « déjà vu » avec le tournage de ce film.

Gerry se redressa et me sourit. Il avait l'air très fier et très content de lui. Finalement, il était très satisfait du rôle qu'il avait joué dans ma vie. Et le fait d'être immortalisé dans un livre, puis dans un film, était comme un testament de notre amour. En l'observant j'eus une double vision de lui. Je m'étais habituée à ce que Charles soit Gerry depuis plusieurs semaines. J'avais utilisé mon imagination pour croire à ce Gerry-là, repoussant l'autre ailleurs. Mais, devant lui, je me demandais

qui j'étais, ou dans quelle réalité je me trouvais. Cette expérience me permettait de jouer avec la réalité et d'en faire ce que je voulais. Gerry n'avait joué qu'un rôle dans ma vie. Et moi aussi j'avais joué un rôle dans ma vie, en même temps que lui, et je continuais. Je me tenais devant lui, tout à fait consciente de ce que je faisais, disais et de quoi j'avais l'air. Je savais que je n'aurais qu'à appuyer sur tel ou tel bouton, dire tel ou tel mot, pour déclencher des réactions familières. C'était comme dans mon métier, et chacun de nous faisait la même chose tout le temps, sauf pendant le sommeil. Comment savoir si notre Surmoi ne nous dictait pas notre conduite et notre humeur du lendemain?

Alors, en regardant Gerry, en l'écoutant évoquer nos souvenirs d'amour, je me demandais si, moi, j'étais réelle. Est-ce que dans tout ce que me disait Gerry, j'entendais les mots que je voulais entendre?

Cela faisait peut-être partie du puzzle de mon passé, de mon présent et de mon futur. Oh non! Pas Gerry.

Je chassai toutes ces idées et m'assis à côté de lui sur le canapé. Le soleil perçait les nuages de brume et caressait nos genoux, faisant miroiter des milliers de grains de poussière dans le faisceau de lumière qui traversait la pièce.

– Comment as-tu trouvé *L'Amour-foudre*, Gerry? lui demandai-je, essayant de revenir sur terre.

Il avait l'air embarrassé; il cherchait ses mots en regardant par la fenêtre.

– Je n'ai pas pu le lire d'un seul coup. J'ai lu des petits bouts par-ci par-là; avant de dormir. Il y a des choses qui me dépassent complètement dedans. Il s'arrêta un moment. Tu crois encore à ces trucs spirituels – les âmes et les histoires d'énergie, tout ça?

Maintenant, on était vraiment dans le concret.

– Oui, Gerry, plus que jamais. Je pense que le monde est ce qu'il est à cause de notre ignorance spirituelle.

Gerry haussa les épaules d'un air défensif.

– Mais, dit-il, ce sont les guerres de religions qui provoquent le désordre et la misère.

– Je sais. C'est bien le problème. La religion n'a pas forcément à voir avec la spiritualité. Chaque religion pense qu'elle a Dieu de son côté et que toutes les autres se trompent. Alors qu'en fait nous sommes tous reliés à Dieu. Nous faisons tous partie de Dieu.

Gerry soupira.

– Je ne crois pas en Dieu. Je crois en mon travail. Ses mots claquèrent dans l'air comme la réplique que Charles avait répétée le matin même.

Gerry continua.

– Je ne crois pas que l'ignorance spirituelle soit le problème, dans le monde, même avec toutes ces guerres religieuses.

– Alors, d'où vient le problème?

– De la prolifération des armes nucléaires, dit-il. On va tous se faire sauter, et la planète avec, si on continue comme ça.

Je regardai par la fenêtre. Des oiseaux se balançaient joyeusement sur une branche, au soleil. Un enfant riait aux éclats dans une rue voisine.

– Eh bien, dis-je, je ne crois pas qu'on va faire ça. D'ailleurs plus nous en avons peur, plus nous contribuons à en créer la possibilité. Mais ça ne fera pas partie de *MA* réalité.

Gerry me regardait d'un air suppliant. C'était un moment de grande confusion pour lui. (Lui qui était toujours tellement sûr de lui, sûr d'avoir toujours raison. Il essayait sincèrement de comprendre ce que je disais, insultant pour ce qu'il croyait être son raisonnement rationnel.) Charles jouait son rôle de la même manière. Pourtant, Charles Dance était plus ouvert en ce qui concerne la métaphysique, mais il y avait certains aspects de l'inconnu qu'il n'osait pas contempler.

Puis Gerry et moi avons parlé du monde, de Gorbatchev et de Reagan, de Mme Thatcher, et de la vie. Pourquoi avais-je choisi de retrouver cette réalité? C'était reparti avec la même intensité, la même chimie, la même sensualité intelligente!... Mais il avait une réunion de budget, et moi j'avais une répétition.

Nous étions debout, face à face. J'avais envie de savoir ce qu'il voulait faire plus tard.

– Qu'est-ce que tu ferais si tu ne faisais plus de politique?

Son regard caressait mon visage, intensément. Je sentais qu'il voulait que je fasse partie de son futur.

– Oh, je ne sais pas, dit-il discrètement. Je trouverai toujours quelque chose de passionnant à faire. J'aime la vie, le monde et les gens qui y vivent... Est-ce que je peux avoir tes nouveaux numéros de téléphone? me demanda-t-il timidement.

– Ils n'ont pas changé non plus. J'ai toujours les mêmes.

Il comprit. Vite, il inscrivit ses nouveaux numéros et me les tendit. Je pliai le papier et le glissai dans ma poche. Même geste, même émotion que lors de notre première rencontre.

– Pense à moi, quand tu seras en Suède, dit-il, comme si c'était nécessaire.

– Je n'aurai que ça à faire, Gerry. Chaque pas dans le silence de la neige, je sentirai ta présence, lui dis-je.

– Oui, dit-il, je me souviens.

Nous nous sommes quittés, et pourtant, nous étions encore, et toujours, dans la vie l'un de l'autre, dans les bras l'un de l'autre, dans la pensée l'un de l'autre. Mais c'est seulement plus tard que j'en aurai pleinement conscience.

J'étais en retard pour la répétition avec Charles Dance. « Où tu étais? » me demanda-t-il, comme Gerry l'aurait fait.

– Oh! dis-je. J'étais avec quelqu'un qui m'a fait comprendre qu'on mesure nos progrès dans la vie en prenant conscience que c'est exactement comme au cinéma : il faut bien jouer son rôle.

Charles me regarda d'un air interrogateur. Puis il se replongea dans son script pour me donner l'illusion d'un autre Gerry.

Le lendemain, notre troupe avait envahi Stockholm, les cameramen anglais travaillaient maintenant avec des machinos et des éclairagistes suédois. Les acteurs suédois interprétaient les rôles des personnes qui m'avaient initiée au spiritisme. Nous devions filmer une séance avec le vrai médium, jouant son propre personnage, et Ambres, l'« entité » spirituelle, et le professeur, dans son rôle, lui aussi. Cela devait se passer comme avec Kevin Ryerson et ses « entités », sauf que ce serait tourné en suédois.

On me déposa à l'hôtel Sheraton de Stockholm, qui se trouvait près d'une gare. Je me demandais si notre régisseur avait modifié le voltage de mon diffuseur de sons. Je « décidai » qu'il avait dû le faire, sachant pourtant que le courant en Suède ne correspond à aucun autre dans le monde.

Cette nuit-là, j'ai répété très tard avec nos acteurs suédois, et je me suis couchée aussitôt, sachant que je devais me lever à

6 heures du matin. Je fermai les fenêtres de ma chambre à cause du vacarme des trains. Je déteste les fenêtres fermées, parce que j'aime avoir de l'air frais quand je dors. Je me glissai sous les couvertures et mis en route ma chère machine. C'était parfait. Je n'entendais plus les trains.

Mais très peu de temps après, je sentis comme une odeur de plastique brûlé près de ma table de chevet. La machine était en train de cramer tranquillement, dans un nuage de fumée âcre. Et c'était la seule que j'avais.

Je m'assis dans mon lit, raide comme un zombie. La rage montait en moi et je sentais que je ne pourrais rien faire pour l'arrêter. Il était 2 heures du matin. Je me levai, enfilai mon peignoir et me dirigeai vers la chambre de Stan et du régisseur. Et j'ai fait un scandale!... ils ont eu droit à la grande scène de terrorisme dont je suis tout à fait capable quand je ne peux pas dormir. Ils étaient verts de peur, mais en vingt minutes, ils avaient réparé ma machine.

En écoutant mon bruit de « vague Numéro 2 », qui couvre bien le bruit des trains, je me demandais comment j'avais pu provoquer la panne de ma machine. C'était sûrement un test pour éprouver mon tempérament violent. Je n'avais pas réussi l'examen.

Le lendemain, tout le monde était au courant au sujet de ma machine. Plusieurs membres de l'équipe voulaient savoir pourquoi cette dernière était si importante pour moi. J'ai essayé de leur expliquer, et à ma grande surprise, ils n'étaient pas seulement intéressés par le fonctionnement de la machine, mais aussi par les livres que j'avais écrits. Beaucoup, parmi eux, avaient eu une grand-mère, ou quelqu'un dans leur famille, qui s'intéressait depuis toujours à la spiritualité. Chacun s'intéressait à un aspect en particulier. Certains étaient intrigués par la réincarnation, d'autres par l'énergie éternelle (les plus éduqués sur le plan technologique s'intéressaient surtout à cet aspect). Les uns aimaient l'idée philosophique que nous sommes tous reliés à la force divine. Les autres s'intéressaient à la loi de Cause-Effet. Je m'attendais à ce qu'une équipe californienne s'intéresse au contenu de mon script, mais en voyant les Anglais et les Suédois réagir avec la même curiosité passionnée, je réalisais, une fois de plus, que cette quête spirituelle est véritablement universelle. Qui sommes-nous? Pourquoi sommes-nous sur terre? D'où venons-nous? Où allons-nous quand nous mourons?

Pendant le tournage de ce feuilleton télévisé, on ne pouvait rien faire d'autre. C'était une façon de vivre, surtout en extérieurs et à l'étranger. Nous sommes tous rapidement devenus une sorte de famille essayant de survivre à cette course contre la montre interminable. Parfois, nous finissions tellement tard la nuit, qu'il n'y avait rien à manger nulle part. Je pris donc l'habitude de bourrer mon sac de voyage de fruits et de fromage, récupérés dans la salle du petit déjeuner, à côté de l'ascenseur de l'hôtel. On plaisantait souvent sur la difficulté universelle pour nous autres artistes d'avoir notre pain quotidien. Il fallait se bagarrer avec les pigeons pour en sauver quelques miettes, car le pain – même rassis – était la denrée la plus difficile à trouver.

Notre chef de production anglais, un homme très charmant, Alex de Grunwald, avec qui j'avais déjà travaillé, était surnommé « Le nouveau président de Weight Watchers ». Ils disaient tous qu'il transportait cinq semaines de nourriture pour l'équipe dans sa mallette. Pour ne pas être en reste, Alex leur répliqua que Bob Geldof était au téléphone et qu'il demandait à l'équipe de faire don de leurs restes aux enfants d'Éthiopie. Il leur dit aussi que deux machinos avaient été transportés à l'hôpital à moitié morts, parce qu'ils s'étaient battus comme des lions pour une cacahuète. Il ajouta que si Jésus revenait pour changer les pierres en pains et en poissons, il ne le laisserait pas faire. C'était son boulot à lui...

Un soir, Alex est venu nous supplier de continuer à travailler quelques heures de plus, en échange d'une soupe chaude. Il avait apporté des cuillères percées, et sa pendule avait un gros scotch collé dessus pour cacher le cadran. Plusieurs fois, il m'a demandé de ne pas prendre mes douze heures de repos obligatoires, prévues par notre convention syndicale. Quelqu'un en profita pour me dire qu'après ça on me proposerait un autre tournage de quatre semaines à Moscou et cinq semaines en Finlande – non nourrie. Il se trouve qu'Alex avait été le chef régisseur du film *Gandhi.* Il avait peut-être envie qu'on finisse tous comme lui. Ce genre d'histoires nous faisait tenir le coup, tard dans la nuit, tandis que nous mangions des pizzas froides, avec de la bière chaude, récupérées dans un restaurant tenu par un couple italo-germanique. C'était un concours d'anecdotes sur les vétérans du show-business comme Richard Burton, Robert Mitchum et moi-même. Certains membres de l'équipe racontèrent des histoires sur moi que j'avais complètement oubliées. D'autres ont même raconté des histoires qui ne m'étaient jamais arrivées. C'était tellement drôle! L'un dans l'autre nous faisions une équipe épatante.

Nous devions avoir nos figurants anglais la première semaine, en Suède, mais ils arrivèrent quand tout était déjà presque fini. Ils avaient été mis sur un avion pour la Tunisie. A la place on nous avait envoyé un groupe d'Arabes qui s'attendaient à visiter la tour de Londres.

Pour nous, c'était pareil, on travaillait au radar, et comme les avions égarés, on ne savait pas où on allait atterrir. Les derniers jours en Suède furent consacrés à la scène de spiritisme, avec notre médium suédois. C'était un événement très attendu. Certains étaient mal à l'aise mais tous savaient qu'ils devaient faire leur travail en professionnels, quelles que soient leurs croyances personnelles.

Sturé Johansson, le médium, m'avait initiée à la communication avec les esprits, quand j'étais venue en Suède avec Gerry. Sturé était en contact avec un ancien maître spirituel qui s'appelait Ambres.

Tout était prêt. Les acteurs avaient répété, les figurants étaient présents, les lumières tamisées, et nous attendions tous que « Ambres » se serve du corps de Johansson comme « instrument ». Trois caméras étaient branchées en même temps, et nous avions un stock inhabituel de matériel d'enregistrement pour le son. Sturé dit qu'Ambres connaissait ses répliques et les personnes à qui il devait s'adresser. Les acteurs apprenaient leurs questions pour qu'il leur réponde comme il avait répondu dix ans auparavant.

Butler demanda le silence et cria : « Ça tourne! ». Toutes les caméras se braquèrent sur Sturé tandis qu'il commençait à entrer en transe. Il avait l'air d'oublier complètement qu'il était filmé et enregistré.

Nous étions assis, fascinés. Tout à coup, la main droite de Sturé commença à trembler. C'était l'énergie d'Ambres qui pénétrait dans son corps. Je regardai l'ingénieur du son. Il fixait les écrans et les témoins de sa console. Il tournait les boutons frénétiquement. Puis il se brancha sur un appareil auxiliaire. Il portait les mains à ses écouteurs comme s'il entendait plus de choses que ce qui se passait vraiment sur le plateau; je regardai les caméras. Les opérateurs me firent signe que tout était O.K. Pourvu que ça dure!

Ambres était là et par la bouche de Sturé, qui avait soudain les épaules plus voûtées, il prononça une bénédiction à l'intention de tous ceux qui se trouvaient dans la salle, y compris toute l'équipe de techniciens. La main de Sturé cessa de vibrer.

Le premier acteur posa une question sur la nature de la créativité par rapport à la création. Ambres expliqua que nous créons notre propre univers constamment. Il dit que la création est une expression naturelle, et que, en étant vivant, on était créatif. Il disserta un moment sur ce sujet, collant exactement au script, jusqu'à ce que quelqu'un demande la signification de la grande pyramide de Gizeh. Là il divergea un peu du script, en expliquant que la pyramide est une bible de pierre, qui est située à l'épicentre de la masse de la terre, et que nous en connaîtrons le message avant la fin de ce siècle.

Comme il parlait de la pyramide, presque en synchro, toutes les cloches des églises environnantes se mirent à sonner, et continuèrent jusqu'à ce qu'il ait épuisé le sujet. L'ingénieur du son avait l'air complètement perturbé par ce qu'il entendait dans ses écouteurs.

Les questions continuaient, dans le même ordre que lors de notre première séance. Ambres jouait son rôle, tout comme moi. Il était précis, économique, profond et très clair.

Presque en même temps les caméras tombèrent en panne de bobine. Le preneur de son avait besoin de recharger aussi. Butler cria : « Coupez! » et il se tourna vers moi pour demander à Ambres de « retenir ses pensées » pendant qu'on remettait de la pellicule et des bandes dans le matériel. « Ambres » avait envie de me parler. Il vint directement vers moi et commença à parler en suédois, bien sûr, que l'assistant de Sturé me traduisait au fur et à mesure. Je me demandais ce qu'il y avait de si urgent.

Vous avez acquis beaucoup de connaissances, dit Ambres, mais votre sagesse intérieure doit équilibrer tout cela. Maintenant que vous avez vu, si vite, et autant, de l'hologramme de la vie, vous devez être doublement prudente.

– Que voulez-vous dire par si vite, Ambres? Et pourquoi êtes-vous inquiet?

Il fit une pause pour permettre à Sturé de se régénérer.

Dans les anciennes écoles ésotériques, nous utilisions aussi les aiguilles quand l'étudiant voulait voir le passé et le futur plus vite. Mais il y a un prix à payer quand on veut aller trop vite.

Les aiguilles? demandai-je.

Ambres acquiesça.

– Oui, les aiguilles, dit-il. Vous avez parlé des aiguilles dans votre dernier livre en anglais.

Alors je compris. Il faisait allusion à *Danser dans la lumière* qui venait d'être publié en Amérique. Il n'avait pas encore été traduit en suédois. Les derniers chapitres de ce livre racontaient une expérience d'acupuncture qui s'était déroulée pendant dix jours à Galisteo, au Nouveau-Mexique, avec une femme extraordinaire, Chris Griscom, qui pratiquait l'acupuncture spirituelle. Cette méthode permet d'ouvrir des portes de communication avec la mémoire de nos vies antérieures successives. Grâce à ces aiguilles, placées à des endroits stratégiques, j'avais « vu » beaucoup de mes vies antérieures en relation avec d'autres gens – ce qui m'a aidé à clarifier certains des conflits que j'avais avec ces personnes, dans ma vie présente. C'est de cela que parlait « Ambres ».

– Le monde terrestre est une école, un laboratoire, continua Ambres. La vie est faite pour apprendre. C'est là qu'on reçoit les leçons. Mais il faut suivre un rythme équilibré.

– Oui, dis-je, je comprends.

– Ah, mon enfant. Il me stupéfia : « Mais vous avez des problèmes d'insomnie, n'est-ce pas? »

Je me demandais comment il pouvait le savoir.

– Oui, c'est vrai.

– Eh bien, mon enfant, vous avez voulu apprendre trop vite. Voyez-vous, en précipitant la connaissance de vous-même, vous modifiez le flot d'énergie de votre système de façon dangereuse. L'énergie qui sert à « voir » le passé et le futur, quand elle n'est pas réintégrée de façon positive dans la conscience, peut provoquer des troubles, surtout au niveau du sommeil.

– Vraiment? demandai-je. Tout le monde essayait de comprendre ce qui se passait.

– Oui, continua-t-il. Vous voyez, l'esprit ne dort jamais. Le corps seul a besoin de repos. Mais la fréquence du corps, lorsque les heures de la nuit sont utilisées pour apprendre, est très différente de celle du jour parce que cela implique des capacités psychiques superconscientes. Si ces capacités sont trop stimulées, une fréquence stable indispensable au sommeil n'est pas possible.

– Bon, alors, quel est le rapport avec les aiguilles d'acupuncture? demandai-je.

– Votre désir de sentir l'union cosmique est extrêmement intense. Vous avez voulu comprendre quels avaient été vos rapports avec vos parents au cours de vos vies antérieures, en particulier avec votre mère, et vous avez procédé, avec une intensité et une rapidité, qui ne sont pas vraiment dangereuses, mais qui vous perturbent. C'est pour cela que vous ne dormez pas. Vous comprenez?

Les conflits avec mes parents, dans mes vies antérieures, surgirent à mon esprit, comme ils l'avaient fait sous l'action des aiguilles. Oui, je comprenais ce que voulait dire Ambres.

Il y avait eu de la violence dans ces relations. De la violence perpétrée par ma mère – qui n'était pas ma mère actuelle d'ailleurs –, et j'avais beaucoup de mal à l'accepter.

– Il faut que vous puissiez comprendre les réactions que vous avez vues, dit Ambres, et les résoudre avec vos sentiments présents. Dans cet état d'esprit, vous retrouverez la fréquence adéquate au sommeil. Quand on veut aller trop vite, on paie le prix. Faites attention! Il faut développer la sagesse intérieure pour équilibrer le poids des connaissances. La sagesse et la connaissance sont deux niveaux de compréhension différents.

Les techniciens étaient prêts à filmer.

– Merci, Ambres, dis-je. Je penserai à ce que vous m'avez dit. Ça m'a fait du bien de vous parler. Vous m'avez beaucoup manqué. Vous avez été mon premier professeur.

Ambre sourit.

– C'est VOUS qui avez été votre premier professeur, répliqua-t-il.

Il revint au centre du plateau en face des figurants. Maintenant, tout le monde était au courant de mes problèmes d'insomnie et de mes conflits antérieurs avec mes parents. Mais comme je l'ai appris depuis que je fréquente des cercles spirituels, personne n'abuse du privilège des confidences en public, au détriment des autres.

Le silence se fit de nouveau. Butler cria : « Ça tourne », et Ambres reprit son discours spirituel, conformément au script, jusqu'à la fin de la scène. Sturé se rassit dans son fauteuil, et « Ambres » donna sa bénédiction, avant de quitter le corps de Sturé. Son bras droit recommença à vibrer. Sturé reprit conscience et se dirigea vers moi en disant sa réplique.

– J'espère que vous avez appris quelque chose, ce soir, dit-il. Il faut que je me repose maintenant. Il va y avoir un autre groupe, plus tard.

Je le remerciai, sur une réplique d'étonnement et Butler cria : « Coupez ! ».

Je me dirigeai vers David, l'ingénieur du son.

– Qu'est-ce qui s'est passé avec tes instruments pendant la séance? je lui demandai.

David avait l'air en état de choc.

– Eh bien, je n'y comprends rien. Tout était détraqué. Mes fréquences partaient dans tous les sens, les batteries sont tombées en panne intermittente. Et le plus incroyable, c'est que j'ai capté Radio Moscou dans mes écouteurs! C'était franchement bizarre.

Je haussai les épaules. Je me souvenais de ce que m'avait dit McPherson. Il y aurait des phénomènes inhabituels pendant le tournage de la scène avec Ambres... avait-il prédit.

– Je n'en sais rien, David, je découvre cette histoire de fréquences électromagnétiques en même temps que toi. Je n'ai jamais été très forte sur le plan technique, de toute manière.

David se pencha vers moi pour me parler discrètement :

– Tu sais, dit-il, je sais que tu as déjà engagé une équipe, américaine, pour le reste du tournage, mais je veux que tu saches que je ferais n'importe quoi pour partir au Pérou avec toi. J'ai envie d'en savoir davantage sur tout ça, mais je devrais être un peu plus généreux et laisser la place à mon collègue en lui souhaitant d'avoir lui aussi ce genre d'expérience. Il y a de la place pour tout le monde n'est-ce pas?

La séance de spiritisme s'arrêta là. Chacun récupéra ses accessoires et ses affaires. Les décorateurs commencèrent à démonter le décor. Nous étions fatigués et nous avions faim. Je restai là, debout, à regarder la pièce une dernière fois. Dehors, il y avait une espèce de bruit de caisses qui dégringolent.

– Qu'est-ce que c'est? Je demandai à un technicien.

– C'est Alex de Grunwald, répondit-il, il fourgonne dans les poubelles du quartier pour préparer le prochain repas.

Tout le monde se mit à rire. Alex apparut à la porte, avec son sourire malicieux.

– Merci, dit-il, et il annonça : j'écris un nouveau livre qui va s'appeler : *La Suède pour cinq centimes par jour,* ou *Comment travailler sans manger?* Je suis prêt à le dédicacer à tous ceux qui veulent un petit souvenir de notre épopée ensemble.

Tout le monde l'acclama en riant.

Ils sont comme ça, les Anglais. Ils peuvent faire de l'humour à n'importe quel moment, tout de suite après avoir reçu la visite d'un esprit de l'autre monde. Plus tard dans la soirée, nous avons appris qu'au moment exact du tournage, tous les programmes de radio ont été interrompus dans le nord de la Suède, dans les maisons et les voitures, par une sorte de séance spirituelle présentée par un professeur à qui on s'adressait en l'appelant « Ambres ».

Personne ne comprit ce qui s'était passé.

CHAPITRE 10

La dernière nuit, en Suède, je marchais dans la neige poudreuse, en pensant que la vie pouvait être un sacré mélodrame. Je marchais dans le parc où Gerry et moi avions donné du pain aux animaux. J'étais adossée à l'arbre où Gerry avait pleuré en me disant qu'il ne pouvait pas se passer de moi, mais qu'en même temps, il y avait tout le reste de sa vie, et il ne pouvait pas concilier les deux; pendant ce temps-là, sa femme l'attendait dans une chambre d'hôtel. Nous jouions nos rôles comme si nos vies en dépendaient. Et c'était le cas.

Je pensais à mes parents. Ils avaient vécu chacun un drame de quatre-vingt-deux ans, dont cinquante-cinq ans ensemble. En y réfléchissant, ça me paraissait beaucoup trop. Comment deux personnes pouvaient-elles rester ensemble, inséparables, pendant cinquante-cinq ans? Quelle sorte de promesse fallait-il se faire à soi-même? Ils avaient exécuté une sorte de ballet des contraires, des extrêmes, que je ne pouvais pas imaginer pour moi-même. Ils étaient impliqués irrémédiablement dans la comédie dramatique qui les opposait comme deux héros, les autres personnages n'étant que des seconds rôles ou des figurants.

On était à la mi-novembre et ma mère m'avait appelée pour me dire que papa était malade et qu'il déclinait vite. Elle ne voulait pas me déranger dans mon travail, mais finalement, elle se mit à pleurer en me demandant si je pourrais aller le voir bientôt. Elle voulait que ma fille Sachi soit là aussi.

Nous avons terminé le tournage à Stockholm et j'avais presque une semaine de congé devant moi. C'était comme si le timing avait été choisi; j'avais toujours peur maintenant quand le téléphone sonnait très tard la nuit.

J'appelai Sachi. Elle avait ses problèmes, elle aussi. Elle venait d'apprendre la mort de sa prof d'art dramatique. Elle s'était endormie au volant, avait été se jeter sur une voiture venant en face, et la voiture avait explosé. Elle avait brûlé et sa fin violente était sans doute, comme tous les événements de la vie, prévue quelque part, dans ses propres motivations. Sachi et moi avons longuement parlé des raisons qui peuvent pousser quelqu'un à se choisir une telle mort. Personne d'autre n'avait été tué – quelques blessures légères. Nous ne croyons ni l'une ni l'autre aux accidents, mais une perte brutale comme celle-là pose un problème. Nous avons évoqué tous les accidents dramatiques qui s'étaient produits ces derniers temps. Est-ce que c'était notre imagination? Non! pas vraiment! Et nous pouvions sentir déjà qu'un certain nombre de personnes choisiraient cette façon de partir dans les prochaines années. C'est comme si, avec l'arrivée de l'énergie de l'Ère Nouvelle et les énormes pressions qui pesaient sur le monde moderne, ils ne pourraient pas suivre l'accélération pour participer à la transition et qu'ils se serviraient des comptes à rendre avec leur karma pour quitter leur corps.

– Est-ce que le monde devient fou, maman? me demanda-t-elle, en évoquant la violence des incidents internationaux.

On avait la même impression que quelque chose d'énorme se préparait, différent de tout ce qui s'était produit jusqu'ici, différent des guerres, des famines et des calamités séculaires... C'était comme si une gigantesque opération de nettoyage était en route, une purification qui était en cours sur la planète. Le mouvement s'accélérait, et chaque événement avait une raison d'être. Nous allions peut-être devoir apprendre à augmenter nos connaissances, nos pensées si limitées, notre perception et notre conception du futur, en devenant plus généreux, plus pacifiques. Ceux qui voulaient continuer à croire dans les vieux préjugés de jugement, de peur, de rancœur, de haine, de rancune, de rage et de revanche, ne faisaient qu'amplifier l'énergie destructive projetée sur les autres. C'est pourquoi ceux qui ridiculisent les idées spirituelles, en les traitant de « désirs infantiles de voir se réaliser tout ce que la pensée souhaite et imagine », ont tout à fait raison. Nous aurons tout ce que nous avons souhaité. Et avec l'énergie de l'Ère Nouvelle, les projections négatives se réaliseraient plus vite qu'avant, de même que les projections positives.

En arrivant chez mes parents, je vis papa, tout habillé, calé sur des oreillers, pâle et fatigué. Il dormait sur son lit et je l'ai regardé un moment sans rien dire. Puis je me suis penchée et je l'ai embrassé. Il s'est réveillé, surpris. Il m'a souri. Il ne savait pas que je devais venir.

– Oh! mon lapin, dit-il, en parlant avec difficulté. Quand ils m'ont emmené à l'hôpital à cause de ma brutale anémie, j'ai fermé les yeux pendant une minute, et une formidable sensation de paix m'a recouvert comme un grand parapluie.

Je n'arrivais pas à parler.

– Ouais! dit-il doucement. Je savais que tout irait bien. Je me suis dit : il y a des amis de Shirley là-bas, donc je sais que je serai en bonnes mains. Alors, j'ai laissé ces fichus toubibs me piquer les bras et me faire des radios.

Je m'assis à côté de lui et soulevai son bras maigre et flétri. J'avais du mal à respirer. Il passa ses longs doigts sur sa poitrine. Je me souvenais de ses belles mains quand il jouait du violon et qu'il me montrait comment les notes changent, vibrent et font plaisir à jouer et à écouter.

– Tu te souviens de la robe bustier que tu avais achetée pour le bal de l'université, ou je ne sais plus quel concours de beauté, me demanda-t-il.

Je reniflai mes larmes et fis signe que oui.

Je m'en souvenais très bien. C'était une robe en organza jaune avec un gros volant blanc autour du décolleté.

– J'étais tellement fier de toi que j'ai failli tomber raide en te voyant dans cette robe, et ta mère a cru que je ne te laisserais pas sortir comme ça.

En le regardant, je compris qu'il était devenu mon enfant, et qu'il avait besoin de toute la tendresse, les soins, l'affection et la protection qu'il m'avait prodigués quand j'étais petite. Maintenant les rôles étaient inversés.

Sachi m'avait parlé de sa dernière visite. Il lui avait dit qu'un jour c'est moi qui aurais besoin d'elle. C'était le cycle normal de la vie. C'est ainsi que chaque membre d'une famille avait l'occasion d'être protecteur et protégé.

– Il y a tellement de parents qui ont des enfants ingrats et qui ne s'occupent plus d'eux, dit-il, mais moi, je suis le père le plus riche de la terre parce que j'ai des enfants qui m'aiment et qui s'occupent bien de moi!

Il se remit à dormir. J'étais assise, et je le regardais dormir. Comment savoir quand il déciderait de partir? Est-ce que j'aurais un signe pour m'avertir? Est-ce qu'il existait un moyen de s'y préparer? Est-ce qu'il choisirait le bon moment de partir, comme il avait choisi son moment pour venir au monde? Et encore plus important, ce que l'on appelle la MORT, n'est-elle pas vue, de l'autre côté, comme une naissance? Est-ce que le fait de vivre dans un corps humain n'est pas pour l'âme comme un emprisonnement, puisque le véritable habitat de l'âme est la dimension spirituelle?

Je restai longtemps à regarder mon père. Sachi l'avait déjà vu et elle était dans la salle à manger avec ma mère.

Alors papa ouvrit les yeux.

– J'ai dit à Sachi, dit-il, de ne pas se faire avoir par les hommes, comme toi... de ne pas se laisser embobiner avec leurs salades. On a eu une bonne conversation. Ta mère dit que Sachi doit faire attention à deux choses.

– Ah bon, lesquelles, papa?

– Elle marche comme une Japonaise, et elle a tendance à s'élargir au niveau des fesses.

Je me mis à rire. Même dans les pires moments, mon père ne pouvait s'empêcher de plaisanter.

– Mais, continua-t-il, elle doit faire attention avec les hommes. Elle va se faire avoir jusqu'au trognon avec eux parce que c'est une gentille petite poupée et elle s'en mordra les doigts, comme toi. Nom d'une pipe, dis-lui de ne pas ramasser tous les chiens écrasés comme toi tu l'as fait.

Je tenais sa main trop maigre dans la mienne, en la tapotant doucement.

– Oui, papa, je lui dirai, essaie donc de te reposer un peu maintenant.

Il retira ses prothèses auditives.

– Tu sais combien ça coûte ces bidules à la noix? C'est effrayant! C'est ça le plus terrible quand on vieillit, tu sais.

– Quoi donc, papa?

– C'est de devenir une charge pour les autres.

Puis il me regarda longuement sans rien dire.

– Je peux te poser une question? je lui demandai finalement.

– Oui, répondit-il.

– Est-ce que tu as décidé de partir avant maman?

Il me fixa droit dans les yeux sans battre des paupières.

– Non, dit-il. Je n'ai pas encore pris ma décision. Mais je vois bien que ta mère devient plus forte, et moi, je m'affaiblis. Elle a envie de faire encore tellement de choses.

– Et toi, tu as encore des choses à faire, papa?

Il regarda autour de la chambre avec l'air de chercher quelque chose.

– Eh bien, dit-il, j'aimerais vivre encore pour voir ton film à la télé et le dernier film de Warren. Alors, je vais essayer de tenir le coup jusque-là.

Il reprit son souffle :

– Je me souviens, continua-t-il, je ne supportais pas la vue du sang, et maintenant, avec toutes mes transfusions, je m'aperçois que c'est formidable. Je vais essayer de devenir plus fort. Et puis, je vous ai vues toutes les deux, Sachi et toi, et je suis sûr que Warren viendra à Noël, après son tournage.

– Alors, dis-je, tu me promets que tu vas rester avec nous au moins jusqu'au printemps prochain, d'accord?

– Oui, dit-il. Je peux te promettre ça.

– Je t'aime, papa.

– Moi aussi, ma chérie, me dit-il, plus que ça encore. Il se souleva pour m'embrasser. J'essayais de ne pas trop le serrer en le prenant dans mes bras. Il retomba sur ses oreillers.

– Bon, il faut que je ferme les yeux maintenant; merci de m'avoir écouté; merci de m'avoir parlé. Maintenant va dire à la patronne que je suis tout habillé sur mon lit et qu'elle peut venir me voir et me faire un bisou pour la nuit.

J'embrassai son front et quittai la pièce.

Quand j'entrai dans la salle à manger, maman et Sachi avaient une conversation animée.

– Maman, dit Sachi. Tu sais ce que grand-père m'a dit avant que tu viennes?

Je m'assis devant une tasse de thé.

– Non, ma chérie. Quoi?

– Eh bien, tu sais, cette vieille fille qui s'appelle Hélène qui était là l'année dernière?

– Oui.

– Grand-père dit qu'elle souffre de cette terrible maladie hawaiienne qui frappe les vieilles filles.

– Ah bon? Laquelle?

– Il appelle ça quelque chose comme la « niquoprive »; moi, je croyais que c'était un médicament pour les fumeurs!

– Il est vraiment incorrigible ton père, dit ma mère. Comment veux-tu que j'explique ça à Sachi?

– C'est pas la peine, dis-je.

Sachi se mit à rire tout à coup :

– Oh le coquin! C'est pour ça qu'il a ajouté que c'est à cause de ça que les vieilles filles « PAS-NIQUENT », oh oui! PAS-NIQUER!... Comment il peut encore raconter des blagues alors qu'il est si malade?

– Il n'y a jamais rien qui pourra l'empêcher de dire des bêtises, dit maman d'un air faussement méprisant.

Tout à coup, elle se leva et se dirigea vers son secrétaire.

– Regarde Shirl, dit-elle avec un rire de petite fille, c'est peut-être pour bientôt le gros lot!

Elle me tendit un coupon de contrat du Reader's Digest. Ça fait des années que je verse un peu d'argent tous les mois pour participer à la loterie géante. Regarde combien.

Je regardai; ça montait à plus de 5 millions de dollars.

– Ouais! ton père dit que je suis folle, et je ne l'ai dit à personne, mais je pourrais gagner, tu sais.

Je regardai Sachi. Elle regardait maman.

– Oui, grand-mère, dit-elle, interloquée, surtout si tu y crois.

– Alors, dit ma mère, si je gagne, je vous en donnerai la moitié à toi et Sachi, au cas où vous auriez des problèmes d'argent. Puis j'irais tout droit jusqu'à la banque et je leur dirais de mettre ça en épargne pour quand je serai vieille.

Je n'en croyais pas mes oreilles. Je n'ai pas pu m'empêcher de lui dire :

– Et d'après toi, vers quel âge tu seras vieille?

Maman se mit à rire aux éclats :

– Moi? Mais je vais vivre jusqu'à quatre-vingt-douze ans. J'ai déjà décidé; la vie est tellement formidable, hein? Des fois que je gagne tout cet argent. Moi j'ai toujours aimé lire ces petits livres du Reader's Digest parce que j'ai pas envie de lire un livre tout entier. Alors, j'ai déjà eu tellement de plaisir en donnant cet argent tous les mois que c'est obligé que ça continue.

Sachi se leva pour refaire du thé. Faire plus fort qu'elle dans la pensée positive, je ne croyais pas ça possible.

Maman me regarda tendrement.

– Papa t'a dit qu'il était tout habillé sur le lit et qu'il voulait que je vienne lui faire un bisou pour la nuit, c'est ça? demanda-t-elle.

– C'est vrai, lui dis-je. Elle haussa les épaules et repoussa une mèche de cheveux sur ses yeux.

– Qu'est-ce que tu ressentirais, dis-je, s'il mourait le premier.

Elle croisa les bras.

– Oh! je ne sais pas, dit-elle. Ses yeux se remplirent de larmes, et elle se contrôla : je sais une chose du moins. Je resterais plantée comme une idiote au milieu de toutes les machines que ton père a refusées de m'apprendre à faire marcher. Il a toujours voulu être le patron, alors il m'a jamais montré à me servir de quoi que ce soit. Je ne sais pas conduire, je ne sais pas tondre une pelouse ou remplacer un fusible, rien... Shirl.

J'avais toujours admiré son bon sens pratique. Elle réfléchit un moment, puis elle ajouta :

– Evelyne dit que quand Glenn est mort, c'était le silence dans la maison qui était le plus dur à supporter. Moi ça me manquerait de ne pas parler de ce qu'on va manger pour le dîner et de ce qu'on a vu à la télé. Elle hésita un instant, puis elle continua. Mais c'est son intelligence, son esprit curieux qui pose des questions et qui veut toujours en savoir plus. Cette merveilleuse intelligence. Sa voix se brisa.

Je restai silencieuse.

Puis elle se reprit et sa voix se raffermit.

– Mais je viendrais vous voir plus souvent...

Elle me regarda timidement.

– Si vous voulez bien d'une vieille femme grincheuse comme moi.

Sachi arrivait de la cuisine.

– Écoute grand-mère, dit-elle. Tu vas venir me voir *moi.* Je vais déménager de chez maman, pour devenir un peu plus indépendante, alors tu viendras chez moi et on va bien s'amuser toutes les deux, tu sais.

Maman me fit un clin d'œil. Elle se leva, pinça la joue de Sachi et entra dans la chambre pour dire bonsoir à l'homme qu'elle aimait et avec qui elle vivait depuis cinquante-cinq ans.

Je savais qu'ils avaient encore du temps à passer ensemble.

Les jours suivants, je réfléchis à ce que j'avais appris avec « Ambres » au sujet des vies antérieures que j'avais déjà vécues avec mes parents. Je commençais à accepter le fait que mes parents – et ma fille – faisaient partie d'une idée plus large de mes expériences passées (tout comme moi).

Tout en parlant et en plaisantant avec eux, j'essayais de faire le point au milieu de toutes les images d'eux qui se superposaient dans mon esprit. Chacun de nous avait abusé de son pouvoir et de son autorité sur les autres. « Ambres » avait raison. J'avais « vu » papa et maman dans d'autres situations, à d'autres époques. Nous n'avions pas toujours été parents et enfants. Et nous nous étions trouvés dans des situations plus que désagréables, d'après mes souvenirs de la table d'acupuncture.

En les voyant prendre leur petit déjeuner, tous les deux, et lutter contre les ravages de la vieillesse, je les regardais avec les yeux du passé, sans pouvoir leur faire partager tout ce que je savais. C'est *moi* qui avais choisi ces figures parentales, cette fois-ci PARCE QUE, ils m'avaient toujours émue, PARCE QUE, ils me permettaient d'en savoir plus sur moi.

Je les avais déjà choisis plusieurs fois, et ils avaient eu d'autres rôles. Peut-être, après tout, avais-je choisi ma propre histoire. « Ambres » avait sans doute raison de me dire que si moi, je voyais des choses plus tôt que prévu, c'est parce que j'avais voulu comprendre les aspects les plus cachés de toutes les vérités. J'étais responsable d'avoir voulu voir trop tôt ce que j'avais vu, et d'avoir fait tout ce que j'avais fait. Tout cela au cours d'un long et lent cheminement qui devait me conduire à l'accomplissement, un jour ou l'autre. Je commençais à y voir plus clair et à pouvoir me relaxer. Mes relations avec mon père et ma mère étaient devenues tellement tendres, tellement affectueuses que j'avais fini par sentir qu'ILS ÉTAIENT MOI, et moi J'ÉTAIS EUX. Non pas à cause de la généalogie mais dans un sens philosophique et véritablement spirituel, orchestré par mon désir de me connaître mieux.

La dernière nuit de mon séjour chez eux, je dormis onze heures. J'avais fini par intégrer les scènes du passé avec les scènes du présent. Comme disait Lazaris : « Nous créons le présent à partir du futur sur la toile de fond du passé. »

CHAPITRE 11

Après les vacances de la fin novembre, nous nous sommes retrouvés à Hawaii pour tourner l'escapade amoureuse entre Gerry et Shirley.

C'était un peu comme le théâtre aux armées. Notre troupe quittait les rues encombrées de Londres, pour le silence des neiges de la Suède, et atterrir quelques jours après dans le paradis luxuriant de la côte d'Oahu. Ma chambre d'hôtel donnait sur une mer turquoise, et le bruit des vagues sur le sable argenté rendait mon diffuseur de sons [1] inutile et dérisoire.

Hawaii est un endroit parfait pour se détendre et adopter un rythme de vie apaisant. Là, je me sens parfaitement sereine. Les îles évoquent pour moi une qualité de vie que nous pourrions retrouver si nous le voulions, en arrêtant de les commercialiser.

Je retrouvai toute la compagnie dans une fête (luau) typiquement hawaiienne. C'était un festival de chemises à fleurs, de jupes en paille, de musique locale et de hanches ondulantes.

Brad était venu avec sa petite amie, et Charles Dance était avec sa femme Johanna, et leurs enfants. Stanley avait amené sa femme, Liliane, et moi j'avais Colin pour m'accompagner partout (il venait de s'acheter une maison à Oahu).

Quand les lieux de tournage sont agréables, tout le monde rapplique, parce qu'il y a toujours des choses intéressantes à faire pendant que les acteurs travaillent.

Brad avait maintenant son équipe américaine avec lui. Il se sentait plus à l'aise et plus efficace avec eux. Ils avaient lu le script, bien sûr, et, pour la plupart, ils semblaient intéressés par la métaphysique.

Ils étaient surtout fascinés par le concept d'énergie invisible. Au départ c'était une curiosité de techniciens, mais ils se

1. *N.d.T. : Machine qui reproduit les bruits aquatiques propices au sommeil.*

sont aperçus très vite que dès que leurs questions devenaient plus précises, plus profondes, ils étaient mis en face de la Source de cette énergie.

D'où venait cette énergie? Est-ce qu'on pouvait l'appeler Dieu? Ils n'étaient pas forcément religieux. Ils étaient seulement conscients qu'il y avait une énergie harmonieuse et intelligente qui semblait gouverner toutes les formes de vie. Alors, dès le début du tournage, on a commencé à échanger des livres et des idées entre deux changements de décor.

Chacun était intéressé pour des raisons différentes. Après quelques petits échanges de points de vue, on se retrouvait pour le déjeuner en train de discuter passionnément parce que l'énergie se répandait de façon analogue dans nos relations et notre vie personnelle. En partageant nos expériences, on s'apercevait concrètement que tout, dans la vie, sur le plan technologique ou émotionnel, se résumait au travail des énergies positives et négatives; et « négatif » ne signifie pas « mauvais ». Il s'agit simplement de la polarité opposée de l'énergie positive. C'est l'autre plateau de la balance. Les deux sont nécessaires, jumelles et complémentaires. C'est la combustion des deux qui produit la vie. L'énergie mâle (yang) est positive; l'énergie femelle (yin) est négative. La science et la vie le disent. La vie ne pourrait pas exister sans les deux. Quand on aborde le problème du MAL, on peut mieux le comprendre sous l'angle de cette polarité : si un enfant vole pour manger, si un homme tue pour défendre sa famille, si une femme avorte plutôt que d'accoucher un enfant non désiré, si un terroriste tue parce que toute sa vie il a cru que c'était son droit et son devoir de tuer : Qui fait le Mal? Et si quelqu'un tue simplement par haine ou par envie, IL le fait pour SON BESOIN. Ce sont les autres qui jugent que cet acte est MAL.

Ce n'est pas le genre d'idée ou de concept que l'on peut avaler facilement, je l'admets, et nos conversations étaient plutôt animées. Certains piquaient des rages terribles. Un autre essayait de le calmer. Un autre trouvait soudain une explication tellement lumineuse qu'on passait le reste de la journée dans une bienveillante harmonie.

Le tournage du film était à l'image de notre expérience : le ciel, le soleil, le sable étaient divins. On travaillait comme des fous, avec une énergie fantastique. On commençait souvent à 6 h 30 du matin pour avoir la lumière du soleil levant, et on finissait bien après minuit. Un jour, Charles et moi avons tourné notre grande scène d'amour à 4 h 30 et matin. On devait s'effondrer tous les deux en pleurant dans les bras l'un de l'autre. Sans problème! On n'en pouvait plus...

Je me suis fait piquer par une grosse méduse violette en roulant dans les vagues pendant le tournage d'une scène. On s'est demandé ce que j'avais bien pu faire avec cette créature, dans une vie antérieure.

Finalement, les figurants sont arrivés. Ils étaient « vrais » et cela ajoutait un aspect « documentaire » au film. Chaque fois que j'entendais quelqu'un parler de mon personnage en disant « Shirley », je tiquais. C'était tellement personnel! J'étais parfois choquée de jouer mon propre rôle.

Lorsque nous nous étions réunis, avant le film, en pré-production, on avait décidé que les couleurs seraient plutôt tendres, douces: des beiges, des crèmes, des teintes de terre. Les couleurs de la nature seraient notre base et nous ajouterions des touches plus vives pour redonner l'ambiance du Pérou. Mais en voyant les figurants hawaiiens, nous avons changé d'avis. J'en avais ras-le-bol, du beige et du tristounet. Mes cheveux roux et mon rouge à lèvres étaient la seule note de couleur dans les scènes. C'était franchement ennuyeux. C'est dans ces moments-là que je réalisais la somme de travail qui entoure un acteur, sans qu'il s'en aperçoive. Les costumes, la production et la conception scénique jouent un rôle primordial dans l'art du cinéma.

Et nous étions plongés dans les couleurs fastueuses d'Hawaii. On m'avait habillée d'un tissu mangue vanille et ça ne m'allait pas du tout. J'avais l'air d'un mannequin en plâtre de la Samaritaine. Je jetai le machin jaune pour me draper dans un « muumuu » rose avec un chapeau de toutes les couleurs. J'étais sensée vivre une histoire d'amour après tout... Du coup, tout avait l'air plus intense et on y croyait davantage.

Pour une actrice, savoir qu'on va tourner une scène d'amour en maillot de bain devient très vite une source d'angoisse, surtout quand on vous sert des dîners et des buffets somptueux, arrosés des meilleures « piña coladas [1] » au monde. Dès que je remets les pieds sur un territoire américain, je reprends mes vieilles habitudes; petit déjeuner complet, avec œufs et bacon croustillant, toasts et confiture, en quantité... J'en avais tellement marre du porridge anglais et du haddock suédois, que le fait de me trouver dans un hôtel américain me poussait à manger comme un ogre, ce que je ne fais pas en temps normal.

Alors, pour faire fondre ces magnifiques petits déjeuners il aurait fallu que je fasse des centaines d'abdominaux, du yoga et que je saute sur place deux heures par jour. Mais c'est des trucs à faire couler le maquillage et ruiner les costumes avec la transpiration. Et en plus, on s'ennuie tellement entre deux scènes qu'on ne pense qu'à une chose : MANGER. Sur les plateaux, il y a toujours de quoi satisfaire vos besoins énergétiques en sucre : c'est le royaume de Dame Tartine : les petits fours et les petits gâteaux au chocolat, les beignets (des dizaines de sortes différentes), les quatre-quarts et les muffins sont des pièges à gourmandes. Essayez de résister à un muffin à la myrtille ou à un beignet à la noix de coco, même si, à la place, vous pourriez manger une mangue ou un pamplemousse. D'autant que le seul endroit où vous pouvez manger ce genre de fruit serait, à la rigueur, sous la douche, ce qui ficherait en l'air le maquillage et la coiffure. Alors, vous choisissez le beignet avec du café, en vous maudissant le reste de la journée pour votre manque de discipline.

Le soir, c'est normal de manger, surtout après une journée de travail, et vous prenez une piña colada en jurant que ça remplacera le dessert. Et quand le dessert arrive!... trop tard! Alors quand la scène en maillot de bain arrive, c'est la panique. Est-ce que les mecs vont me siffler? De toute façon, il aurait fallu s'y mettre – au régime – plusieurs mois avant. Mais on conserve toujours l'illusion que l'on peut perdre dix kilos en un soir, rien qu'en sautant le dîner...

Bien sûr, il y a tous les vieux trucs que les comédiennes professionnelles comme moi connaissent par cœur. Mon problème à moi, c'est l'estomac. J'ai beau être mince, si je mange une olive avant de tourner, je gonfle, et j'ai l'air mûre pour l'accouchement. C'est incroyable. J'ai tout essayé pour me

1. *Cocktail à base de rhum blanc et jus d'ananas.*

débarrasser de cette infirmité (la thérapie et toutes les méthodes douces ou dures), rien à faire... Il ne faut pas que je mange avant d'être filmée en pied. A plus forte raison avant de danser, ce qui provoque de sacrés problèmes de logistique. Je suis obligée de calculer soigneusement ce que je vais manger par rapport au temps de digestion et d'élimination que ça va prendre. Si mes calculs sont corrects, il n'y a pas de problème. Mais s'il y a un changement dans l'emploi du temps, je dois avoir recours au plan de secours et j'utilise un accessoire, une écharpe, un sac à main, que je porte devant mon estomac. Si j'ai besoin de mes deux mains pour tourner la scène, alors là c'est plus ennuyeux; je cache ce que j'ai mangé avec un livre, un bouquet de fleurs ou un pull drapé sur mon bras. Mais ça ne marche pas toujours. Parfois, j'ai vraiment l'air de vouloir planquer mon ventre. Dans ces moments-là, je rêve de connaître une technique de méditation qui me permettrait de travailler toute la journée sans avoir faim, et sans manger.

Les gens sont toujours fascinés par les scènes de larmes. C'est toujours aussi fascinant pour moi. Je regarde le découpage de la scène : combien de séquences et de plans, combien de temps ça dure et, bien sûr, l'intention et la signification émotionnelle de la scène. Comme je ne suis pas une actrice qui peut ou qui veut pleurer à chaque prise, c'est à moi de savoir quand je vais pleurer pour de bon, et quand je dois utiliser la bouteille de glycérine « la bouteille aux Oscars ». Dans un plan éloigné, je pense que ce n'est pas la peine que je me mette dans un état de chagrin spectaculaire, en faisant appel à toutes les images « tristes » qui me font pleurer généralement, puisque le spectateur ne verra pas mes larmes. Alors pendant les répétitions je joue la scène en entier, en pleurant vraiment une fois, pour repérer le moment crucial, et le jour du tournage, je pleurais au moment voulu, sur commande, avec ou sans glycérine. Je sais d'expérience, que quand on joue avec ses tripes trop souvent et trop tôt, il ne reste plus rien pour les gros plans – ce qui compte le plus. C'est étrange comme les émotions, dans la fabrication d'un film, se jouent un peu comme une partie d'échecs. Les nouveaux sont toujours surpris devant la complexité des rythmes d'une journée de tournage. Je me souviens que Baryshnikov était venu me voir pendant le tournage du film *Le Tournant de la vie*. Il m'avait demandé de l'aider parce qu'il n'arrivait pas à soutenir l'intensité des moments forts, chargés d'émotion, toute la journée.

« Je peux danser à fond huit heures par jour sans être fatigué, me dit-il, mais je suis épuisé, parce que je n'arrive pas à trouver le bon rythme émotionnel dans ces scènes. Je suis sidéré de voir que vous, les acteurs, vous puissiez gagner votre vie en faisant un métier aussi dur. »

Il avait raison. C'est pour ça qu'on avait la « bouteille aux Oscars ». La glycérine imite les larmes à la perfection. Un bon maquilleur peut vous faire couler de superbes larmes aux endroits stratégiques, et vous n'avez plus qu'à prendre l'air triste, la glycérine se charge du reste. Ce n'est jamais aussi convaincant que les vraies larmes, mais ça marche. On peut aussi se servir de capsules d'ammoniaque. Mais tout ça ne suffit pas pour réussir une bonne scène de mélodrame. Quand j'étais débutante, je croyais parfois que j'avais été formidable. Tout le monde m'avait applaudie à la fin de la prise, et j'étais brisée par toute l'émotion que j'avais donnée. Malheureusement je m'étais plantée dans mes repères, j'avais tourné la tête dans l'ombre, et il m'arrivait de ne pas être cadrée par la caméra. Le mariage de la technique et de la passion fait la qualité d'un acteur, qui doit, non seulement faire vrai, mais aussi se préoccuper en même temps de ses marques, de sa lumière, de l'angle de la caméra et de son texte. C'est sur le tas qu'on apprend tout ça, pas dans les livres. En tournant *L'Amour-foudre*, pourtant, le souvenir de ma passion remontait à la surface parce que c'était ma vie.

Un de mes souvenirs les plus « marquants » de ce séjour fut le tournage de la grande scène d'amour qui eut lieu sur un balcon romantique – donnant sur le pacifique. Il était 3 heures du matin, et on arrivait à la quinzième prise. J'avais les joues luisantes de glycérine parce que je ne pouvais plus sortir une larme. Or, les moustiques adorent la glycérine, et ils ont commencé à m'attaquer sauvagement. J'essayais de les renvoyer à Charles, en espérant qu'ils le trouveraient à leur goût, mais rien à faire, ils s'acharnaient sur moi, comme des bêtes... J'ai fini par craquer. Mais je ne pleurais pas de chagrin! Je pleurais à cause de ces saloperies de moustiques.

Hawaii est un paradis, c'est certain, mais quand on tourne une scène « paradisiaque » dans les eaux turquoise, on se retrouve dans une comédie des Marx Brothers. D'abord, si vous voyez deux acteurs enlacés sur le sable au pied des vagues, c'est qu'il y a toute une équipe de caméramen dans l'eau quelque part. Si l'angle est tourné vers la plage, les mecs sont en train de se battre avec le ressac.

Quand vous voyez une scène radieuse, avec un coucher de soleil embrasant le ciel et le buste de l'héroïne, vous ne vous doutez pas que les crabes sont en train de la manger toute crue, pendant qu'elle récite avec conviction des serments d'amour déchirants.

La même héroïne peut vous montrer un profil paisible sur fond de bateau à vapeur, alors qu'elle vient de se couper le pied sur du corail.

Et quand vous voyez un acteur allongé au soleil comme un lézard languide, ne croyez pas qu'il est en train de bronzer. Il a la peau couverte de filtre solaire et de fond de teint égyptien nº 1. Et la caméra est derrière. Sinon, vous pensez bien qu'il serait au bar du coin en train de boire un panaché.

C'est ainsi que nous avons quitté Hawaii pour tourner le plat de résistance de notre film aux États-Unis. La « famille » improvisée sur place se dispersa et nous avons tous retrouvé nos propres familles.

CHAPITRE 12

Peu de temps après mon retour sur le continent, j'ai vécu une expérience qui m'a permis de mettre en pratique ce que j'avais appris. Je devais aller rendre visite à une amie et on m'a mise sur un autre avion que celui que je devais prendre. J'avais la curieuse impression que je n'aurais pas dû accepter. J'avais vraiment envie de descendre; je n'avais pas du tout envie de me trouver là.

Ce jour-là j'avais peur de mourir dans un accident d'avion. Je décidai finalement de laisser faire le destin. Je m'assis, attachai ma ceinture, pendant que l'avion commençait à rouler sur la piste. Et si ça se produisait au décollage? Je décidai alors de visualiser ma peur. Non pas la vision de l'avion en train de s'écraser, ou en train d'exploser en vol, mais plutôt, ce que je ferais si ça m'arrivait. Je voyais l'avion descendre, pendant que moi, calmement, je m'envolais au-dessus de lui, sachant que je n'avais rien à craindre. Je me fichais complètement de ce qui pouvait arriver à mon corps.

Ce n'était pas ce que j'appellerais une expérience de « décorporation ». Je simulais une situation imaginaire, dont l'impact était très fort. La peur me terrassait, comme dans un cauchemar, et pourtant, j'avais le choix de quitter cette peur, puisque je savais que je n'allais pas mourir. C'était comme une répétition consciente d'un événement possible. Et je pouvais voir comment je réagirais si je devais mourir dans un accident semblable : MOI, je ne serais pas détruite. Finalement, je suis arrivée saine et sauve, à destination, et l'amie qui était venue me chercher me dit : « J'ai vraiment cru que ton avion avait eu un problème. »

Je lui expliquai que ce n'était pas l'avion, c'était seulement moi...

Dès le début du tournage à Los Angeles, je me suis aperçue que la plupart des gens, parmi l'équipe, les acteurs, les figurants, venaient me trouver pour me dire qu'ils s'étaient tous sentis guidés pour travailler avec moi sur ce projet. Ils ne comprenaient pas pourquoi et moi non plus. Ils sentaient qu'ils devaient en faire partie. Beaucoup d'entre eux me racontèrent qu'ils étaient en train de lire mon livre quand leur agent leur avait téléphoné. Ces conversations devinrent très vite personnelles, et pour la première fois de ma vie, j'avais envie d'avoir des scènes de foule avec des tas de figurants. Ils venaient sur le plateau avec mon livre, mais aussi avec d'autres livres métaphysiques qu'ils me faisaient lire. Entre deux prises, ils discutaient des systèmes de pensée de l'« ERE NOUVELLE [1] ». L'un d'eux me cita Malraux : « Le XXIe siècle sera spirituel ou il ne sera pas. »

Faire un film pour la télévision n'a rien à voir avec le tournage d'un long métrage pour le cinéma. Je ne sais pas pourquoi. Les pauses entre deux prises sont beaucoup plus courtes, ce qui signifie que les éclairagistes travaillent plus vite. Mais cela dépend surtout du réalisateur. C'est lui qui donne le rythme de travail de toute une équipe. Si votre réalisateur sait apprécier le travail de chacun et qu'il a de l'humour, vous avez une équipe efficace et de bonne humeur. Sinon, tout va mal. Le nôtre était formidable. Le mélange parfait d'artiste et de technicien, comme tous les gens qui font ce métier. Je suis toujours émerveillée de voir travailler un de ces grands costauds qui savent exactement créer une lumière assez douce pour me faire paraître dix ans de moins, ou mettre la petite étincelle dans mes yeux. Ces gens sont d'une espèce à part. Ils font attention à ce qu'ils disent, à ce qu'ils font, et ne se livrent pas trop, parce que leur prochain travail en dépend. Mais ils ont un vrai sens des valeurs, et ils sont incroyablement professionnels. Quand on accumule des journées de travail aussi longues, on peut facilement voir leurs mauvais, mais surtout, leurs bons côtés.

Le lieu de tournage changeait constamment à Los Angeles. On devait être prêts à tourner à 7 h 30 du matin quand on travaillait en extérieur et pour cela les types de l'équipe devaient charger le matériel à 6 heures, 6 h 30, à cause de la lumière. Les camping-cars, les caravanes, les camions de générateurs, le camion de son, les camions de costumes, le camion d'acces-

1. *N.d.T. : l'ERE NOUVELLE : l'AGE D'OR dont parle la Bible et les grandes écritures saintes.*

soires, les camions pleins de câbles, de batteries, de lumières, d'objectifs, de film, de matériel de montage des caméras, etc., arrivaient les premiers. Puis, c'était les camions de l'intendance avec le café, les beignets et tout ce qu'on adore manger quand on est stressé sur un tournage (les trucs qui excitent et qui font grossir). Les préparatifs et le montage de toute cette machinerie du spectable se faisaient selon une procédure immuable, au milieu de conversations codées. Le langage du show-business est un dialecte compréhensible uniquement des gens qui travaillent ensemble dans ce métier depuis des années. La caravane de maquillage était bien éclairée, à l'intérieur, par un générateur branché dehors. Les acteurs s'asseyaient l'un à côté de l'autre dans leurs grands fauteuils de toile, regardant leur image dans le miroir d'un œil critique ou satisfait – selon les personnes. Sur un comptoir, derrière les fauteuils, il y avait du café chaud à volonté, et des gâteaux de toutes sortes, préparés par nous, ou achetés chez un traiteur. Il n'y a que ceux qui ne s'éclatent pas sur un tournage qui ne prennent pas de poids.

Pendant qu'on nous met des rouleaux et qu'on nous balaie de la poudre sur le visage à grands coups de pinceaux, les potins vont bon train. La caravane de maquillage est le Café du Commerce des acteurs. On y ravale les visages et les rides, provisoirement, avec des trucs magiques, des crèmes et des enduits qui cachent les verrues et les cicatrices, ou qui en fabriquent. On y crée des moustaches, des chevelures de rêve, et tout le monde trouve ça normal. Entre deux séances de maquillage ou deux raccords, on répète nos répliques, mais la plupart du temps, on reste là, à tremper nos beignets dans une tasse de café, en se disant qu'on aurait bien aimé dormir plus longtemps. Généralement, après le maquillage, j'allais m'allonger dans ma caravane personnelle, douillette, pratique, confortable; ma petite maison loin de ma maison.

Il y a toujours eu un conflit entre les acteurs et les techniciens en ce qui concerne les horaires de travail. Les acteurs aimeraient commencer plus tard, pour éviter les bouchons de circulation, en sautant le déjeuner – un sandwich sur le pouce – et tourner jusqu'à 7 h 30, 8 heures le soir. On appelle ça « l'horaire français ». Les techniciens, eux, préfèrent commencer très tôt, se taper la circulation, mais finir à 6 h 30. Ils disent tous que c'est parce qu'ils veulent rentrer chez eux pour être avec leur famille. Moi, je crois qu'ils veulent passer voir leur petite amie avant de rentrer chez eux.

De toute façon, sur notre film, ils ne pouvaient faire ni l'un ni l'autre, parce qu'ils arrivaient à 6 h 30 du matin et ils ne repartaient pas avant 8 heures, 9 heures, voire même 10 heures du soir. On a souvent parlé ensemble de ces horaires dingues. Généralement, ils disent tous que ça ne les gêne pas; qu'ils préfèrent se donner à fond à leur travail pendant une période intense, pour mieux profiter de leur vie de famille après. En réalité, la plupart d'entre eux sautent aussitôt sur un autre tournage, avec des horaires aussi inhumains. C'est sûrement pour cette raison que les gens du show-business appellent « les non-initiés » " des blaireaux ". Tous les jours, c'est un peu comme le débarquement en Normandie. Quand un soldat du show-business laisse tomber les copains sous prétexte que sa mémère lui a mitonné un pot-au-feu, il perd le respect de la collectivité et on ne le reprend pas (ou rarement).

On est un peu comme une famille de gitans : on transporte une ville sur roues, d'un lieu de tournage à l'autre. Nous avons même des infirmières et des médecins dans notre famille de nomades.

On trouve tout chez nous et ce qu'on ne trouve pas, on le fabrique. Vous avez besoin d'un salon Régence, ou d'une salle de bains en marbre? Les techniciens vous fabriquent ça en un clin d'œil. On ne cloue pas beaucoup, on scotche, et on colle en quelques secondes.

Nos camions d'accessoires et de costumes regorgeaient de trésors et de merveilles.

Quant au bureau de production, il était installé dans un grand bus. C'est là que les huiles de la télé tenaient leur quartier général, en restant continuellement en liaison avec leur bureau grâce à leurs téléphones mobiles. C'est là que se tenaient les réunions et que le planning du tournage était décidé et discuté, et que parfois on desserrait la cravate et les émotions, autour d'un repas chinois apporté par un coursier.

C'est comme ça que Los Angeles est devenu pour moi une sorte de labyrinthe avec des repères différents : le coin des repas, le coin où on se dit bonsoir, la balade près du parc. Je découvrais de nouveaux endroits dans cette ville que je connais pourtant bien. Je la redécouvrais. Parfois, on maquillait la ville, elle aussi. Quand on voulait qu'elle ressemble à New York, on faisait venir des taxis jaunes et quelques prostituées. Le réalisateur tiquait un peu devant ces trucs un peu ringards, mais les gars de l'équipe étaient très fiers de la transformation. On a tourné partout, dans la ville, sur la place, dans les montagnes de Calabasas, à Pasadena, au parc de Malibu et parfois dans un vrai studio.

En travaillant de 7 heures du matin à 10 heures du soir, on n'avait pas le temps d'aller faire nos achats de Noël. Parfois, je dormais dans l'hôtel le plus proche du tournage, avec toujours mon diffuseur de sons sur moi. Ils me mettaient tous en boîte avec mon appareil en disant que je n'étais pas fichue de tourner une scène correctement si je n'avais pas pu m'endormir avec. Généralement, je rentrais dormir chez moi, au bord de la mer, à Malibu, avec le vrai bruit des vagues pour m'endormir.

Le tournage avançait et je me sentais complètement responsable de ce qui se passait. C'était plus fort que moi, je me disais que s'il pleuvait, j'aurais pu l'empêcher. Parce que c'était MON histoire, MON script, MA vie, MA production et MOI qui assurais la vedette, je voulais que tout le monde sur le film se sente bien, soit heureux et confiant. Mais avec tout ça, j'étais terriblement frustrée parce que je n'avais pas assez de temps pour moi, pour me préparer. J'avais besoin d'être seule, pour me concentrer, pour trouver mon équilibre au milieu de ce flot d'émotions et de sensations. Je me collais sur le dos de telles responsabilités (même quand ça n'était pas nécessaire), que je commençais à me sentir détachée de ma vie spirituelle. Je dormais environ quatre heures par nuit, du coup, je ne pouvais pas me lever plus tôt, pour méditer ou faire du yoga. J'étais enfouie jusqu'au cou dans d'interminables problèmes d'emplois du temps, de changements de script, de soucis de production et de coups de téléphone plus ou moins inutiles. J'avais envie de marcher dans la fraîcheur d'une forêt, ou au bord d'un ruisseau cristallin – peu importe le lieu pourvu que j'y sois seule. Pour la première fois depuis que je travaillais avec des techniques spirituelles, je mesurais les conséquences de mon manque de pratique.

J'avais mal aux jambes, à la tête et finalement, mon dos a suivi. Je suis allée chez un chiropracteur. Il m'a dit que j'avais une inflammation de la colonne vertébrale à cause de toutes les énergies perverses que je n'arrivais pas à éliminer.

En gros, cela signifiait qu'il y avait en moi un manque d'harmonie. Et pourtant, j'aurais tellement voulu que ce film soit harmonieux et que nous soyons tous heureux en le faisant, puisque c'était de cela que je parlais dans mon livre : les valeurs spirituelles. Dans les autres films que j'avais tournés, je ne m'étais jamais mise dans un tel état, peut-être parce que je me sentais moins concernée.

Chaque fois que je voyais des gens dans l'équipe, en train de se miner ou de se faire du mal, je leur parlais, au risque d'envahir leur vie privée. Ils m'écoutaient généralement, comprenant bien où je voulais en venir, mais ils continuaient comme avant, et, finalement, je ne valais pas mieux, parce que je faisais exactement la même chose avec moi-même.

Je me sentais négative, vis-à-vis de leur négativité et c'est comme ça que je m'étais excitée, enflammée la colonne vertébrale; je guérirais ça uniquement en changeant d'attitude!

Alors j'ai fait un rapide examen de conscience et j'ai passé en revue mon emploi du temps et mes faits et gestes. C'était pas brillant! La femme de ménage qui s'occupait de mon camping-car était déprimée, elle oubliait régulièrement le papier toilette, il n'y avait pas d'eau, et du coup, elle me tapait sur les nerfs. Je trouvais que c'était la pagaille à la production à cause de l'indécision du directeur. Je trouvais que personne n'avait le sens de l'humour dans le travail. Le courant sautait régulièrement dans mon camping-car quand je m'y trouvais. Il y avait un foutoir infernal autour de moi (le mien, en grande partie).

Les accessoires n'étaient jamais à leur place (surtout les miens).

Il manquait des costumes (les miens évidemment).

Ce qui m'ennuyait le plus c'était de les voir, tous, me tanner pour que je prenne des décisions qu'ils étaient parfaitement capables de prendre tout seuls. Je me disais qu'ils pourraient faire preuve d'un peu plus de créativité, d'indépendance, d'imagination.

Un jour, j'ai eu un exemple consternant de cette situation; je quittais ma caravane pour aller sur le plateau. Ils étaient tous, là, derrière moi à me suivre. Je pris la mauvaise direction sans m'en apercevoir, mais personne ne disait rien. Ils suivaient, sans rien dire. Finalement, je m'arrêtai et me retournai. Ils firent la même chose.

– Dites donc, est-ce que c'est par là? je leur demandai.

– Non, me répondit quelqu'un.

– Ben, alors, pourquoi vous ne me dites rien? demandai-je.

– Parce que, « me dit-on », vous aviez l'air tellement sûre de vous.

Je tombais de haut. Alors, c'est ça, avoir des responsabilités et diriger une équipe? Après tout, je n'étais peut-être pas en train d'assumer ni d'assurer quoi que ce soit. Et puis, à quoi ça me servait tout ça? Je n'avais pas envie de jouer les chefs. Ça ne m'amusait pas, et je dirais même que ça m'enquiquinait. De plus, je me sentais coupable de me sentir négative. Alors que j'étais sensée être une femme hyperpositive et réfléchie, devant les insécurités des autres, je me sentais complètement perdue et mal à l'aise.

Finalement, les vacances de Noël sont arrivées. Six mois avant j'avais commandé des livres fabuleux sur les OVNIS comme cadeaux de Noël, mais si l'esprit de Noël était dans l'air, moi ne je le sentais pas.

Je me sentais devenir tellement négative que j'appelai Colin et j'allai le voir. Il travaillait sur un autre projet et on ne s'était pas beaucoup vus.

Il me dit que c'était un peu la même chose pour lui. Dans son travail, avec ses amis, et sa famille, il avait du mal à exprimer ses frustrations.

On s'est installé dans sa cuisine et on s'est raconté chacun nos petits malheurs, après quoi on a imaginé le moyen d'y remédier. C'était marrant, et révélateur. Moi, je décidai d'aller dans toutes les fêtes qui auraient lieu pendant les vacances, même si je ne devais dormir que quinze minutes par nuit. Colin, Sachi et moi avons donc décidé de ratisser toutes les fêtes de la ville persuadés que tout le monde serait ravi de nous recevoir.

Il n'y a rien de tel qu'une soirée à 250 000 dollars pour vous faire oublier votre lumbago, vos responsabilités, et vos angoisses de créateur. La première maison où nous avons débarqué (Colin avait une invitation) appartenait à un agent d'Hollywood très connu. Ce soir-là, il travaillait à dix pour cent avec le « Père Noël et le Paradis ».

La maison était l'illustration d'un compte en banque fabuleux, un de ces endroits où l'on n'imagine pas vivre, mais seulement faire la fête. Juste à l'entrée, dans la cour, il y avait pour nous accueillir une chorale de gospels (ils étaient tous sous contrat avec lui). Dans le hall immense, tout en marbre blanc, une autre chorale de chanteurs blancs en habit noir chantait, en rang, jusqu'à la piscine. La salle à manger croulait sous les fleurs, et de l'autre côté de la piscine il y avait un orchestre de chambre près d'un bar surchargé de bouteilles et de serveurs, en habit, eux aussi. Il y avait assez de nourriture dans la cuisine et la salle à manger pour rejouer la *Guerre civile*: des montagnes de poivrons fourrés, des jambons dorés au miel, des salades multicolores, des rillons, des travers de porc à l'aigre-doux, des poulet rôtis, des patates douces et des « marsh-malloows », du pain de maïs, des dindes truffées de fruits, et du thé glacé. Rien qu'en regardant la table des desserts on prenait déjà trois kilos et on salivait devant les tartes aux pécans, les bavaroises au citron vert, les tourtes aux myrtilles, les tatins aux pommes, les puddings, les forêts-noires au chocolat, les crèmes glacées faites par des Italiens, et, pour les gens du nord, les cheese-cakes, ces délicieux gâteaux à base de sablés pilés recouverts de crème fouettée citronnée. Tout le monde était là, y compris Elizabeth Taylor, qui avait peint son fameux diamant en berlingot de rayures blanc et rouge, pour l'assortir à ses ongles vernis.

En parlant de tout cela entre amis, on se rendait compte que beaucoup de gens parmi nous passaient par une de ces crises que tout le monde connaît tôt ou tard.

On commençait à se remettre en question, et on ne pouvait plus ignorer les valeurs et les principes, ni se raconter des histoires. On commençait à se demander ce que signifiaient des mots comme l'estime de soi, l'amour, le respect et la réflexion sur soi. La complaisance et l'indulgence avec soi-même étaient dépassées. Certains faisaient une psychanalyse pour essayer de se connaître un peu mieux; d'autres devenaient plus religieux. Mais la plupart réalisaient qu'ils étaient avant tout des êtres spirituels qui n'avaient pas encore été capables de trouver, ou d'accomplir ce qu'ils désiraient dans leur vie. La culpabilité n'arrangeait rien du tout et s'avérait tout aussi destructive que la colère ou le refoulement. C'est vers cette époque que Kevin Ryerson et Jach Pursel sont arrivés en ville. Colin et moi parlions de la colère refoulée, avec « Lazaris » (l'entité qui passait par Jach) et je parlais avec les entités de Kevin.

– Ne gardez pas la colère en vous, disaient-ils. « Laissez-vous aller et pardonnez-vous, et vous verrez que ça n'est pas aussi terrifiant que vous le pensez. »

Ils disaient aussi qu'on respire mieux quand on déballe honnêtement ce que l'on a sur le cœur. Et en examinant les choses de près, on finirait par s'apercevoir que c'est nous qui créons la cause de la colère que nous éprouvons. La colère n'est une manifestation de l'âme qui réagit violemment, que parce qu'elle comprend qu'elle est responsable de la situation. Et ça, c'est la chose la plus difficile à admettre, car on est obligé d'en passer par là pour apprendre.

Du même coup, j'ai eu envie de comprendre pourquoi je sentais tellement de conflits en moi.

Un an auparavant, avec l'aide de Chris Griscom, une femme qui pratique l'acupuncture spirituelle, j'avais revécu une de mes incarnations tellement reculée dans le temps, que je ne parvenais pas à la dater. Il était question d'une période où des expériences génétiques très évoluées avaient lieu sur la planète. C'était peut-être sur Atlantis. Je n'en sais rien.

Comme j'étais allongée sur la table avec les aiguilles en mouvement, piquées dans ma gorge, mon troisième œil, mes épaules, derrière les oreilles, les images de cette vie antérieure ont commencé à défiler.

Et ce que j'ai vu alors était plus que bizarre. J'étais sur une sorte de dalle de pierre. C'est comme si j'étais morte, mais je ne l'étais pas.

J'avais accepté de participer à une expérience de « décorporation ». Mon âme pourrait sortir de mon corps et entrer dans d'autres corps à des fins d'expérience. Ce processus s'est déroulé sur plusieurs siècles, et au cours de cette période, j'ai eu d'innombrables incarnations pendant que mon corps restait toujours sur la dalle. Je pouvais rentrer dans mon corps d'origine à n'importe quel moment mais je m'y sentais emprisonnée parce que j'étais dans un état de vie suspendue.

J'étais étendue sur la table avec toutes ces aiguilles dans le corps, quand tout à coup, les sensations sont devenues franchement insupportables. Mon corps est devenu tout raide et mes organes ont ralenti leur activité. C'était comme si mon corps actuel avait la mémoire cellulaire d'un autre corps, à des siècles d'intervalle, quand il avait accepté, puis profondément détesté cette expérimentation.

Chris m'avait aidée à faire venir les images et les associations que mon « sur-moi » me montrait, mais la séance était tellement pénible et douloureuse que je l'avais interrompue.

Mais je savais que je recommencerais, parce que j'avais trop envie de savoir.

CHAPITRE 13

Maintenant, un an après cette expérience, je me disais que je pourrais essayer de nouveau. Je savais, par expérience, que lorsqu'on affronte une grosse épreuve, il y a toujours une période de compensation après.

Chris était venue de New Mexico pour s'occuper de plusieurs personnes. Elle vint chez moi et nous avons fait une séance d'acupuncture. Après cela, j'ai commencé à y voir plus clair.

Dès qu'elle a posé les aiguilles, les images ont commencé à apparaître. Il y avait ce corps raide comme de la pierre, allongé sur une dalle. Je savais que c'était moi. La douleur m'empoigna aussitôt. J'étais emprisonnée dans ce corps. C'était horrible. Chris m'encourageait.

– Respire la lumière et envoie-la sur les aiguilles, me suggéra-t-elle gentiment.

Je respirai tout doucement, en visualisant la lumière sur les aiguilles. Je me sentis un peu plus détendue.

– Maintenant, dit-elle. Demande à ton sur-moi pourquoi tu ressens cette souffrance?

J'interrogeai mon Sur-moi. Je le fis avec des mots, dans ma langue maternelle, et j'attendis. Pas de réponse!... Je reposai ma question, toujours rien. Je sentais que je résistais, comme si je n'avais pas envie d'entendre ce qu'il avait à me dire.

– Respire par ton troisième œil, dit Chris. Inspire la lumière et dis-moi ce que tu vois.

Je fis ce qu'elle me disait. J'inspirai la lumière par mon troisième œil, au milieu du front juste au-dessus des sourcils. Alors, je vis une image se former dans mon esprit. J'étais couchée dans le désert, entourée de lavande. J'essayais d'envoyer de la lumière à une autre âme, dans l'univers. Je suivais le rayon lumineux aussi loin que je pouvais, et je le perdais de vue.

Sur la table, mon avant-bras droit me fit très mal tout à

coup. Je savais que c'était à cause de l'autre âme que j'essayais d'atteindre avec ma lumière.

Je racontai à Chris ce que je voyais.

– O.K., dit-elle, demande à ton sur-moi de te raconter l'histoire de cette âme et de ton bras droit.

Je lui demandai. Cette fois, la réponse arriva, distinctement.

– L'autre âme voulait partir, me dit mon sur-moi. Tu ne voulais pas accepter sa décision. Tu as essayé de la retenir physiquement avec ton bras droit. Cette âme est partie néanmoins. Tu souffres encore à cause de cet événement.

Soudain, l'image devint très précise. J'étais dans un temple avec des gens en robe blanche. Le temple était en marbre bleu nuit. Je me demandais qui étaient ces gens. Tout à coup, je revis le désert, et des sortes de vases. Je demandai ce qu'il y avait dans les vases.

– Ce sont des urnes funéraires, dit le sur-moi.

– Qui se trouve dedans? je demandais.

– L'enfant et le grand-père, dit le sur-moi, tu as été les deux.

– MOI? j'ai été les deux?

Le sur-moi acquiesça.

Je n'arrivais pas à comprendre ça.

– N'essaie pas de comprendre, me dit Chris. Laisse venir les images sans résister.

O.K. Alors le sur-moi me dit :

– Ils étaient tes frères.

Mes frères? De plus en plus aberrant. J'attendis un moment; je commençais à m'agiter et à m'impatienter. Puis je vis la dalle de pierre. Mon corps était allongé dessus. Alors une femme se dirigea vers mon corps avec une petite bouteille ciselée dans la main. C'était Tina Turner, physiquement presque identique à ce qu'elle est maintenant! Elle tenait la bouteille en l'air, comme pour me montrer que j'avais bu dans une bouteille identique. Je n'y comprenais rien. Je demandai à mon sur-moi.

Immédiatement, l'image se transforma en un paysage pétrifié. Les palmiers étaient vivants, mais transformés en pierres. Puis je vis le mot **VIOLENT** écrit en toutes lettres. Aussitôt, je vis une forêt en flammes. Une douleur épouvantable étreignit ma poitrine. Je vis des gens de petite taille, chauves, avec des anneaux dans les oreilles. Les animaux étaient pris de panique, et ils essayaient de fuir l'incendie, en cherchant à regagner la ville.

Ensuite, je me retrouvai dans la ville (qui ressemblait à une communauté religieuse avec des temples). Un éléphant me poursuivait. (Je dois avoir une affinité avec les éléphants. Ils me poursuivent toujours dans mes visions.) L'éléphant était furieux contre moi, comme si c'était moi qui avais mis le feu. Alors, j'eus une vision antérieure à cet événement. Je vivais avec des éléphants et je décidais de partir à la ville. Je ne sais pas comment l'incendie s'était déclaré, mais leur chef me rendait responsable.

La scène changea. Mais la douleur dans ma poitrine était devenue intolérable. J'étais terrifiée de me trouver sur cette dalle. Puis je me vis sur le sol, incapable d'échapper à l'éléphant. Je le regardai. Il se dressa sur ses pattes de derrière et m'écrasa la poitrine. Je poussai un long gémissement. C'était horrible. J'étais en train de revivre l'événement. Mais le plus pénible, c'est que j'avais aimé cet éléphant, et il n'avait pas compris pourquoi je les quittais, lui et son troupeau. Mon dos et ma poitrine me faisaient tellement mal que je ne pouvais plus respirer.

– Maintenant, dit Chris, après avoir écouté cette histoire, demande si tu dois savoir autre chose en ce qui concerne cet événement avant de libérer ta mémoire pour de bon.

La réponse à ma question était encore plus stupéfiante :

– Cet éléphant est vivant en ce moment. Il est blanc. Il te cherche pour faire la paix avec toi et pour te conduire quelque part.

J'ai toujours eu une passion pour les éléphants blancs. Je demandai comment il pourrait me retrouver.

– On me dit. Il y arrivera.

Je commençai à pleurer, sans savoir pourquoi. On ne sait jamais pourquoi on pleure quand on travaille avec l'énergie des vies antérieures, mais c'est un fait. Je pense que c'est parce que notre âme entre en contact avec des vérités qu'elle a seulement « pressenties » auparavant, étant donné qu'on a déjà vécu tellement de fois. Chaque fois que l'on se remémore une tranche de passé qui n'a pas été intégrée, la souffrance revient, et l'émotion avec. Des événements et des passions oubliés depuis longtemps peuvent revenir à la surface, sans que l'on puisse comprendre ce qui se passe et qui nous sommes, et c'est réellement bouleversant. Quand on a vécu cela, on n'est plus jamais la même personne, on ne le veut pas, non plus, parce qu'on est sur le chemin de la connaissance de soi, de la vraie découverte, de la vraie révélation. On a compris que l'on n'est à ce moment donné que le sous-total d'une somme globale que l'on n'avait pas soupçonnée.

La séance ne se termina pas avec la vision de l'éléphant.

– Respire par les aiguilles, me dit Chris, respire par ton plexus solaire pour évacuer toutes les images pénibles et aller plus loin encore.

J'obéis docilement.

– Évacue l'image du passé, pour visualiser l'image de l'éléphant blanc qui vient faire la paix avec toi.

Je respirai. La douleur dans mon dos et ma poitrine était pis encore. Ça montait et ça descendait le long de mes bras, et ça passait à travers tout mon corps. J'expliquai cela à Chris.

– Demande pourquoi, dit-elle.

J'essayai. La réponse arriva.

– La souffrance vient d'un blocage d'amour.

– Pourquoi? d'où provient le blocage d'amour? demandai-je.

– Air pollué et fumée, me dit-on.

Je commençais à chercher l'air. J'étouffais, je n'avais plus d'oxygène.

– Qu'est-ce qui se passe, Chris? J'ai peur, là.

– Laisse monter la difficulté à respirer. Laisse venir les images, dit-elle.

J'essayais de me détendre pour laisser venir les images. Mais au lieu de cela, je reçus une réponse du sur-moi.

– Dans le corps humain, l'amour est congestionné, emprisonné, parce qu'il est dans un véhicule de carbone.

– Du carbone?

– Oui. Le carbone est la fréquence la plus basse de la silice, le quartz, le cristal. C'est difficile de faire résonner l'amour divin dans des corps en carbone. Tu es sur terre pour élever la fréquence du carbone à la fréquence du cristal, et pour amplifier ta connaissance. Quand la connaissance est amplifiée, l'amour n'est pas congestionné parce que tu es en harmonie avec la Source Divine.

Dès que le sur-moi s'est arrêté de parler, l'image du corps

figé étendu sur la pierre est réapparue avec la douleur, encore plus forte. Je gémissais et me retournais sur la table. Je n'arrivais pas à trouver de répit à ma souffrance.

– Tu es retournée sur ta pierre? demanda Chris.

– Oui, et c'est épouvantable. J'aimerais bien me débarrasser de cette histoire de pierre une fois pour toutes. C'est toujours là, dans ma tête, et je n'arrive pas à comprendre.

– Bon, dit Chris, retourne dans le corps qui est sur la pierre.

– Je ne veux pas. J'ai peur d'y rester, dis-je.

– Alors, retourne à la période où tu as pu te libérer. Tu sais que tu as pu le faire.

– Je ne peux pas.

– Mais si, tu peux.

Je m'agitai sur la table, faisant tomber plusieurs aiguilles.

– J'en ai marre d'être ici, dis-je. Je veux partir. Je veux me lever.

– Oui, évidemment. Parce que tu es sur le point de savoir. Tu vas découvrir qui tu es vraiment, et cette personne-là est vraiment coincée en ce qui concerne l'amour. C'est ça l'image du corps de pierre. Tu ne pourras pas éprouver le véritable amour avant de « le décongestionner ».

– O.K., dis-je avec impatience. Qu'est-ce que je dois faire, alors?

La voix de Chris s'adoucit.

– Demande, comment faire pour te libérer de ce poids.

Là, je me mis en colère.

– Pourquoi veux-tu que je demande quoi que ce soit à mon sur-moi puisque je sais que c'est MOI, et rien d'autre que moi?

Christine essaya de me calmer.

– Bien sûr que c'est toi. Mais c'est une partie de toi qui communique avec le divin, et pour l'instant, tu n'arrives pas à le contacter. Demande-lui de t'aider.

– D'accord! « Je criai dans ma tête : Pourquoi je suis comme ça? »

– Tu es imbuvable! me répondit-« ON ».

Je dis à Chris.

– On me dit que je suis impossible.

Chris se mit à rire.

– Mais ton sur-moi ne l'est pas.

– Si. Puisque c'est moi.

– Non, dit Chris, TOI, là, sur cette table, tu es la partie insupportable.

– Ah ouais? Et alors? A quoi on joue maintenant?

– Demande à ton sur-moi de quoi tu as besoin pour que ta partie impossible se libère. Parce que pour l'instant la Shirley impossible est emprisonnée dans sa propre impossibilité.

J'hésitai.

– Allez! demande, me supplia Chris.

– Je ne peux pas; parce que moi, l'impossible Shirley, et lui, là, le sur-moi, on est la même chose, dis-je. Mon corps était crispé par la souffrance.

– Tu as le choix, dit Chris. Tu peux rester une personne impossible ou ne plus l'être.

Maintenant, je ne pouvais plus bouger. Je me sentais emprisonnée, coincée, comme dans ma vision.

– Je suis dans un drôle de pétrin maintenant. Je me sens vraiment en danger, dis-je, blâmant Chris, indirectement.

– Les gens impossibles adorent les situations dangereuses. Ça leur permet ainsi de tout contrôler.

– O.K. Ça me fait une belle jambe, dis-je. Et maintenant, qu'est-ce que je fais?

Chris hésita, puis elle continua.

– Tu peux te concentrer sur ton sur-moi ou sur ta partie impossible – ce que tu es déjà en train de faire – quand tu te concentres sur l'impossible Shirley, elle prend le dessus, parce qu'elle est ta conscience à ce moment-là. Change ta conscience, c'est tout.

J'essayai de lui obéir. Je ne trouvais plus mon sur-moi.

– Pense à la lumière, dit Chris. Remplis-toi de lumière. Attire la lumière et remplis-toi de cette vision. Ton ego va se révolter et te dire que tu ne devrais pas choisir la lumière, parce que ton ego représente ta partie la plus infantile, la plus immature. Ramène ton sur-moi dans la lumière.

Tout doucement, je fis ce qu'elle me disait. Je commençai à pouvoir visualiser la lumière, dans ma tête. Puis, tout devint clair. J'étais allongée sur la dalle de pierre, avec mon corps pétrifié. Puis je vis un groupe de prêtres en robes blanches soulever mon corps et le porter à bout de bras. Ils me portèrent vers un lieu de culte et me mirent debout, comme si j'étais une statue. Ils m'entourèrent d'un tas de signes d'adoration et se mirent à chanter devant cette statue de pierre qui était moi, sauf que je n'avais aucun contrôle sur elle, et j'étais horrifiée de voir qu'on se servait de moi comme une idole, dans le but de perpétuer une autorité spirituelle élitiste.

Tout à coup, les choses devinrent très claires pour moi. Pas étonnant que je me sois toujours sentie responsable de la destinée de tant de gens. Sûrement une des raisons pour lesquelles j'étais mal à l'aise avec l'idolâtrie et l'adoration des fans. Je me sentais tellement mal à l'aise quand on faisait tout un cinéma autour de moi, alors que ça n'était pas mérité.

Le film de mes vies antérieures continua de se dérouler, à travers les siècles. Et cette image de moi revenait : une statue vivante, au service d'une fausse autorité spirituelle; je n'y pouvais rien, parce que je savais, que j'avais accepté, de mon plein gré, de participer à cette expérience bizarre de corps et d'âme en suspension dans l'air. Et, je savais aussi que je devrais payer pour avoir participé à ça. Sans doute, comme dans cette vie présente, je m'étais créé un rôle de pionnière dans le mouvement spirituel de l'Âge d'Or; en défendant la devise monumentale que l'individu est son meilleur guide, et que, aucune autre idole ou image fausse de la spiritualité ne doit être adorée, parce que le Dieu que nous cherchons tous est à l'intérieur de nous, pas en dehors.

Cette séance avec Chris fut très importante pour moi. Je n'avais plus besoin de me sentir coupable en présence des gens négatifs, autour de moi. Je n'avais plus envie, après cela, d'exploser, d'avoir des colères, ou d'accumuler les tensions et les frustrations. Je pouvais, par contre, exprimer ce que je ressentais, tout en travaillant, pendant le tournage. Si j'étais déprimée, ça se voyait. Si j'étais de mauvais poil, je le montrais avec humour, sans en faire un plat.

D'abord, les gens ont été un peu surpris de voir que ma vie émotionnelle n'était pas un modèle de sérénité. Mais en même temps ça les a rassurés. Si je voulais plus de lumière sur mon visage pour montrer mes larmes, je le demandais à Brad. Il appréciait. Si Charles Dance voulait changer une réplique dans notre dialogue, je l'écoutais, mais si ça me semblait mauvais, je ne me gênais pas pour le lui dire. Si Anne Jackson, dans le rôle de Bella, portait une robe qui ne ressemblait pas au personnage, je la lui faisais changer. Par moments, je me demandais si ça ne m'avait pas donné la grosse tête, si on me trouvait encore plus imbuvable, si j'avais oublié ma manière démocratique de travailler. Mais non, c'était différent. C'est comme si je me prenais vraiment en charge, contrairement à la période de mes vies antérieures, où je ne l'avais pas fait.

Le lendemain matin de ma séance avec Chris, une famille de dauphins passa sous la fenêtre de ma chambre. Et au cours de l'après-midi, la douleur dans mon dos disparut. La veille du jour de l'an, Sachi, Colin et moi, sommes allés à une petite fête chez des copains du métier, qui, eux aussi, cherchaient la spiritualité. Nous nous sommes tous assis autour d'une table ovale. Chacun de nous fit passer un cristal et exprima ses vœux pour la nouvelle année. L'honnêteté des participants était évidente, mais quand ce fut mon tour, il y eut comme un malaise. Il faut dire que ce que je racontais était plutôt choquant pour tout le monde. J'ai commencé par dire, en gros, « que j'étais la seule personne vivante dans mon univers ». Ahurissement général... Et puis, j'en ai rajouté délibérément en disant que je me sentais responsable de tout ce qui se passait dans le monde, parce que, après tout, c'est moi qui percevais le monde, dans MA réalité. Et tout ce qui dans le monde éprouvait de la peine, de l'horreur, de la déprime, de la panique, de la terreur, etc., tout cela aussi résonnait en MOI. Si ces aspects et ces personnages faisaient partie de ma réalité, de mon rêve, alors, ils étaient des reflets de moi-même.

Quand les grands maîtres spirituels disent : « Vous êtes l'univers », cela signifie bel et bien que nous créons notre réalité, comme si elle était le reflet de nous-mêmes.

Je sais, à partir de là, on peut raconter n'importe quoi et ça devient surréaliste. Je pourrais m'amuser, et dire que c'est moi qui ai créé la statue de la Liberté, le Ketchup, les Beatles, le terrorisme et la guerre du Viêt-nam. Quant à ce qui se passait dans la tête des autres, ceux qui pouvaient prétendre individuellement à la même chose que moi, c'était une question, à laquelle j'étais incapable de répondre, puisqu'ils existaient dans ma réalité, aussi.

Mon but, en faisant cette déclaration le soir du nouvel an, était de projeter un espoir, de le faire exister, déjà, par les mots. Si je pouvais changer *MA* conception de la réalité, de façon positive, pour cette nouvelle année, il y aurait un *EFFET* positif, et puisque mon vœu était de devenir meilleure, je participerais nécessairement à l'amélioration du monde dans lequel je vivais. Voilà ce que je leur ai raconté. Les gens autour de moi avaient l'air scandalisé. Alors comme ça, la Déclaration d'Indépendance, Marilyn Monroe et la vitesse limitée à quatre-vingt-dix kilomètres à l'heure, c'était MOI? Si je changeais ma réalité, je changeais la face du monde? Je poussais le bouchon un peu loin!... La discussion qui s'ensuivit fut très révélatrice. C'était comme un condensé du monde. Les objections étaient innombrables, mais je les avais poussés à réagir, à ne pas être d'accord, pour mieux voir ce que je n'avais pas encore été capable de résoudre en moi-même. Autrement dit, J'ÉTAIS eux. ILS ÉTAIENT MOI. Tout ça parce que je les faisais jouer dans ma pièce.

On me posa la question classique : « Au fond, je ne faisais rien pour les autres, mais tout pour moi? »

Bien sûr! Quand je donnais à manger à un enfant qui avait faim, je devais être honnête avec moi-même : je le faisais pour moi, parce que ça me faisait plaisir, et que je me sentais meilleure en le faisant. Si l'enfant était plus heureux, MOI AUSSI. Et c'était comme ça que ça devait être.

Comment changer le monde si on ne commence pas par se changer soi-même?

C'était l'essentiel de mes vœux de nouvel an.

CHAPITRE 14

Les vacances de Noël étaient finies et nous avions tous peu dormi, mais j'avais envie de reprendre le travail.

Avec Charles Dance, nous avions terminé la dernière scène qui en réalité correspondait à ma première rencontre avec Gerry, ce qui est typique de la juxtaposition illogique des événements quand on fait un film. Nous avions tourné très tard, le soir. Charles nous fit ses adieux et le Gerry de mon film sortit de ma vie d'un seul coup.

C'est là que devait entrer John Heard, de New York.

John avait exprimé le désir de perdre du poids pour le film. Aussi, je l'ai présenté à Anne-Marie Bennstrom, qui dirige l'Ashram de Calabasas (le centre spirituel de santé le plus rigoureux au monde).

John devait tourner deux scènes avec moi avant de prendre une semaine de congé qu'il passerait à maigrir chez Anne-Marie.

Le premier jour où il est arrivé, l'énergie changea complètement sur le plateau. John était décontracté, spontané, et complètement excentrique. Il avait le genre de personnalité qui, dans le travail, stimule les hommes et réveille les instincts maternels chez les femmes. C'était un acteur exceptionnel, sans aucun doute. Mais, en tant qu'homme, il était tellement farfelu, que d'un bout à l'autre du plateau, on ne parlait que de lui.

Il perdit 5 à 6 kilos en une semaine avec le programme de l'Ashram. Les exercices consistaient en une marche de 15 kilomètres par jour, trois cours de gymnastique traditionnelle, deux séances d'aérobic, une de musculation, et un jogging de 5 kilomètres. Le tout accompagné d'un régime draconien de salade et de yaourt. John était magnifique. Il avait tout un tas d'histoires drôles à raconter sur son expérience et sur la découverte de son corps.

Non seulement John avait réussi à s'arrêter de boire depuis plusieurs mois, mais il était capable aussi de suivre un régime. Il était fier de lui et il avouait ne s'être jamais senti aussi bien dans sa peau. Il commença à apprendre son texte, tout en plaisantant sur sa semaine de régime spartiate avec Anne-Marie, et aussi sur tous ses vieux préjugés à l'égard de la Californie, qu'il avait toujours considérée comme un endroit paumé pour les snobs et les imbéciles. Il ajoutait même que, pour la première fois, il avait vu le moyen d'être spirituellement joyeux en Californie.

Anne-Marie et moi, nous nous sommes félicitées de cette transformation radicale : il avait perdu du poids sans souffrir, et il avait l'air complètement épanoui. Ça, c'était le jeudi. John devait reprendre le tournage au plus tard le lundi matin, avec Anne Jackson et moi.

Samedi matin, Stan m'appela de bonne heure.

– Shirley, dit-il, de sa voix calme et posée, est-ce que tu es assise.

– Oui, dis-je; et je m'assis immédiatement.

– Eh bien, je viens de recevoir un coup de fil de l'agent de John Heard. Il rentre à New York cet après-midi, il abandonne le tournage.

Je faillis m'étrangler avec ma tartine de pain grillé.

– Tu me fais marcher, dis-je.

– Non, dit Stan, c'est la vérité.

– Mais pourquoi? lui demandai-je. J'ai parlé avec Anne-Marie hier. Il a dit qu'il allait très bien et qu'il était fier de lui.

– Je ne comprends pas, dit Stan.

Je regardais l'océan par la baie vitrée. Il n'y avait pas de dauphins à l'horizon et ma douleur dans le dos était revenue d'un coup, comme un visiteur inattendu.

– Bon! je vais aller à l'Ashram pour lui parler, décidai-je.

– Il dit qu'il ne veut pas que tu essaies de le baratiner pour qu'il reste.

– Oh! O.K.! Je vais juste essayer de l'aider à faire ce qui serait bien pour lui. D'accord?

– Je pense que c'est la meilleure chose à faire, répliqua Stan.

– Comment on va faire Stan? On avait prévu de tourner avec lui dans la galerie de peinture lundi, avec Anne et moi.

– Je sais, dit Stan. J'ai déjà contacté le personnel. On commencera par tes scènes avec Anne en attendant de trouver un autre acteur. Alors, en ce moment, pour trouver un acteur disponible, ça va être dur... Mais tu nous as bien dit que ce projet était protégé par tes guides, non?

Et vlan! Dans les dents! Qu'est-ce que je pouvais répondre à ça?

– Ouais! lui dis-je, ce projet est guidé. Alors on va sûrement trouver une solution.

– Probablement un retard d'une semaine sur notre planning et quelques centaines de milliers de dollars de plus à trouver pour notre budget.

– T'es devenu vachement terre à terre toi depuis quelque temps, m'écriai-je.

Stan se mit à rire.

– Et si je ne le suis pas, qui va l'être? dit-il avec bonne humeur.

Je réfléchis un moment.

– Écoute, Stan, qu'est-ce que tu paries qu'il ne partira pas aujourd'hui?

– Avec quel fric tu veux parier? dit-il. Il ne nous restera plus rien pour tourner.

– Je ne sais pas, moi. On peut parier un bon repas. J'y vais tout de suite. Salut.

Je raccrochai. J'hésitai : est-ce qu'il vaudrait mieux que j'appelle John pour lui dire que j'arrivais, ou bien, est-ce que j'allais me pointer sans le prévenir et courir le risque de le rater s'il avait pris un autre avion?

Je lui téléphonai. Il répondit aussitôt.

– Salut, dit-il. Je suis désolé, mais je ne peux pas faire ce film.

– Ouais! John, je lui dis. Mais pourquoi?

– Parce que ma vie a changé ici. A tel point que je dois rentrer à New York pour tirer tout ça au clair.

Je ne m'attendais pas à cette réponse.

– Tu vis donc dans un tel pétrin? lui demandai-je, perplexe.

– Oui.

– Mais, tu vas pas quitter le film comme ça, en plein milieu. Enfin, moi je veux que tu fasses ce qui est vraiment bien pour toi.

– S'il te plaît! N'essaie pas de m'influencer, dit-il en me suppliant. C'est justement parce que tu as été tellement sympa avec moi, tellement tendre, chaleureuse, et compréhensive que je sens que je dois le faire.

J'étais stupéfaite.

– Oh! John, dis-je. C'est très gentil de dire ça.

– Oui, alors merci, dit-il.

– Je n'arrivais pas à y croire, mais je lui dis : « Non, merci à TOI. »

Alors, voilà un type qui me larguait en plein tournage, et je lui disais merci parce qu'il me disait merci de bien vouloir le laisser partir au milieu de mon film...

– Hé! John, je réussis à articulier. Est-ce que je peux venir te parler?

– Bien sûr, dit-il, mon avion ne part qu'à 6 h 30. Et rappelle-toi, je ne le raterai pas.

On aurait cru un touriste qui avait quelques heures à perdre avant la prochaine escale.

Je raccrochai et secouai la tête. Est-ce que je rêvais ou quoi? Je m'habillai et pris la route de l'Ashram. Il n'y avait que John. C'était dimanche et le reste des pensionnaires s'était tiré. Il était assis sur la véranda, dehors, avec un jus d'orange. J'avançai vers lui. Il était nerveux, comme s'il attendait que je le punisse. Je l'embrassai. Il était tellement attendrissant qu'on ne pouvait pas s'empêcher de lui manifester de l'affection. Je lui tapotai l'épaule, il tapota la mienne. Il me demanda si je voulais du jus d'orange. Je lui dis : « Non merci. » Il s'assit et me regarda.

– Je viens de passer le week-end le plus heureux de ma vie, dit-il. C'était dur, mais j'étais heureux.

Je calculais mon angle d'approche.

– Il y a des tas de gens, commençai-je, qui suivent le programme de l'Ashram et ne s'en sortent pas aussi bien que toi. Félicitations.

Il me sourit timidement et dit : Merci.

Par où commencer?

– Alors comme ça, tu ne veux pas montrer ton beau corps svelte à l'écran?

Il me lança un regard terrifié.

– Je n'aime pas la scène du bain minéral, dit-il, je ne veux pas être tout nu.

– Oh! dis-je, pensant que je tenais enfin quelque chose de concret. « Le règlement prévoit que nous gardions nos vêtements dans les scènes de baignade comme celle-ci. »

Il me regarda d'un air soupçonneux :

– Alors, comme ça moi je saurai que je triche?

J'allais devoir ruser.

– J'ai quitté l'équipe de basket du lycée en plein milieu de l'année, tu sais! dit-il.

– Vraiment? Je me demandais où il voulait en venir.

– Ouais. En réalité, l'entraîneur m'a viré parce que je flirtais avec une fille, alors je me suis tiré. Mon père a essayé de m'obliger à faire des excuses et à y retourner, mais moi, j'ai pas voulu. Y avait rien à faire.

Je n'avais pas la moindre idée de ce qui se passait dans sa tête. Je pouvais imaginer le gymnase avec John en short de satin bleu en train de dribbler avec le ballon, devant une minette aux yeux bleus, comme je l'étais à ce moment-là.

– Je suis allé voir l'entraîneur pour me faire réintégrer dans l'équipe, mais comme c'était mon vieux qui me l'avait demandé, je l'ai pas fait.

Hummm, O.K., ça, je comprends, me dis-je.

– J'suis pas un acteur de cinéma, moi, dit-il. J'veux pas qu'on me reconnaisse.

Je me demandais s'il essayait de me tester ou s'il était vraiment sérieux.

– Je me souviens, dit-il, le jour où j'ai vu mon nom dans le journal du matin, comme quoi j'étais célèbre, et tout... J'ai détesté ça. Encore maintenant.

A ces mots, John craqua et se mit à pleurer. Il souffrait vraiment à la pensée d'être célèbre. Pourtant c'était un comédien. En réfléchissant rapidement à la situation, je compris qu'il ne voulait pas faire ce film parce qu'il serait vu à la télévision par des millions de gens, et que pendant une semaine ou deux son nom serait sur toutes les lèvres, ce qui détruirait son besoin d'anonymat. Je l'entourai de mes bras et le laissai pleurer. Avec lui, on ne pouvait pas contrôler l'instinct maternel. Finalement, il se redressa sur sa chaise. Il but du jus d'orange.

– Tu sais, continua-t-il, mon dentiste est un de mes amis. Il m'a soigné une dent et il veut les 1 000 dollars tout de suite. Tu parles d'un ami, hein?

– J'imagine que c'est un ami qui a le sens des affaires, dis-je.

– Ouais, sûrement, dit John d'un air sarcastique. « Un chouette copain. »

– Ouais! dis-je, mais il gagne sa vie comme dentiste, non? Tout comme nous comédiens.

J'essayais de ne pas perdre de vue mon sujet.

– Tu vois, avec quelqu'un d'autre que toi, je ne pourrais pas partir comme ça, dit-il d'un air rassurant.

– Et pourquoi?

– Parce que t'es tellement gentille et compréhensive. Tu n'es pas en colère contre moi. Il n'y a pas de rancune ou de ressentiment en toi. Pourquoi tu ne te présentes pas aux élections présidentielles?

Je n'en croyais pas mes oreilles.

– Eh bien, figure-toi, justement parce que j'ai un film à faire.

– New York renforce les pensées négatives et la peur, dit-il, logiquement; il faut que j'arrête de faire ce que les autres décident pour moi. Comme par exemple, mon agent et ma petite amie, qui sont en train de discuter de mon comportement, derrière mon dos. Autrement, je n'ai plus qu'à m'asseoir et les écouter parler sans comprendre pourquoi je peux partir.

– Heu-heu! dis-je essayant de trouver un argument percutant.

– Tu vois, me dit-il d'un air de défi, personne ne m'écoute.

C'est alors qu'Anne-Marie entra.

– Alors, John, dit-elle joyeusement, comment tu te sens maintenant?

Il leva les yeux vers elle.

– J'ai pris la bonne décision, dit-il.

– Oui, dit Anne-Marie, tu as l'air de savoir ce que tu veux.

Je lui lançai un regard surpis. De quel côté était-elle?

Anne-Marie entoura John de ses bras et lui passa la main dans les cheveux.

– Tu es content de ta décision? demanda-t-elle? Je veux dire, tu es prêt à affronter les gens d'ABC, leurs avocats et tout l'argent que ça va te coûter en procès?

Le visage de John se durcit.

– Je m'en fous. S'ils veulent ma peau, qu'ils viennent la chercher... Qu'ils viennent avec leurs huissiers et me piquent tout ce que j'ai. J'irai vendre des hot-dogs au coin de la rue, ça m'est égal...

Et il ajouta pour couronner le tout :

– Je me réserve le droit d'être un raté.

O.K. Ça c'est le bouquet, pensai-je.

Anne-Marie se mit à rire.

– Tu peux le dire, c'est bien ton droit en effet. Puis elle ajouta :

– Après tout, on joue tous un rôle. Tu es comme tout le monde. Mais au fond de toi, est-ce que tu veux vraiment être un raté ?

John pencha la tête.

– Tu veux dire, la vraie vérité vraie ? demanda-t-il.

– Oui, dit Anne-Marie, insistant lourdement : Est-ce que tu es sûr que ton choix est le bon ? Que c'est ce que tu désires véritablement ?

John dit sans réfléchir, comme un petit garçon têtu :

– Oui !

– Alors, dit Anne-Marie, tu viens d'un endroit parfaitement pur, où les actions découlent directement de la pensée. Ta pensée vient de Dieu. De toute façon, nos corps ne sont que de la pensée coagulée, alors si tu t'en vas d'ici avec ton corps et ta « pensée coagulée » sous le bras, on pourra dire que tu agis en accord avec ton intégrité personnelle, selon le bon vouloir de Dieu qui est en Toi.

John était sans voix.

– Et, continua-t-elle, si tu dois changer ta vie et que cette semaine ait servi de catalyseur.

« Alors, fais-le !

– Oui, dit John, je dois virer des gens.

– O.K., dit-elle, vire qui tu veux. J'espère seulement qu'il te restera assez de munitions quand les super-avocats blindés vont se mettre à te tirer dessus.

John me regarda.

– Elle n'est pas en train de parler des procès et tout ça, non ?

– Moi, dis-je, je n'y connais rien du tout. C'est pas mes oignons ! Je veux seulement que tu joues le rôle. J'AI BESOIN de toi pour ce rôle et ça me fait de la peine pour toi que tu ne t'aimes pas assez pour être consistant et tenir tes engagements.

J'étais surprise de sentir les larmes me monter aux yeux. John le vit immédiatement. Je décidai consciemment de les laisser couler, sans me retenir.

Je me levai.
– Je t'aime, dis-je. Et l'amour est ce qui te manque, dans la vie. Tu es un acteur brillant. Mais fais ce que tu dois faire. Pourtant je vais te dire une chose. On n'a pas encore vu le troisième acte. Toi seul sais ce qui va se passer.
John se leva et m'embrassa.
– Merci, dit-il timidement.
– Tu vas vraiment prendre cet avion? Tu es sûr de ne pas être là lundi pour le tournage?
Il me regarda comme s'il s'entraînait à avoir l'air ferme et tenace.
– Oui. C'est comme ça, dit-il.
Je sortis. J'étais contente de ne pas avoir fait un pari extravagant avec Stan. Je m'arrêtai près de la valise de John à la porte. Je sortis une feuille de papier de mon sac et j'écrivis : « N'oublie pas le basket. Laisse pas tomber maintenant. » Je mis le papier sur sa valise et m'en allai.

L'impression de Colin sur le départ de John était qu'« il fuit ses responsabilités », celle de John, c'est :
– J'agis de façon autonome pour la première fois de ma vie. La mienne était : il va revenir. Anne-Marie, qui avait passé la semaine avec lui, pensait : « Il sait ce qu'il fait. » Stan harcelait tous les agents de la ville pour trouver un remplaçant.
J'appelai Kevin Ryerson et Jach Pursel pour leur demander de consulter leurs entités. La réponse, des deux côtés, fut qu'il y avait de grandes chances pour que John revienne dans les quarante-huit heures. Anne-Marie m'appela pour me dire la même chose.
– Est-ce que tu veux encore de lui malgré tout? me demanda-t-elle. Il recommencera peut-être au Pérou.
Oui, c'était lui que je voulais. C'était lui qui devait jouer le rôle, non seulement pour le film, mais pour lui aussi.
Les entités spirituelles semblaient d'excellent conseil quand il s'agissait de faire face à une crise d'ordre professionnel.
Deux jours plus tard, nous étions toujours sans nouvelles de John Heard. La presse commençait à nous harceler. Stanley fit preuve de finesse en ne dévoilant rien, notamment au sujet de nos entités spirituelles. Le troisième jour, j'appelai Bill, l'agent de John.
Il me dit qu'il venait tout juste de mettre la main sur John,

car celui-ci avait depuis son retour à New York passé tout son temps à faire des haltères dans une salle de gym. Il me raconta que John envisageait d'épouser Mélissa parce qu'il croyait que nous avions déjà engagé un autre acteur. Il lui avait dit également qu'il était désolé d'avoir mis la pagaille dans notre planning et d'avoir fait de la peine aux gens, mais qu'il n'était qu'un petit acteur de rien du tout, à New York, et qu'on pouvait le remplacer du jour au lendemain. Apparemment, il n'avait pas aimé son premier jour de tournage et il ne se croyait pas capable d'interpréter le rôle de David.

J'écoutai Bill sans rien dire. Puis il me raconta qu'ABC avait menacé de faire un procès à John et de le mettre sur la paille s'il ne revenait pas. Je comprenais mieux pourquoi les entités avaient raison.

– Est-ce qu'il y a une chance que vous repreniez John? demanda Bill.

Je savais que John reviendrait dans moins de quarante-huit heures.

Après une nuit blanche passée en coups de fil entre John, Mélissa, Stan, et moi, John finit par dire :

– Bon, alors heu, je vais pas militer pour les démocrates chrétiens, mais je vous vois tous tellement malheureux que vous me tuez avec votre gentillesse, et, les mecs d'ABC veulent ma peau avec leurs procès, alors, si vous voulez toujours de moi, c'est bon, je reviens.

– Tu peux en être sûr, dis-je, et je t'attends à 6 heures du matin, c'est-à-dire dans une heure, pile. Amène Mélissa avec toi. On va vous faire faire une camisole de force pour vous empêcher de repartir!

John se mit à rire; il avait l'air soulagé de voir que nous avions compris quel genre de phénomène il était. Ce qui m'intriguait le plus, c'est que John Heard était un peu comme un Coluche de charme. Il avait le culot de dire et de faire ce que chacun d'entre nous rêvait de faire, mais n'osait pas, pour des raisons de convenances sociales. Il pouvait être grossier, vulgaire, choquant dans ses propos, et il s'en foutait complètement. Si un jour on lui faisait jouer à l'écran son propre rôle, c'est sûrement lui qui aurait les rires, la sympathie et le succès auprès du public. En examinant mon propre personnage, je me demandai si je me trouvais assez bien pour faire un bout de chemin avec ce rôle-là. La réponse fut la suivante : c'est une femme plutôt sympa, curieuse, sincère et pleine de bonnes intentions, mais on pourrait lui ajouter un peu de fantaisie par rapport à la folie et à la violence environnantes.

Visiblement, John Heard allait pouvoir m'en donner une leçon.

Après le travail, ce soir-là, je suis allée à Hollywood pour voir le film tiré de *A CHORUS LINE*. Il faisait doux quand je suis sortie du cinéma et le film me rappela mes débuts de danseuse. Je m'arrêtai au coin d'une rue adjacente, en regardant le ciel étoilé. Est-ce que j'avais écrit le scénario de ma vie avant ma naissance, comme certains maîtres le prétendent.

Est-ce que j'avais choisi la dure discipline de la danse, mes relations avec Alfred Hitchcock, le sourire à travers les larmes, à l'écran. Est-ce que j'avais décidé de devenir un instrument de communication, et d'avoir toutes ces aventures autour du monde, en politique, dans le domaine de l'écriture et dans le domaine spirituel? Est-ce que ma passion pour les métiers du spectacle avait ses racines dans l'intuition que j'avais depuis toujours, d'avoir écrit le rôle de ma vie, bien avant de pouvoir l'interpréter physiquement, sur la scène de notre planète terre? Peut-être John Heard faisait-il son entrée maintenant, au bon moment, pour interpréter le rôle que j'avais écrit pour lui dans MON script? Et si c'était MON script, alors son personnage représentait sans doute un aspect de moi?

En marchant dans la nuit suave d'Hollywood, je me disais que je me trouvais en plein cœur du plus célèbre royaume de l'illusion. Or pour moi, les illusions créées sur scène et au cinéma étaient des réalités, pas des faux-semblants. Quand j'étais absorbée par un travail passionnant, rien d'autre n'existait. J'oubliais ma « vraie » vie et je **vivais** une autre aventure. Je ne la « jouais » pas. Est-ce que finalement, dans ce que nous appelons la vraie vie, ici et maintenant, sur terre, nous n'étions pas victimes de la même illusion? Tout n'était peut-être qu'une question de « regard », de cadrage, d'angle, de focus, de distance et de recul?

Tout en marchant, je me demandais si la notion de « vies successives », de réincarnation linéaire, était une simplification de la vérité. Quel rôle jouait donc le TEMPS, la DURÉE, dans ma réalité?

Einstein a dit que la notion de temps n'a rien à voir avec le temps que nous mesurons. Les maîtres spirituels confirment ce concept. Ils disent que le passé, le présent et l'avenir se confondent. En choisissant un temps linéaire, nous essayons d'appréhender certains aspects de l'infini.

Je pensais à mon corps. Il existait dans sa totalité. Je ne pouvais être consciente d'un aspect de mon corps que si je me concentrais, par la pensée, sur tel ou tel endroit. Par exemple, mon gros orteil n'était important que si j'y pensais précisément. Et si quelqu'un marchait dessus, là il prenait toute son importance.

C'était peut-être ce que nous faisions tous dans la vie, en choisissant spécifiquement tel aspect plutôt que tel autre, en recevant des leçons spécifiques pour chacun de nous, à un moment donné. Après tout, les rêves étaient peut-être réels, de même les visions, les fantasmes?

Quand j'avais des prémonitions, je me branchais peut-être sur une réalité « alternative » que je pouvais seulement définir comme étant « le futur », mais en réalité, les deux existaient en même temps la vision présente, et la situation future. Quand on avait eu l'impression d'un « déjà vu », nous n'étions peut-être pas en train de voir quelque chose du futur ou du passé, mais nous passions peut-être dans une autre dimension du temps, et de la totalité, en regardant dans un autre objectif, braqué sur un autre aspect du tout, comme lorsque je me concentrais sur mon gros orteil.

Ainsi la vie était peut-être une histoire de mesure de temps, analogue au cinéma qui souligne les temps forts et les événements marquants d'une vie.

Quand les gens comme nous font des films, nous créons le scénario que nous voulons voir sur l'écran. On sait que les meilleurs films respectent la loi du Karma : Le méchant est puni, tôt ou tard. Les sujets qui intéressent le public sont ceux qui le touchent le plus, et avec lesquels ils peuvent s'identifier. Ils souffrent avec le héro et l'héroïne parce qu'ils se voient en héro et en héroïne de leur propre drame. Et les seconds rôles suivent le même processus.

Et même si tout le monde sait d'avance comment le film va finir, nous faisons tous comme si nous ne le savions pas, nous les acteurs, et eux, les spectateurs. Nous arrivons à juger notre compétence dans la mesure où le public marche dans la combine, croit à nos trucs de magiciens et de saltimbanques.

J'oubliais mon doigt de pied, en réfléchissant à tout ça, sous les palmiers et les étoiles.

Nous sommes sur terre pour apprendre, pour faire des expériences, et tous les événements que nous créons pour nous-mêmes ont un même but : savoir, connaître, apprendre, expérimenter. Une fois « de l'autre côté », je m'apercevrais sûrement que j'avais créé moi-même le décor, les personnages, et l'action à cause de ce besoin inné d'expérience. Certains choisissent une vie pleine d'action et de drames; d'autres choisissent la comédie; certains évoluent en choisissant l'aventure; et d'autres choisissent de se contempler en restant chez eux. Les choix et les combinaisons sont infinis, comme au cinéma.

Quelque chose en moi a toujours su que mon destin était déjà inscrit. Cette partie, je l'appelle le sur-moi, et je ne donne pas à ce mot un sens philosophique. C'est la partie de mon âme qui, d'un côté est plus ou moins « contenue » dans Shirley, et reliée par un fil invisible, une ligne téléphonique spatiale, à la source divine. Nous sommes tous que nous en soyons conscients ou non, téléguidés, comme des avions, par ce sur-moi qui possède la connaissance. C'est lui qui a choisi mes relations, mes drames, mes épreuves, mes joies, en espérant que je réussirais à en savoir plus, et à mieux comprendre pourquoi et comment tout cela m'arrivait. Mon sur-moi, ma petite boîte de téléguidage ne se contentait pas de provoquer les événements de ma vie présente, je sentais qu'il pouvait créer des situations en d'autres lieux et d'autres temps que celui où je vivais.

En devenant plus consciente et plus proche de mon sur-moi, j'arriverais mieux à comprendre la totalité, la somme, de ce que j'étais.

L'énigme de la vie commençait toujours par le « Connais-toi, toi-même ». Dans cette connaissance, résidait la clé de l'harmonie, de la paix intérieure, et de l'équilibre.

Je réfléchissais tout en marchant. J'essayais de respirer en pensant à l'énergie des étoiles, comme si je pouvais la sentir, l'intercepter. Je leur appartenais, et elles m'appartenaient.

Par conséquent, moi, maintenant dans cette rue, sur cette terre, je ne pouvais ressentir qu'un tout petit aspect de moi. Il y avait là de quoi être perplexe, et curieux. Une Shirley pouvait en cacher beaucoup d'autres. J'étais « davantage » que ce que je connaissais de moi. Là était la grande vérité. Si j'avais créé ma propre réalité, dans une dimension que je ne comprenais pas, alors du même coup, j'avais créé tout ce que je voyais, touchais, sentais, entendais, goûtais; tout ce que j'aimais, haïssais, respectais; tout ce qui m'attirait et me répugnait. J'étais donc responsable de tout ce qui existait dans ma réalité. Si c'était vrai, alors j'**étais** tout, comme les textes anciens le disent. J'étais mon propre univers. Est-ce que cela pouvait signifier que j'avais créé Dieu, la Vie et la Mort?

Je frissonnai, envahie tout à coup par une sensation de solitude. Est-ce que c'était cela que décrivaient les grands maîtres spirituels dans ce sentiment terrassant de solitude qui précède la reconnaissance du pouvoir, étonnamment illimité, qui est en chacun de nous? Est-ce que c'est ça l'essentiel? Est-ce qu'on s'est choisi chacun notre lot de tragédies et de triomphes, pour mieux mesurer notre pouvoir? Si on peut créer assez de forces négatives, par nos paroles, nos pensées, nos actions pour déclencher des guerres, alors on doit être capable de créer une polarité positive. En assumant notre pouvoir, on est proche de ce que l'on appelle la force divine.

Est-ce que la recherche de Dieu est inutile sous prétexte qu'il est à l'intérieur de moi? Est-ce que Dieu est en chacun de nous? Est-ce que la connaissance de soi vaut la peine d'être entreprise, si on s'aperçoit que tout ce qu'on y trouve, c'est nous qui l'avons créé? J'ai marché des heures sous les étoiles. Il y avait comme une roue immuable qui tournait dans ma tête. Est-ce que j'avais créé tout ça, ou bien est-ce que cela m'avait créée, moi? Comment le prouver? Mais puisque ma réalité dépendait de ce que je ressentais et percevais, alors autant faire le choix. C'était MOI qui décidais de la manière dont j'allais le vivre. Alors, du point de vue de la vérité, qu'est-ce que ça changeait? Je CHOISISSAIS la manière dont j'allais faire l'expérience de ma vie.

CHAPITRE 15

Avant que John retourne en Californie, nous avons tourné la séance de spiritisme entre Kevin et ses entités. Kevin avait dirigé beaucoup de séances de travail, mais je ne crois pas que, même lui, ait été préparé à jouer son propre rôle.

Il est venu chez moi, et nous avons répété notre texte, tard dans la nuit. Kevin est un homme équilibré, pondéré, mais quand j'ai commencé à jouer le personnage que j'étais dix ans auparavant, il a eu énormément de mal à s'ajuster à la transformation qui s'était opérée en moi. Son regard devenait confus, comme si mon personnage de femme sceptique était une trahison pour la personne croyante que j'étais devenue. Autrement dit, il « croyait » vraiment que je mettais en doute son rôle de médium. J'avais beau lui dire que je jouais la comédie, ma sincérité d'actrice le troublait. Les êtres spirituels connaissaient leur texte, mais Kevin avait des problèmes avec le sien.

Le matin du tournage, il faisait beau. Les gens de l'équipe se demandaient ce qui allait se passer. Brad avait installé trois caméras pour plus de sécurité, et pour faciliter le montage.

Kevin et moi avons d'abord relu notre texte. Il décida de ne pas entrer en transe avant que les caméras commencent à tourner.

Butler décida de diriger Kevin tel qu'il était en réalité, c'est-à-dire détaché, neutre et sans aucun signe d'hystérie. Kevin acquiesça. L'équipe regardait Kevin attentivement, parce qu'ils savaient que dans quelques instants il entrerait en transe, et que les entités parleraient par sa bouche, ce qui, pour certains membres de l'équipe, signifiait que Kevin jouerait la comédie. Mais ils le trouvaient sincère, attentif, plein de bonne volonté et désireux de bien faire son travail. Kevin devait aussi apprendre à faire du cinéma, littéralement du jour au lendemain.

Les caméras étaient prêtes. La scripte, Kisuna, s'installa à côté des caméras pour prendre des notes sur le déroulement de l'action. Les éclairages étaient prévus pour que les trois caméras tournent sur Kevin en même temps. La scène était filmée derrière mon dos, comme si je regardais Kevin. Ils me filmeraient plus tard. Le preneur de son avait une double réserve de bande, et le service de sécurité veillait à ce que le bruit à l'extérieur de la maison ne soit pas trop fort.

Les décorateurs avaient tendu le living-room d'un bolgnole [1] pour cacher complètement la lumière du jour, la scène ayant lieu la nuit dans le film. A l'intérieur il faisait une chaleur à mourir.

Par moments, pendant les séances de spiritisme, l'énergie des entités peut provoquer des fréquences électromagnétiques dans le matériel électrique et les batteries. Comme cela s'est produit en Suède avec Ambres. Je me demandais ce qui allait se passer avec nos caméras.

Jack Pursel était venu en ville pour nous voir, pour être avec Kevin, lui soutenir le moral et « l'esprit » en quelque sorte. Il était sur le plateau avec nous. Je ne dis à personne que c'était le métier de Jack, d'entrer en communication avec les esprits, parce que avec un médium ils flippaient déjà, mais deux!... ça aurait été trop. Aussi, Jack se tint discrètement derrière les caméras, près de Colin qui n'en revenait pas de voir que toute cette histoire allait être filmée pour de bon.

L'équipe était remarquablement calme. Leur attitude avait complètement changé depuis les premiers essais. Les cameramen et les techniciens du son et de la lumière étaient intrigués parce qu'ils savaient que l'énergie électrique risquait d'être perturbée alors que les gens de la production, les maquilleurs, coiffeurs, machinos et accessoiristes se demandaient pourquoi Brandon Stoddard et ABC dépensaient des millions de dollars pour tourner ce genre d'histoire abracadabrante.

Kevin s'assit en face de moi. Il transpirait sous les lumières. Tina, la chef maquilleuse, lui essuya le visage. Je me demandais ce qu'elle éprouvait. Elle jeta un coup d'œil oblique sur Kevin et retourna à sa place derrière la caméra. Je la vis échanger un regard hostile avec Kisuna. Je ne comprenais pas. J'avais remarqué que Tina avait fait deux ou trois remarques au sujet de Kisuna sur le plateau, mais j'avais mis ça sur le compte de la tension normale entre deux prises. Tina était une petite blonde, avec une forte personnalité, et c'était une « pro » qui pouvait

1. *Nom donné à un drap noir utilisé au cinéma pour créer des nuits.*

être parfois un peu dure avec les gens complexés. Je le voyais, parce que je suis comme ça moi aussi. Elle dirigeait toute l'équipe de maquilleurs et de coiffeurs, et c'était une responsabilité qu'elle assumait parfaitement, en ne supervisant jamais le travail des autres, du moment qu'on ne venait pas lui en remontrer. Chacun sa place et son boulot.

Pendant que Kevin entrait en transe, je me demandais ce que pouvait bien signifier le duel entre Tina et Kisuna. Un plateau de cinéma est comme une microsociété, avec des chefs et des subalternes. Il y a les gens qui ne peuvent pas se passer du pouvoir, et d'autres qui font leur travail parce qu'ils aiment ça, tout simplement. Comme les jobs sont très difficiles à décrocher dans ce milieu, la loi de la jungle et du plus fort est inévitable. Chaque membre d'une équipe comme la nôtre est complètement professionnel, et chacun surveille le professionnalisme des autres. Ce qui est intéressant, c'est de voir comment chacun supporte les erreurs ou les fautes professionnelles de ses collègues. Personne ne veut être responsable du renvoi de quelqu'un, pourtant ils savent tous que la chaîne d'une équipe n'est solide que par son maillon le plus faible. Et il y a toujours, sur un plateau, un sous-fifre payé par la production pour jouer le mouton, le cafteur, l'espion de service, qui est au courant de tout ce qui se passe et qui fait son rapport quotidien. C'est ça, le cinéma.

Personne, parmi les gens qui s'occupent de la production, n'arrive à la cheville d'un technicien éclairagiste, en matière d'expertise artistique.

En les regardant se préparer pour notre scène, je m'apercevais une fois de plus que, eux au moins, se donnent tous les moyens pour assurer une bonne prise, alors que nous autres, acteurs, sommes les moins préparés parce qu'on ne nous donne jamais assez de temps pour faire mieux. Nous pouvons répéter dans nos caravanes, mais ce n'est pas la même chose quand on est au pied du mur, avec tout le personnel de plateau et que nous devons nous préoccuper en même temps de l'angle des caméras et des lumières, des accessoires et des gestes que nous devons faire.

On est gêné quand on demande un peu plus de temps pour entrer dans le rôle et nous habituer à tous les aspects techniques pour bien le jouer.

Un cameraman peut arrêter une prise parce que les acteurs

sont entrés dans une zone d'ombre. Une maquilleuse peut passer vingt minutes à refaire un maquillage pendant que tout le monde attend. Mais si un acteur s'arrête et dit : « Attendez une minute, je le sens pas encore », tout le monde croit qu'il fait un caprice de prima donna.

C'est pour cela que je demandai à Kevin, s'il était mal à l'aise, d'exiger une autre répétition s'il ne savait pas bien son texte. Mais il était tellement coopérant que, tout comme nous, il sentait que les cinquante personnes de l'équipe, qui attendaient, et qui étaient prêtes, étaient beaucoup plus importantes que le public qui vient nous voir, nous – les acteurs sur l'écran.

Kevin ferma les yeux et commença à respirer profondément. Les caméras tournèrent. Le clapman envoya le signal de départ pour la prise. Je regardai tout le monde sur le plateau; ils étaient à la fois soupçonneux et magnétisés. En quelques minutes « John » se manifesta et commença par me dire bonjour, comme si c'était la première fois que nous parlions ensemble, et conformément au script.

Un photographe engagé par le service publicitaire d'ABC prenait des photos avec un silencieux sur son appareil pour ne pas déranger le preneur de son.

Brad et les cameramen étaient cloués sur place d'étonnement en voyant la personnalité de Kevin changer complètement. Ils écoutaient d'un air tendu le langage biblique qui sortait de la bouche de Kevin.

Lorsque « John » eut terminé son intervention, ce fut le tour de « Tom McPherson ». Il demanda immédiatement qu'on lui bande les yeux et se leva. Le cadreur s'adapta aussitôt au changement de mouvement. Tom marcha autour de la pièce jusqu'à un petit placard encastré dans le mur et il en sortit un mazagran en verre. Puis, les yeux soigneusement bandés, il versa du thé dans la tasse à environ trente centimètres en dessous de la théière. Il dit qu'il voyait une lumière aquatique. L'équipe n'en revenait pas, car il n'avait pas renversé une seule goutte de thé. Moi aussi, j'étais sidérée. Il se dirigea vers la cheminée et, toujours avec son bandeau sur les yeux, il sortit un tisonnier de derrière un fauteuil et commença à remuer les braises tout en disant son texte. Le cadreur réajusta son focus. L'équipe était bouche bée d'étonnement. « Tom retourna » à sa position initiale, dans le fauteuil, acheva de réciter son texte, et quitta le corps de Kevin pour que « John » puisse revenir et terminer la scène.

Quand la scène fut bouclée et que Butler eut crié « coupez », « John » me regarda et dit :

– Est-ce que c'est terminé ou bien est-ce que vous désirez savoir encore autre chose?

Je regardai l'équipe. Les caméras et les lumières semblaient fonctionner tout seuls.

– Est-ce quelqu'un a quelque chose à demander à « John ou à Tom » pendant qu'on est là? je leur demandai.

– Personne ne dit rien? Finalement Stan me dit : « Demande-leur comment le film sera reçu quand il sortira. »

Je me tournai vers « John ». Il réfléchit un moment.

– Ça changera certainement quelque chose dans la conscience de ceux qui le verront, dit-il.

Je m'approchai.

– C'est tout? demanda « John ».

– Oui, dis-je, sauf une dernière chose.

– Oui? dit-il, en penchant la tête pour écouter ma question.

– Il y a des gens dans l'équipe qui se demandent si vous et « Tom » accepteriez de répondre à nos questions après le travail. Mais seulement si Kevin n'est pas trop fatigué.

– Oui, dit « John ». De toute façon, le subconscient de notre médium est saturé pour le moment. Nous suggérons une période de repos avant notre réunion de ce soir. L'équipe murmura « merci... merci. » « John » s'en alla et Kevin redevint conscient.

L'équipe applaudit. On savait tous qu'on venait d'assister à un événement cinématographique.

Mais tout n'était pas aussi facile. Du moins pour moi. Quand les caméras se tournèrent vers moi pour que je joue mon rôle dans la scène, il fallut prendre une décision par rapport à la fatigue de Kevin. Est-ce qu'on allait le faire repartir en transe pour que les entités me donnent la réplique?

Kevin était épuisé et les « entités » n'arrivaient plus à communiquer avec le subconscient de Kevin (là où le texte était mémorisé). D'autre part, il ne pouvait pas rester assis là, et jouer le rôle des entités, parce qu'il ne savait pas ce que « John » et « Tom » avaient dit A TRAVERS lui, ni ce qu'ils avaient fait. Et quand on essaya de lui faire jouer ce rôle, il était tellement drôle que je ne pouvais pas lui donner la réplique. Alors, finalement, j'ai décidé de faire ce que je fais quand je me trouve en face d'un acteur qui n'a pas envie de me donner la réplique pour un gros plan. Je récitai mon texte en face d'un mur blanc pendant que Kisuna, la scripte, me récitait celui des « entités ».

Plus tard, dans la soirée, après le tournage, certains membres de l'équipe restèrent pour assister à la séance promise par Kevin.

Je demandai s'il y avait des volontaires parmi les chauffeurs des camions. La plupart déclinèrent mon invitation avec des « non merci, c'est trop bizarre tout ça », inscrit sur leur visage.

Puis, juste au moment où la séance allait commencer, Sachi et Simon entrèrent avec une petite boule de peluche blanche dans un panier, un petit machin laineux et frétillant avec des yeux noirs comme des billes. C'était un bébé chien esquimau américain, comme celui que j'avais admiré dans une maison où on avait tourné. Simon me l'offrait en guise de cadeau de Noël tardif. Le chiot mit tout le monde à l'aise et la femme qui nous prêtait sa maison insista pour le tenir. Elle disait que ça la calmait.

Sachi avait un rendez-vous, mais Simon resta pour assister à la séance.

Tout le monde s'installa par terre et le long des murs au pied de Kevin. Il y avait beaucoup de respect dans leur attitude, comme s'ils savaient qu'ils étaient en présence d'un phénomène qu'ils admettaient, mais qu'ils ne pouvaient pas vraiment comprendre. Ils me regardaient comme si j'étais capable de rendre anodines des choses extraordinaires. Ils me voyaient dans mon élément, celui qui m'avait poussée à écrire le livre et le script. Ils savaient que j'étais des leurs, mais que je faisais également partie de « l'autre monde », comme ils disaient.

Je m'assis à côté de Kevin. Kisuna s'assit plus loin à ma droite. Tina s'assit en face sur le canapé à côté de Jack Pursel, qui avait l'air d'apprécier la technique d'un collègue médium. Je me rendais compte que Jack avait équilibré les énergies sur le plateau grâce à la sienne, tandis que certains membres de l'équipe perdaient un peu les pédales au moment où les entités prenaient possession du corps de Kevin.

Cynthia, la propriétaire de la maison, tenait le chiot

– Shinouk – sur ses genoux. Certains buvaient, d'autres fumaient, ou s'imprégnaient tranquillement de l'atmosphère spirituelle.

Kevin expliqua le procédé avec beaucoup plus de détails que dans le script. On lui demanda quel était le genre de question qu'il valait mieux poser. Il dit presque tout. Kevin profita de la présence de Shinouk pour expliquer que les animaux se réincarnent également, mais toujours sous la forme d'animaux et non pas, comme certaines religions le prétendent, sous forme d'êtres humains. Ils appartiennent à un groupe d'âmes collectives et sont avec nous, êtres humains sur terre pour des raisons de karmas, qui ont à voir avec des expériences que nous avons eues avec eux dans des vies précédentes. Moi, par exemple, j'ai eu cette impression dès que mes yeux se sont posés sur Shinouk.

Puis tous les gens qui étaient là s'assirent respectueusement en silence pendant que Kevin entrait en transe, pour répondre à nos questions.

Quand « Tom » se manifesta, plusieurs personnes lui posèrent des questions au sujet de leurs vies antérieures, soit avec leurs enfants, soit avec des personnes de leur entourage.

Un homme demanda s'il avait déjà été Indien. Une femme demanda si son fils était l'ami de son âme, autrement dit si leur âme avait été créée dès l'origine en même temps, avec la mission de s'aider mutuellement.

Puis un incident se produisit, qui fut révélateur pour tout le monde.

Kisuna leva la main, et tout en parlant, assise dans la position du lotus, elle ébouriffa ses cheveux blonds d'un geste nerveux :

– Excusez-moi, dit-elle, mais j'ai un problème en ce moment avec quelqu'un sur le plateau.

Elle s'expliqua aussitôt.

– Je ne comprends pas l'attitude de Tina à mon égard. J'ai beaucoup de mal à travailler avec elle. Les larmes jaillirent aussitôt sur le visage de Kisuna. Elle n'arrivait plus à parler, étranglée par l'émotion.

– Je me rends compte que c'est un peu déplacé de parler de ça devant tout le monde, continua-t-elle, mais je commets de plus en plus d'erreurs dans mon travail et j'aimerais arranger les choses avec elle, gentiment, parce que j'ai besoin d'aide.

Elle hésita.

– Tina?

Tout le monde regarda Tina, qui discutait tranquillement avec son voisin comme si elle ne prenait rien de tout cela au sérieux. Elle s'interrompit quand elle entendit son nom et parut très embarrassée, elle qui gardait toujours son flegme en toute circonstance.

– S'il te plaît, Tina, dit Kisuna, j'aimerais vraiment savoir pourquoi tu me fais ça?

C'était la première fois que je voyais des gens du métier laver leur linge sale en public de cette manière.

Kisuna déballait tous ses sentiments devant les autres, et, à cause de son honnêteté, Tina était mise en jugement. Je sympathisais avec les deux femmes. Mais Tina ne dit rien.

– Est-ce que nous pourrions en parler? demanda Kisuna.

Tina, très mal à l'aise, regardait ailleurs.

– On n'a rien à se dire, dit-elle alors. Je ne vois pas de quoi tu parles.

Kisuna se tourna vers Tom. Celui-ci se leva et répondit :

– S'il vous plaît, dit-il tandis que tous les regards étaient rivés sur lui, voulez-vous venir ici, Tina. Tina refusa de bouger. J'étais désolée pour elle. Le déballage en public n'est jamais agréable, pour personne.

Tom se tourna vers Kisuna :

– Voulez-vous venir par ici, s'il vous plaît?

Kisuna se leva, elle se dirigea vers le centre de la pièce en face de Tom.

– Tina, répéta Tom. Voulez-vous venir par ici.

Tina me regarda. Je lui fis un geste d'encouragement. Elle haussa les épaules et se leva lentement. Puis elle se dirigea vers Kisuna.

– Maintenant, mesdames, dit Tom, embrassez-vous.

Aucune ne fit un geste.

– Oh, dit Kisuna. Je trouve ça extrêmement difficile, mais je vais essayer.

Elle tendit les bras.

– Tina? dit Tom.

– Non, dit Tina, en regardant Kisuna d'un air de défi.

– Ça pourrait être le moyen de résoudre votre conflit; si vous vous regardiez en disant le mot AMOUR, déclara Tom.

– Non. Je ne peux pas, dit Tina.

A ce moment-là Kisuna l'entoura de ses bras, mais Tina restait figée, les bras serrés contre le corps. J'étais choquée. Je ne savais pas que leurs relations s'étaient détériorées à ce point-là.

Finalement Kisuna baissa les bras; sa tentative de réconciliation avait avorté. Tina retourna s'asseoir sans rien dire.

« Tom » n'ajouta rien. Il était évident que même des entités spirituelles ne pouvaient pas obliger les gens à résoudre leurs problèmes.

Kisuna retourna à sa place. Il n'y avait plus rien à dire. Après ce moment pénible, Yudi Bennet, notre assistante, déclara :

– Mr. McPherson, j'aimerais savoir qui vole dans cette compagnie. On a pu constater que pas mal de matériel avait disparu, qu'est-ce qu'on peut faire pour empêcher ça?

« Tom » était sur la sellette. C'est une véritable intrusion de poser ce genre de question car les esprits ne mentent jamais.

– C'est aux personnages concernés de décider s'ils vont continuer, dit-il. Pourtant rien ne va empêcher le tournage de ce film de se dérouler normalement; vous êtes tous embarqués dans la même aventure parce que vous avez déjà été ensemble avant. Il s'agit d'un moyen de communication inventif et vous réussirez. En outre, le but de ce projet est votre évolution personnelle. Le projet va servir de catalyse à cette croissance. Soyez lucides avec vous-mêmes pendant ce tournage et vous verrez de quoi nous parlons.

Toutes les autres questions parurent sans intérêt à côté de cette promesse personnelle et de cette assurance générale. Chacun de nous savait secrètement que chaque fois que nous commencions un nouveau travail, nous faisions un pas de plus dans la connaissance de soi. C'était une leçon pour Tina, pour Kisuna, et pour nous tous, qui étions tellement ambitieux et ignorants; bien sûr, la démarche, le cheminement étaient très importants, mais le résultat final importait moins que la manière dont nous y étions parvenus.

Brad et les gens de l'équipe demandèrent à « Tom » ce qui allait se passer au Pérou. « Tom » les avertit qu'ils devaient faire attention à l'humidité dans les lentilles de caméra, qu'il allait pleuvoir énormément, et que le courant électrique poserait des problèmes s'ils n'amenaient pas des générateurs avec eux. Les types prenaient des notes. Puis ils posèrent d'autres questions d'ordre technique, et « Tom » leur répondit d'une manière qui sembla les satisfaire. Enfin, il ajouta que le film aurait un impact très fort sur la conscience des spectateurs, qu'il y aurait beaucoup de controverses, mais que cela permettrait aux gens d'avoir moins peur du ridicule quand ils parleraient de problèmes spirituels. Puis il ajouta que nous étions tous ensemble pour une bonne raison et que ce projet ne serait pas le dernier. Nous étions destinés, dit-il, à travailler ensemble, non seulement parce que nous voulions innover, mais aussi parce que nous avions des tas de choses à apprendre les uns des autres. Nous nous sentions très bien, tout à coup. Chacun d'entre nous sentait que, quelque part au fond de notre cœur, nous avions été attirés ensemble, et que nous étions en train d'expérimenter le premier acte de notre histoire, ensemble.

CHAPITRE 16

Plus tard, cette nuit-là, Simon et moi avons parlé longuement de la dynamique de notre équipe. Les conflits tournaient de plus en plus autour du pouvoir grandissant des femmes sur le plateau. Quand on examinait la composition de notre équipe, on constatait que c'était moi, une femme, qui avais généré tout le projet, j'avais accompli la recherche spirituelle, écrit le livre, puis coécrit le scénario, et j'étais maintenant la vedette du film. Nos premier et second réalisateurs assistants étaient des femmes (rôle traditionnellement réservé à des hommes), notre coproductrice également, et la plupart des hommes qui travaillaient sur ce film étaient à l'aise avec leurs propres parties féminines, sinon bien obligés de faire avec. Pourtant, la plupart des bagarres qui éclataient sur le plateau se produisaient entre les femmes (alors que c'est plutôt le contraire d'habitude).

Le pouvoir grandissant des femmes, au niveau de postes de responsabilité et de commandement, nécessitait un ajustement auquel les femmes n'étaient pas toujours prêtes. L'Ère du Verseau faisait apparaître l'énergie Yin (féminine), et les valeurs matriarcales allaient devoir non pas remplacer les valeurs patriarcales, mais les équilibrer.

En observant le conflit entre Tina et Kisuna, j'y voyais une illustration évidente de ces difficultés d'adaptation, d'ajustement. Tina représentait le côté masculin et professionnel de la femme qui veut faire son travail parfaitement. Elle travaillait « comme un homme »; pas question de s'attendrir sur la senteur des roses, ou de sortir un tricot pendant la pause. Kisuna était plus renfermée, et on sentait qu'elle refusait de nier sa féminité et son identité, même s'il lui fallait plus de temps pour faire son travail.

Tina compensait sa masculinité de « pro » en faisant des gâteaux pour toute l'équipe. Elle disait que c'était rien, un petit truc vite fait, mais elle aurait pu s'occuper d'elle ou de sa famille après son travail pendant ce temps-là. Kisuna était plus féministe dans le sens qu'elle cherchait à mieux se comprendre pour aider les autres.

Le lendemain, Kisuna me téléphona :

– Je voulais juste te dire que je partais.

J'étais stupéfaite; je n'avais rien vu, rien compris à ce qui se passait sur le plateau.

– Tu veux dire que tu nous quittes? lui demandai-je.

– Oui, répondit Kisuna.

– Pourquoi?

– Parce que, dit-elle, je n'arrive pas à faire du bon travail. Je suis d'accord avec la production, il vaut mieux que je parte.

J'écoutais sans comprendre.

– Mais qu'est-ce qui se passe?

Kisuna soupira :

– Écoute, dit-elle. J'ai envie de faire des choses plus créatives, le travail de scripte est beaucoup trop manuel pour moi. C'est pour ça que je me plante. Je le reconnais. Mon père était réalisateur et, il y a longtemps, il m'a dit que j'étais faite pour le même genre de travail créatif que le sien.

Je me demandais si elle écoutait sa raison ou les raisons que son père lui avait apprises pour la conditionner. Et puis elle parla de ce qui se passait sur le plateau.

– Il y a un manque d'honnêteté parmi les femmes, dit-elle. Elles passent leur temps à se débiner et à faire des ragots, et elles refusent d'assumer leurs erreurs et leurs responsabilités. Enfin, est-ce que c'est parce qu'il y a autant de femmes à la direction qu'on voit ce genre de choses? Je lui dis qu'un film, c'était comme une microsociété, et que cette situation se reproduirait plus souvent parce que les femmes allaient avoir de plus en plus de pouvoir. C'était à nous de nous adapter, de définir notre territoire et notre comportement, non pas par rapport aux hommes, mais par rapport à nous-mêmes.

– Je me demande jusqu'à tel point je suis féministe, dit Kisuna, je mélange le travail et la sexualité sans arrêt.

Je la trouvais un peu confuse, mais je l'écoutais attentivement. Du coup, je me demandais comment moi, je m'y prenais quand je travaillais avec des hommes. Finalement, ça dépendait si quelqu'un parmi eux m'attirait franchement, ou pas. Sinon, je me sentais exactement comme eux. Quand quelqu'un me tapait sur les nerfs, je n'avais aucune patience, et je pouvais être brutale et violente. Je reconnaissais des aspects de moi-même pendant que Kisuna décrivait les autres. Finalement, Tina nous donnait une leçon à toutes.

– Oui, dit Kisuna, je l'admets. Et je reconnais des aspects de Tina en moi également; j'ai appris beaucoup en regardant Tina et Yudi; mais maintenant, il faut que j'aille voir ailleurs.

Il n'y avait rien à ajouter. Kisuna avait pris conscience de ses faiblesses; je me demandais si j'aurais eu, comme elle, le courage d'exposer mes sentiments et mes défauts en public, comme elle l'avait fait pour tenter, en vain, de se réconcilier avec Tina.

– Quand je me suis levée pour parler, ajouta Kisuna, je savais que je faisais une gaffe, parce que, à ma place, un homme aurait refoulé ses émotions. Mais moi, j'avais besoin d'être honnête, et de confronter mes émotions avec Tina pour savoir à quoi m'en tenir.

Kisuna et moi avons ensuite parlé travail. Au cours de la conversation, j'ai compris que nous pouvions nous connaître mieux dans cette salle de classe qu'est le milieu professionnel. Si nous détestons le travail que nous faisons, cela révèle ce que nous pensons de nous-mêmes.

Le conflit entre Tina et Kisuna m'avait appris quelque chose, mais ce n'était rien à côté de John Heard, qui venait d'arriver de New York, prêt à tourner, avec un gros bouton tout neuf sur la joue droite indiquant qu'il avait dû passer par des périodes d'anxiété et de tension à New York.

Je l'ai d'abord taquiné en lui demandant pourquoi il avait interrompu la mise en ordre de sa vie, à New York, pour venir avec nous alors qu'il s'était juré qu'il aimerait mieux vendre des hot dogs au coin de la rue. Il m'a répondu que New York était sale et renforçait la négativité. Je n'y comprenais rien. McPherson m'avait dit que John Heard avait besoin d'une expérience de transformation. Il y avait d'autres acteurs dans le monde mais, LUI, il était prêt à percer, et c'est pourquoi il savait qu'il devait retourner. C'est peut-être pour ça qu'il m'avait poussée à aller vers LUI? Je me demandais qui changerait le premier. Travailler avec John était un pur délice. Parfois, j'avais envie que ça ne s'arrête jamais. Son regard était honnête, clair, direct, et son talent absolument foudroyant. Il ne jouait jamais faux, et ses gestes étaient toujours en place. Chaque prise était différente, et toujours aussi forte, aussi vraie.

Quand la même scène sort différemment à chaque fois, vous savez que vous êtes en face d'un acteur qui réfléchit tout le temps. Il était tout simplement prodigieux.

C'est pourquoi le fait de l'approcher et de le regarder quand la caméra ne tournait pas était aussi une leçon. En réalité, quand il ne jouait pas, il répétait le reste du temps. Et il essayait toutes les réactions possibles, dans les moindres gestes de la vie courante, pour pouvoir les utiliser ensuite. Tout était prémédité, provoqué, voulu, et innocent en même temps, parce que les réactions des autres n'étaient jamais jugées. Elles apportaient seulement de l'eau à son moulin.

Quand les cameramen lui demandaient « Monsieur Heard, est-ce que vous pourriez faire deux pas vers la caméra à droite, pour un essai », il faisait immanquablement deux pas à gauche. Alors, ils le regardaient d'un air ahuri, et John étudiait leur expression, tranquillement, au cas où ça lui servirait plus tard. Il avait cette capacité qu'ont les enfants d'essayer toutes les situations et de découvrir jusqu'où ils pouvaient aller. En tant qu'actrice, j'aurais aimé avoir son culot, je l'admirais. Et il le savait. C'est peut-être ça, la qualité essentielle d'un bon acteur. Il faut faire comme les enfants, qui oublient complètement la réalité quand ils se perdent dans le jeu, avec un sérieux et une intensité presque palpables.

Anne Jackson et moi parlions souvent de ces choses en attendant que le plateau soit prêt. Elle avait une soixantaine d'années, mais, comme tous les grands acteurs, elle possédait cette merveilleuse dichotomie de l'enfant, et de l'adulte fort, en elle. Nous autres, acteurs, nous avons envie de faire plaisir au réalisateur, bien entendu, mais au fond, nous cherchons avant tout à attirer l'attention, l'approbation et l'amour de nos parents. Quand on parle entre nous de nos motivations, des raisons pour lesquelles on a choisi ce métier, les parents émergent tôt ou tard dans la conversation – de façon positive ou négative.

J'imagine qu'on pourrait dire la même chose des autres êtres humains, puisque nous sommes tous conditionnés par les contingences familiales, mais quand on est acteur, on travaille avec la partie enfant qui est en nous. C'est ce qui nous permet de retourner en enfance; de même pour le public, qui lui aussi rejoint les acteurs dans le jeu de « faisons comme si... ». C'est peut-être pour cela aussi que la société ne prend jamais les acteurs au sérieux. Il sont là pour amuser, distraire, et pour nous rappeler que l'innocence est indispensable dans un monde cynique.

C'est pourquoi, pendant que John nous faisait son numéro, toute l'équipe l'enviait et l'admirait en secret de pouvoir s'en tirer aussi facilement.

Entre les prises, il marchait comme un lion en cage. Il mangeait comme un cochon. Il balançait des rots sonores dans le silence le plus total, et racontait des histoires obscènes aux moments les plus importuns. Il avait tous les culots, toutes les audaces, le sans-gêne absolu.

Et, de plus, il n'arrêtait pas d'attaquer le texte de notre script, de changer des mots, et de me cuisiner sur mes croyances spirituelles. J'adorais ça, parce que ça aiguisait le contenu de ma communication avec un être qui se foutait complètement des convenances sociales. Il n'était pas du genre à me laisser croire – si ça m'amusait – à mes « idées religieuses à la noix ». Il me coinçait, et me disait EXPLIQUE-MOI. MAINTENANT ! Et je lui expliquais. Mais il ne m'a jamais dit une seule fois que ça lui paraissait fou, parce que sa sensibilité dénotait un esprit ouvert, et tout au fond de lui, il devait sentir qu'il y avait une vérité dans tout cela. Et puis, il était catholique, ce qui veut dire que tout était possible.

Mais ce qui m'impressionnait le plus, c'était sa puissance invincible, celle des enfants qui croient dur comme fer que tout est possible. Quand John quittait sa caravane et se dirigeait sur le plateau, les grands costauds et les cheftaines de choc balisaient en mouillant leur chemise, à l'idée que John puisse les mettre au pied du mur et les confronter avec une partie d'eux-mêmes qu'ils ne soupçonnaient pas.

On tournait maintenant sur les collines de Malibu, de nuit, aussi nos journées de travail commençaient au crépuscule et se terminaient au lever du soleil. Nous étions donc sur un nouveau cycle de sommeil.

Colin s'était « donné » un rhume parce qu'il avait besoin de prendre des décisions importantes pour sa carrière. Kevin était rentré chez lui et Jack Pursel resta avec nous quelque temps jusqu'à ce que l'ennui des longues heures d'attente le gagne, lui aussi. Je restais assise dans ma caravane, un peu morose, en attendant qu'on m'appelle. Dehors, tantôt il pleuvait, tantôt il gelait. On n'avait rien d'autre à faire, entre les prises, que de raconter des salades, et des potins sur les autres. « Qu'est-ce que t'as mangé hier soir? Je trouve que ce maquillage me va mieux, non, je me demande bien comment machin peut supporter que sa nana se fasse draguer sous son nez par le beau Dédé », etc. Ça me rendait chèvre, dans la caravane de maquillage, et je préférais rester toute seule, à attendre.

Et puis, je me donnais un mal de chien pour résister aux gâteaux que Tina nous apportait tous les matins. Depuis que Kisuna était partie, Tina nous gâtait encore plus. Et comme chacun sait, quand on s'ennuie, on mange.

J'essayais de me brancher sur mon sur-moi, sur cette partie de nous qui communique avec l'âme; j'essayais, mais il y avait peut-être une grosse dame, une toutoune qui sommeillait dans cette sphère.

J'avais beaucoup de mal à me regarder honnêtement, sincèrement. Je me disais : « Apprends à accepter l'amour, laisse-toi aimer les autres. »

Mais j'étais tellement impatiente et intolérante que je me demandais comment je pourrais y arriver puisque je leur reprochais d'être comme moi.

Je me demandais si j'avais couru après le succès et la performance quand j'étais plus jeune pour éviter de me poser des questions sur moi-même, ou bien est-ce que j'avais obtenu le succès et la réussite justement pour POUVOIR me regarder et m'interroger sur moi-même? De toute façon, je commençais à réviser mes jugements sur le succès. J'avais vu tant de gens obtenir la gloire et la réussite matérielle, et devenir suicidaires parce qu'ils avaient l'impression de pas le mériter. Ça aurait pu m'arriver, si je n'avais pas compris que la dimension spirituelle faisait partie de mon identité, au même titre que mon corps et mon esprit. Cette connaissance, cette certitude m'avaient sauvé la vie, car cela me permettait de sentir que je méritais tout ce que j'avais créé pour moi-même.

Assise là, dans ma caravane, je pensais au film que j'étais en train de faire. Je haïssais les tournages de nuit. Je haïssais les conversations idiotes. Je détestais avoir froid. Et je me maudissais de ne pas pouvoir dormir dans la journée pour rattraper le manque de sommeil. Tu parles d'une personne spirituellement élevée! J'étais mal dans ma peau parce que je devenais de plus en plus lucide.

J'essayais de méditer dans ma caravane, pour communiquer avec mon sur-moi. Il était toujours là.

– Qu'est-ce que j'ai en ce moment?

– Tu es beaucoup trop impatiente et perfectionniste pour des questions que, toi, tu juges importantes, me répondait-il.

– Et alors? Ça fait partie de mon travail d'être perfectionniste, non? répliquais-je.

– Non, me disait-il, c'est un attachement au passé.

– Un attachement au passé? Oh oui, d'accord.

– Comment pouvais-je savoir si quelque chose était parfait si je ne pouvais pas le comparer avec ce qui s'était passé avant? O.K. Vu!

– Reste en contact avec moi, me suggérait mon sur-moi, je ne me trompe jamais, parce que je suis relié à la source divine.

Parfois, j'en avais les larmes aux yeux, tellement j'étais émue, et parfois je décidais de ne pas l'écouter du tout.

Colin vint me voir un soir tard.

– Comment ça va? me demanda-t-il en reniflant à cause de son rhume.

– Bouf! Lamentable!

– Écoute, le jeu en vaut bien la chandelle, non? me répondit-il en nous en soufflant une grosse dans son mouchoir.

Je lui jetai une de mes bottes de para.

Le matin qui suivit notre première nuit de tournage, je retournai à mon appartement à Malibu et me mis au lit à sept heures du matin. Je mis en route mon diffuseur de sons en espérant dormir jusqu'à midi. A sept heures et demie, le téléphone sonnait. C'était une amie de ma femme de ménage, qui la cherchait.

Je lui dis qu'elle n'était pas là, mais elle continua d'appeler, disant chaque fois que c'était urgent. Puis on sonna à la porte. Il n'y avait que moi pour répondre. Je laissai sonner, en luttant longtemps pour ne pas courir à la porte et voir qui c'était. J'aurais dû aller voir, car après je n'ai pas arrêter d'y penser toute la matinée et je n'ai pas pu me rendormir. Je me suis traînée jusqu'au plateau sur le coup de 5 heures de l'après-midi, j'ai travaillé toute la nuit, et je me suis couchée à 7 heures du matin.

Une heure plus tard, j'étais réveillée par des coups sourds

juste en dessous de ma chambre. Les ouvriers étaient là pour réparer la balustrade du balcon. Furieuse, je me précipitai à la fenêtre.

– Qu'est-ce que vous foutez là?

– Je répare la balustrade, me répondit l'ouvrier avec un grand sourire.

– Dites, est-ce que vous pourriez revenir plus tard? J'ai travaillé toute la nuit.

Il leva la tête et me sourit :

– J'en ai pas pour longtemps, encore un ou deux clous?

– Comment je dois vous le dire? Vous ne voyez pas que je ne veux pas de vous ici? je lui répliquai.

– Merci, dit-il gentiment, ça sera pas long.

Je retournai dans ma chambre et puis je piquai ma crise. Je fis claquer la porte tellement fort que les tourterelles s'arrêtèrent net de roucouler dans leur cage. Puis je la fis claquer encore une fois pour aller à la porte d'entrée, que je fis claquer également, comme Tom quand il croit s'être débarrassé de Jerry. J'ai recommencé au moins cinq fois pour être sûre que les locataires étaient bien réveillés eux aussi.

Tout à coup je vis un homme entrer dans ma cour et monter mes escaliers.

– Ça ne va pas? me demanda-t-il.

– Non, ça ne va pas du tout – je lui criai –, je ne peux pas dormir. Vous pouvez faire quelque chose pour moi?

– Eh bien, dit-il en souriant, je suis un témoin de Jéhovah. J'aimerais vous être utile en vous présentant la parole de Dieu.

Il ne manquait plus que ça. J'avais mon compte de parole divine pour le moment et ça me faisait une belle jambe...

– Vous savez quoi? lui dis-je; je suis sûre que vous pouvez faire beaucoup plus pour Michael Jackson que pour moi.

J'étais furieuse parce que j'étais sûre qu'il savait qui j'étais et ce que j'écrivais.

Il cherchait à me comprendre, visiblement.

– Je suis passé hier et vous n'étiez pas chez vous. Donnez-moi votre nom et je vous enverrai notre petit mensuel par courrier sans vous déranger. J'ai l'impression que vous pourriez trouver profit de ce que nous proposons.

Comment ça? Il ne savait pas qui j'étais? J'étais encore plus furieuse. Je lui fermai la porte au nez en gueulant.

– Non, merci.

J'étais vraiment épatante! Mon Dieu, j'ai vraiment du chemin à faire! pensai-je.

– Impossible de me rendormir après ça. Je m'assis et pensai à mes accès de violence quand je travaille et que je n'arrive pas à dormir. Je me rappelle avoir balançé une chaise sur le mur, dans un hôtel de Washington où la standardiste m'avait dérangée malgré mes instructions.

J'avais saccagé le téléphone dans un hôtel de Houston parce qu'une tondeuse à gazon m'avait réveillée à 6 heures du matin.

J'avais mis du sable dans les moteurs d'engins de construction d'une équipe de maçons, en Australie, parce qu'ils me réveillaient tous les matins à 6 heures quand j'étais là-bas en tournée.

Je n'avais jamais ce genre de réaction quand je ne travaillais pas. Mais quand on touchait à mon sommeil, je devenais violente. D'accord, c'était un comportement de perfectionniste.

C'était devenu un sujet de rigolade pour les gens qui travaillaient avec moi. Quand j'étais en tournée, tout pouvait être remis en question, quelle que soit la ville où on jouait, si les gens du bâtiment me réveillaient et me provoquaient aux aurores.

Je me demandais souvent pourquoi j'avais choisi de me donner de telles épreuves. La réponse n'était jamais loin : c'était pour développer la patience et la tolérance. Je créais les circonstances pour essayer de les mettre en pratique.

Stan finit par me demander pourquoi j'avais l'air si fatiguée. Je lui fis un résumé de mes épopées matinales. Il se mit à rire, en douce, s'assit sur une chaise et se versa une tasse de café.

– Bon alors, quoi de neuf dans le métier? lui demandai-je.

– Eh bien, dit-il, ABC va tourner une série télévisée de trente heures sur les camps de concentration et sur Hitler. Hitler est en train de devenir la plus grande star d'Hollywood. En tout cas, c'est celui qui a le plus gros projet.

– Wouah! dis-je, on ne peut pas imaginer ce que ce monstre signifie pour la race humaine, n'est-ce pas?

– Pour le moment, il crée un maximum d'emplois, dit Stan, désireux d'éviter les sujets sérieux.

– Eh bien, à mon avis, plus vite on aura compris la leçon qu'Hilter nous a donnée et moins nous ferons de mal.

– Personne n'a envie d'entendre ça, Shirley, dit Stan.

– N'empêche que, nous avons tous encore besoin de blâmer quelqu'un pour ne pas voir notre propre responsabilité, n'est-ce pas?

Stan me lança un de ses regards très doux, et pleins d'expérience.

– Qui sait? dit-il, avec son tact habituel de diplomate des studios.

– Il faut croire qu'ABC a envie de faire de la bonne télé en ce moment. Ils vont produire quatorze heures sur Amerika, continua-t-il.

– Qu'est-ce que c'est? je lui demandai.

– Tu sais, répliqua-t-il. C'est l'histoire de l'invasion de l'Amérique par les Russes. J'ai demandé à Brandon s'il leur fallait de la télé « de qualité » à ce point-là.

Je me mis à rire, en essayant de comprendre comment un feuilleton de quatorze heures sur la conquête des Américains par les Russes pourrait renforcer la paix dans le monde.

– De toute façon, ajouta Stan, si on me demandait de choisir entre me battre avec les Russes ou regarder le feuilleton à la télé, j'imagine que je prendrais le feuilleton.

Je me levai.

– Écoute, Stanley, ça me donne faim tout ça. Viens, on va aller se chercher un Big Mac, ou des croquettes de poulet... Il y a un nouveau fast-food chinois dans le coin, je ne l'ai pas encore essayé. Et puis, comme je suis déjà crevée, déprimée et teigneuse, je ne vois pas pourquoi je me priverais de manger des cochonneries.

En sortant, nous sommes tombés sur Dean O'Brien.

– Écoute, Shirley, dit-il, tu sais que tu vas être en première ligne pour le kidnapping au Pérou. Alors on va essayer d'obtenir un service de protection spécial de la part de la police. Ces guérilleros pourraient se faire une fortune en rançonnant ABC sur ton dos. Je réfléchis un instant.

– Non, Dean. Pas moi. Je suis trop responsable de mes actes. Je ne prendrais jamais le risque de me balader toute seule dans les collines. Mais John Heard, voilà un pigeon tout prêt pour un beau kidnapping; lui il ne demande que ça, d'aller se balader du côté de leurs QG avec une bière à la main pour voir comment c'est quand on est kidnappé, et en plus il leur donnerait des conseils pour extorquer ABC encore plus. Ou alors il aimerait voir les réactions de ses ravisseurs... Je commençai à rire, puis Dean et Stan. On était pliés de rire tous les trois, en imaginant tous les plans que John pourrait faire à ses ravisseurs.

– Tu vois les « Brigades Rouges » en train de lui parler, hoquetait Stan. Il les rendrait encore plus fous :

– Ouais, dis-je, me sentant mieux tout à coup. John pourrait vraiment mettre la panique chez des terroristes. Il n'a peur de rien, parce que même LUI ne sait pas ce qu'il va faire dans la seconde qui suit.

Le tournage de nuit continua. L'équipe pataugeait dans la boue et la pluie pendant que John et moi étions assis, plus ou moins confortablement dans un camion, tout en répétant notre texte et en essayant de ne pas geler sur place. On était placides et silencieux entre les prises. Mélissa venait de le rejoindre et il était pensif.

Pourtant, il m'étonnait toujours. A la seconde même où la caméra tournait, il était dans la peau du personnage. Je me demandais s'il éprouvait la même admiration pour moi. La scène que nous tournions était axée sur ma réaction devant un extraterrestre en train de conduire un camion, alors que le personnage de John (David) s'était endormi au volant. Une fois, Bulter cria : Coupez. John a ouvert les yeux, m'a regardée et m'a dit : Bien. Je pense que j'avais dû être bonne ce coup-là, d'autant plus qu'il n'avait rien vu... Mais c'était peut-être parce que c'était la fin de la scène. Je ne le saurai jamais. John n'aimait pas se voir comme un acteur de cinéma. Comment tu te considères, alors? je lui demandai un jour. Je suis un comédien de théâtre, mince, beau, et méconnu du public. Je n'aime pas le cinéma.

A ce moment-là, l'assistant-réalisateur nous demanda de nous taire parce que tout était prêt pour le gros plan de John. Il devait faire un monologue de deux pages au sujet de Dieu et de la réincarnation. Je l'avais déjà vu « filer » [1] la scène en entier pour la prise master [2]. C'était un des rôles les plus difficiles

1. *Répéter le texte à plat sans jouer.*
2. *Prise mère à partir de laquelle les copies de film seront tirées.*

qu'un acteur ait eu à jouer, et il l'avait tourné en regardant la mer, et en caressant le sable et les coquillages sous ses doigts. Les caméras se mirent à tourner. Butler cria : Action! John entra aussitôt dans le rôle avec sa concentration habituelle, quand soudain, au loin, on entendit le bruit d'un avion. Je vis que John l'avait entendu aussi. Son visage devint cramoisi. L'avion se rapprochait et le bruit devenait franchement intolérable. Personne n'osait dire « coupez », parce que John avait fait comprendre à tout le monde que c'était lui et LUI SEUL qui décidait de s'arrêter. Alors, ça tournait toujours. Finalement, quand l'avion fut juste au-dessus de nous, John se mit à hurler en levant les bras au ciel :

– Qu'est-ce que c'est que ce putain d'avion, cria-t-il. Il va me bousiller mon gros plan! merde, les mecs, C'EST MON GROS PLAN!

Tout à fait compréhensible, mais j'avais mal aux côtes tellement je riais. Je ne l'avais jamais vu dans un état pareil. Il se mit à donner des grands coups de pied dans tout ce qu'il trouvait. Il écrasa un cageot à fruits qui nous servait à surélever les lampes, les accessoires et les acteurs trop petits, et il coinça sa chaussure dedans en voulant retirer son pied. Il se mit alors à sautiller sur un pied en hurlant des obscénités pendant que l'équipe se repliait stratégiquement en attendant qu'il se calme. Moi je pensais à ce qu'il disait sur le « cinéééé ».

Sa colère passée, et l'avion disparu dans les nuages, John revint à ses marques et s'assit.

– Excusez-moi, dit-il calmement, j'ai été complètement ridicule. Est-ce qu'on peut recommencer?

Et le travail reprit. Tout le monde se remit en place, comme de vrais pros qu'ils étaient tous.

– Très bien, monsieur Heard, dit Brad. La caméra est prête quand vous voulez, monsieur.

John recommença et tout rentra dans l'ordre. Pendant la pause, John me raconta qu'un de ses copains lui avait dit que le Christ avait parlé de la réincarnation dans la Bible. Quand je lui demandai où je pourrais trouver la citation, il me dit qu'il ne savait pas. Alors, le week-end suivant je décidai de chercher. Je ne savais pas du tout où regarder. Alors, je fis une expérience avec mon sur-moi. Je m'assis et méditai, et je dis : Où puis-je trouver un passage où le Christ parle de la réincarnation dans la Bible?

La réponse fut claire : la plupart des citations ont été enlevées, mais il en reste plusieurs. Tu les trouveras dans le livre de Matthieu.

J'étais stupéfaite de la précision de la réponse. J'allai à ma bibliothèque et sortis une bible. Je trouvai le livre de Matthieu. La page s'ouvrit à l'épître 16, verset 13. Jésus parle à ses disciples. Il leur demande : D'après vous, Moi, fils de l'homme, qui suis-je pour ces gens?

Les disciples répondirent. Certains disent que vous êtes Jean-Baptiste, d'autres disent que vous êtes Élie, d'autres disent Jérémie ou l'un des prophètes. Visiblement, à cette époque, la réincarnation était complètement acceptée. On ne se demandait pas s'il y avait une réincarnation, on se demandait seulement QUI avait été réincarné.

Jésus reprend : Mais d'après vous, qui suis-je? Simon-Pierre répond que Jésus est le fils du Dieu vivant. Jésus le confirme et demande à ses disciples de ne pas révéler qu'il est Jésus-Christ, dans le chapitre 17, il y a la description de la transfiguration. Jésus emmène Pierre et les deux frères Jacques et Jean en haut d'une montagne élevée. Jésus change de visage devant eux; son visage brille comme le soleil et ses vêtements sont d'un blanc aussi éclatant que la lumière. Puis Moïse et Élie apparaissent devant leurs yeux, et ils parlent avec Jésus. Un nuage de lumière les enveloppe et une voix sort du nuage disant : Celui-ci est mon fils bien-aimé, écoutez sa parole...

Lorsque les disciples entendent cela, ils se prosternent et se cachent le visage, tellement ils ont peur. Jésus les touche et leur dit de se lever et de ne pas avoir peur. Lorsqu'ils relèvent la tête, Moïse et Élie sont partis.

Jésus leur demande de ne rien dire de ce qu'ils ont vu à personne jusqu'à ce qu'il soit ressuscité des morts. Les disciples lui demandent alors pourquoi les scribes avaient dit qu'Élie devait d'abord revenir et que tout recommencerait comme avant.

Jésus répond. Mais Élie est déjà revenu et ils ne l'ont pas reconnu, et ils lui ont fait subir ce qu'ils avaient prévu. Moi aussi je souffrirai.

Les disciples comprennent qu'il est en train de parler de Jean-Baptiste.

En lisant ces versets de Matthieu, il ne faisait aucun doute dans mon esprit que Jésus et ses disciples parlaient de la réincarnation. Ils disaient que Jean le Baptiste avait d'abord été incarné par Élie. Et que Jésus aurait un destin identique aux deux prophètes. Je passai presque tout mon week-end à relire des passages de la Bible, qui me rappelaient à chaque instant ce qu'est un ouvrage métaphysique.

Cet enseignement nous rappelle que le Royaume des Cieux existe en chacun de nous, et qu'un Nouvel Age d'Or nous permettra de le reconnaître et de l'attester.

Je montrai ces documents tirés de la Bible à John Heard et il s'en servit partiellement dans une de ses scènes. En tant que catholique sincère, mais confus, il étudia ces textes. Il y avait des moments où il semblait incorporer ce qu'il avait à dire à ses propres croyances religieuses. Il n'y avait pas autant de différences que cela en dehors du fait que l'Église insiste sur le ciel et l'enfer. La métaphysique insiste davantage sur le fait que nous créons notre propre enfer à l'intérieur de nous et qu'il s'agit « d'un état d'esprit » dépendant de notre perception de la réalité. John comprit cela, mais il n'était pas prêt à se sentir responsable de sa vie. Du coup il se déclencha un énorme bouton de fièvre sur le menton, que le maquillage n'arrivait pas à cacher.

– Ça sera bien fait pour ABC, disait-il.

Au cours des gros plans, je lui faisais de l'ombre sur le menton avec mon chapeau pour que le public ne remarque pas son bouton d'humeur volcanique. Entre deux prises, je voyais John réfléchir sur toutes ces questions. Un très bon acteur doit toujours trouver le moyen d'intégrer des points de vue qui lui sont étrangers ou sinon il sonnera faux à l'écran. Il était tellement fort que je lui ai dit qu'il avait vraiment tout compris, qu'il en soit conscient ou non. En réalité, je lui expliquai que tout cela, nous le SAVONS DÉJA. Mais nous décidons seulement de la dose de scepticisme que nous allons mettre en scène pour jouer notre rôle dans la vie.

Parce qu'il se mettait en scène dans sa vie, il comprit ce que je disais.

CHAPITRE 17

Moi, pendant ce temps-là, j'avais d'autres problèmes métaphysiques. Jusqu'ici, j'avais toujours assumé mon énergie masculine, sans même y penser. J'avais toujours su ce que je voulais, et comment faire pour l'obtenir vite et bien. Mais j'arrivais à une période de ma vie où ma partie féminine cherchait à s'exprimer. Pourtant, je ne faisais pas assez confiance à tout ce qui, en moi, était tendre, maternel, réconfortant. C'est seulement devant le résultat de mes actions impulsives et agressives que je m'en rendais compte. C'est peut-être pour cela que j'avais du mal à dormir. Il faut faire confiance, et se laisser aller à l'énergie de la nuit pour bien dormir. C'est une énergie féminine. L'énergie de la nuit est faite de confiance, d'abandon, de foi; tout ce qui me pose des problèmes.

– Comme d'habitude, quand j'ai des soucis, il m'arrive toujours quelque chose pour m'aider à m'en sortir. Cette fois, ce fut sous la forme d'une icône russe.

J'ai toujours eu de l'attirance pour les objets russes ou venant de Russie, sans doute parce que j'ai dû y passer plusieurs vies successives. Même aujourd'hui, quand j'entends la musique russe, que j'entends parler cette langue – ou que je la vois écrite –, je suis bouleversée. Et cela depuis que je suis toute petite. Un peu avant d'avoir ces problèmes avec mon énergie Yin, j'avais rencontré une jeune modéliste de San Francisco. Je l'avais rencontrée chez Natalia Makarova, la danseuse russe qui n'avait pas voulu repartir en Russie, et cette jeune femme m'avait dessiné une robe. Depuis, elle me téléphonait régulièrement pour me donner de ses nouvelles. Un jour elle m'appela pour me raconter ce qu'elle venait de vivre.

– Shirley, dit-elle, il m'est arrivé une chose incroyable, et je suis sûre que ça va t'intéresser, et que toi tu ne vas pas te moquer de moi.

Elle venait de traverser une période de dépression et de maladie telle que les médecins, qui l'avaient hospitalisée, ne lui donnaient guère d'espoir de pouvoir guérir son utérus, qui saignait sérieusement. Mais une de ses amies lui avait apporté une photo de l'une des plus anciennes icônes russes. C'était le portrait de Marie tenant l'enfant Jésus dans ses bras. Cette icône s'appelait Iverskaya et elle avait été trouvée dans un ancien monastère turc sur le mont Alfone. Elle avait donc placé la photo de cette icône sur son ventre et le lendemain les saignements avaient disparu. Les médecins n'y comprirent strictement rien, et ils la renvoyèrent chez elle.

L'histoire de l'original de cette icône est encore plus extraordinaire. On dit qu'un soldat turc, dans un accès de rage contre la religion, avait essayé de transpercer l'icône d'un coup d'épée, mais avant qu'il ait exécuté son geste la peinture s'était mise à saigner. La légende dit que le soldat eut tellement honte de son geste qu'il se fit moine et garda l'icône avec lui dans un monastère, le reste de sa vie.

Maintenant, l'icône appartenait à un autre moine, un certain José, qui vivait au Canada. Apparemment, quand José avait visité le monastère au mont Alfone, les autres moines l'avaient identifié comme étant le propriétaire légitime d'Iverskaya, et la lui avaient remise. José voyage un peu partout maintenant avec cette icône pour guérir les malades. Mon amie n'avait qu'une photo de l'icône, mais elle avait des pouvoirs de guérison néanmoins.

– Il fallait absolument que je te parle de cela, me dit-elle. Shirley, est-ce que tu as envie de la voir? Je l'invitai à venir chez moi. En quoi le portrait de la Vierge à l'enfant pouvait m'intéresser, je n'en savais rien. Mais une petite voix en moi me disait que je cherchais peut-être à comprendre mon énergie féminine. Une heure plus tard, la jeune femme était chez moi avec la photo. Elle la sortit délicatement d'une housse en velours brodé.

Elle ne mesurait pas plus de quinze centimètres carrés. Marie était représentée avec une robe blanc et marron. Elle portait l'enfant Jésus dans ses bras. Jésus tenait un rouleau de papier dans la main gauche, sur lequel étaient inscrits ses futurs enseignements. Il y avait des symboles russes sur le halo doré au-dessus de Marie et de Jésus.

En regardant la photo, j'eus un sentiment de déjà-vu, déjà connu. En regardant la photo de plus près, je vis des petites gouttes d'huile suintant de la photo sur le cadre où elle était emprisonnée. Et il y avait du coton hydrophile au revers pour absorber l'huile.

- Qu'est-ce que c'est que ce truc? je demandai à mon amie.

- Oh! dit-elle, c'est de l'huile sainte, qui coule depuis que j'ai la photo.

- Comment ça?

- Eh bien, dit-elle, chaque fois que j'ai besoin d'être aidée ou guérie, je prie Marie, et elle me donne de l'huile sainte.

Elle s'arrêta et regarda la photo un instant; puis elle soupira :

- Je la sortais souvent du cadre, mais ça fait des mois qu'elle y reste collée. J'ai tout essayé, mais c'est comme si elle voulait rester là-dedans.

Je retournai le cadre à l'envers, et, avec mille précautions, j'essayai de la retirer. C'était un cadre tout simple. Je poussai tout doucement le carton, et il sortit très facilement du cadre jusqu'à ce que la photo soit dégagée.

- Je n'arrive pas à y croire, dit-elle, j'ai ESSAYÉ. Mes amis ont essayé. On croirait que c'était coincé à cause d'une force mystérieuse...

Je tenais la photo dans ma main, et aussitôt je ressentis des picotements. De fines gouttes d'huile tombaient de la photo, glissaient sur mon doigt. Ma main devenait chaude, irradiante. Mon amie me regarda et dit :

- Cette photo est pour toi. C'est toi qui dois la garder, maintenant.

Je sentais qu'elle avait raison.

- Mais elle est à toi, dis-je. Je ne vois pas pourquoi je devrais l'avoir.

- Parce que, dit-elle, tu en as besoin. Elle est pour toi, un point c'est tout. Et elle partit très vite, en me laissant la photo d'IVERSKAYA.

Et je ne savais pas pourquoi je devais la garder.

Je l'emportai dans ma chambre et je m'allongeai sur mon lit avec l'icône sur ma poitrine. Aussitôt, j'éprouvai une sensation de chaleur et de picotement dans mon cœur. Alors, je compris ce que j'étais censée apprendre d'elle. C'était comme si elle me parlait. J'avais besoin d'ouvrir mon cœur. J'avais besoin d'éprouver plus de compassion pour moi-même et pour les autres. Si je voulais faire des progrès dans ma recherche spirituelle, il fallait que j'arrête de me faire du souci pour des détails, et des tics de perfectionniste. En résumé, que je LAISSE VIVRE les autres

Il y avait un vrai travail de purification, de nettoyage à faire, et des millions de gens essayaient, comme moi, de se débarrasser de leurs « débris karmiques » avant l'arrivée de l'Ère Nouvelle. C'était peut-être le signe de cette arrivée.

Bien sûr, c'était facile de connaître toutes les techniques métaphysiques les plus sophistiquées, la méditation, la théorie et la rhétorique... Mais c'était une autre paire de manches de mettre en pratique... l'amour au quotidien, dans chaque geste de la vie, et non pas dans les livres. Chacune de nos actions était comptée, enregistrée. Lazare et McPherson avaient raison. J'avais une grande leçon d'amour à comprendre dans ma vie actuelle. Quand je l'aurais comprise, je pourrais me reposer un peu... et dormir paisiblement, avant la prochaine leçon. Mais auparavant, il fallait que je me connaisse mieux, que je me pardonne et que je m'aime davantage pour devenir meilleure avec les autres.

C'est pourquoi j'ai gardé la photo de la Vierge. Elle dormait sur ma table de nuit et veillait sur moi. Je ne lui parlais pas à voix haute comme le faisait mon amie, mais je dialoguais en silence avec elle, sur la féminité, sur la nature profonde de la femme.

Alors, je me rappelai que j'étais allée voir une femme médium qui communique avec des guides spirituels désincarnés grâce à un petit guéridon qui se déplace. Elle s'appelle Adèle Tinning, elle a dans les quatre-vingts ans et c'est une femme d'une grande bonté, douée d'un talent de médium incroyable.

– C'est le talent de Dieu dit-elle toujours, pas le mien; c'est peut-être vrai de tous les talents.

En tout cas Adèle travaille avec un guéridon qui communique les messages en frappant un certain nombre de coups. Un coup pour « oui », deux coups pour « non », et un léger balancement quand c'est « peut-être ». La table se tient en équilibre sur un pied et frappe un nombre de coups correspondant aux différentes lettres de l'alphabet. Nous avons essayé, à plusieurs, de faire toucher terre à la table, mais apparemment, quand elle est contrôlée par l'entité spirituelle, il n'y a rien à faire; elle peut même rester suspendue dans l'air sans que nous puissions la faire bouger.

Quand on n'est plus étonné par cette table, on trouve tout naturel de communiquer avec ces entités qui savent tout et qui ne vivent pas dans la même dimension que la nôtre.

Lors de l'une de ces séances, Colin et moi avons demandé qui furent nos premiers guides spirituels. La table avait épelé le mot M-A-R-I-E, mais je n'y avais jamais vraiment prêté attention jusqu'ici. Et si Marie m'avait guidée en me faisant obtenir cette icône? J'avais déjà vécu des choses plus étranges que celle-là.

Finalement, j'ai commencé à lire tout ce que je pouvais trouver sur Marie. Comment elle avait choisi et comment elle avait été choisie, pour devenir la mère de Jésus, et l'initiation qu'elle avait reçue, bien avant d'être incarnée. Et du même coup, j'en apprenais beaucoup plus sur les femmes : quels sont nos rôles, ce que les pressions culturelles nous ont empêchés de réaliser, et comment, si notre monde doit survivre, nous devons faire collaborer à parts égales les hommes et les femmes. La capacité de résistance, de compassion, l'esprit pratique, l'intuition, la soumission devant l'énergie divine, le mélange de volonté, de courage et d'amour, et l'instinct de protection de la vie étaient tous des traits féminins dont le monde avait terriblement besoin.

Toutes celles qui avaient choisi d'être incarnées dans des corps de femmes en ce moment avaient la responsabilité d'être à la hauteur de leur choix. L'ère de l'énergie féminine était arrivée. Ça ne se manifestait pas de façon brutale, agressive ou violente. C'était une énergie de maîtrise et non pas de domination. Les femmes se préparaient à ce nouveau rôle depuis des générations, et nous avions enfin la permission de remplir pleinement toutes nos tâches, familiales, professionnelles, spirituelles, et tout cela en même temps.

La domination par l'énergie masculine représentait le passé, la vieille manière de faire et de vivre. On s'était aperçu que la domination masculine liée à la soumission féminine nous avait conduits au bord de la catastrophe. On était passé de la vénération de la déesse-mère à la rébellion contre la mère; puis on était passé de la vénération du père à la rébellion contre la mère; puis on était passé de la vénération du père à la rébellion contre le père. Mais la réalité était double dès le départ, à la fois mâle et femelle, féminine et masculine à mesure égale. La spiritualité ouvrait la porte de l'énergie féminine qui sommeillait en chacun de nous; hommes et femmes allaient être les pionniers de cette nouvelle ère spirituelle dont parlent tous les maîtres spirituels authentiques. Petit à petit, en intégrant ces réflexions sur l'énergie féminine, je commençais à me sentir mieux.

Coup de fil de Bella. Elle me demandait comment Anne Jackson se débrouillait pour interpréter le rôle de la vraie Bella McCoy. Je lui dis : « Mieux. » Elle répliqua : « Impossible. » Puis elle me dit qu'une de ses amies avait consulté Lazaris, et avait été très impressionnée par la précision et la pertinence de ses réflexions sur sa vie.

– Dis-moi, ajouta Bella, qu'est-ce que tu sais au sujet de Lazaris?

– Je sais qu'il est bon, Bellitchka, dis-je.

Long silence.

– C'est un esprit alors?

– Oui.

– De l'autre monde?

– Oui, de l'autre monde.

– Et tu peux lui parler?

– Oui, je peux lui parler

Silence encore plus long.

– Est-ce que tu lui as parlé récemment?

– Eh bien, dis-je, je le vois chaque fois que Jack Pursel est à Los Angeles, et parfois, Colin et moi, nous allons à San Francisco où il habite.

– L'esprit habite à San Francisco?

– Non, Bella. Jack, le médium, habite à San Francisco. L'esprit vit dant l'éther.

– L'éther?

– Oui, l'éther est notre habitat naturel, pas la terre.

– Oh! mon Dieu, dit-elle, ne me parle pas comme ça, tu me fais flipper complètement.

– Écoute, j'essayais juste de t'expliquer où habitait Lazare.

Long silence.

– Qu'est-ce qu'il était avant d'être un esprit? Oh! la la! ça allait devenir coton!

– Écoute, lui dis-je, il n'a jamais été incarné physiquement.

Bella s'étrangla de stupeur.

– Jamais physiquement? Ben, c'est une personne pourtant, non?

– Non Bella. Il est fait d'énergie pure, comme les âmes. Toi et moi sommes faites de cette même énergie divine, mais nous l'exprimons en ce moment à travers nos corps. Lazare ne l'a jamais exprimée dans un corps.

Longue pause.

– Oh! mon Dieu, dit-elle dans un soupir.

– Oui, tu l'as dit; nous faisons tous partie de Dieu. Ou, comme dirait Lazare, nous faisons tous partie du TOUT Masculin-Féminin, sans lequel aucune création n'est possible.

– Heu-eu-eu répondit-elle.

– Tu vois, ajoutai-je. C'est un féministe. Il dit que l'énergie féminine est celle qui va donner le prochain âge d'or.

– Je l'aime bien, dit Bella.

Un autre silence, très long.

– Dis donc, heu, tu sais que je me présente au Congrès dans le WESTCHESTER.

Je réfléchis un instant et lui dis :

– Ah! je vois. Tu veux que je lui demande si tu vas gagner.

Pause intense.

– Oui, dit-elle; si tu veux.

– Non, dis-je, si TOI tu le veux.

– O.K., dit-elle. Je le veux.

– Alors, tu veux que je lui demande si tu devrais te présenter et si tu vas gagner les élections?

– Oui, c'est ça!

– D'accord.

– Bon alors, salut!

– Non, attends une minute, dis-je, c'est dommage que tu ne m'aies pas demandé ça il y a quelques années, j'en aurais fait une scène super dans mon film.

– Ouais, dit-elle, tu t'en serviras bien un jour ou l'autre pour autre chose. Je te connais.

– Oui, tu ne m'en veux pas?

– Non, je t'aime comme tu es.

– Ouais, moi aussi. T'es vraiment un cas, ma chérie.

– Toi aussi.

– On s'est quand même choisi des super-rôles dans notre vie actuelle nous deux, non?

Elle réfléchit une minute

– Tout ce qui m'intéresse, c'est de savoir si je suis une gagnante ou une perdante...

– Ne me dis pas qu'il n'y a que ça qui t'intéresse.

– T'as raison. Mais tu me fais perdre, dans ton film, et je ne veux pas être une perdante encore une fois.

– D'accord Bellitchka, je demanderai.

– Mais tu sais quoi? ajouta-t-elle, j'ai tellement envie d'aider les gens que ça m'est égal si je perds encore. Ça vaut la peine. C'est ça le progrès, n'est-ce pas?

– Tu l'as dit, bouffi! Tu risques de gagner avec cette attitude.

– O.K. Alors demande!

– Je demanderai.

– Salut!

– Salut!

Alors, quand j'ai pu parler avec Lazaris, je lui ai posé la question. Sa réponse a été nette et catégorique.

– Elle ne devrait pas essayer, dit-il, elle va se mettre dans un état émotionnel beaucoup trop lourd, et en plus elle va perdre.

Je donnai la réponse à Bella.

– Qu'est-ce qu'il en sait, celui-là? dit-elle. Il n'a jamais eu de corps.

CHAPITRE 18

Je passai la dernière semaine avant le départ au Pérou à tourner dix heures par jour dans un bain minéral. Il s'agissait de filmer mon expérience de décorporation, et les effets spéciaux étaient fastidieux et compliqués. La caméra commençait à tourner une scène de cinq minutes, au-dessus du plateau, puis plongeait brutalement, se balançait et s'approchait de mon visage jusqu'à 3 centimètres de mon œil. Je ne pouvais ni bouger la tête, ni même baisser les paupières. Je ne dis à personne que j'étais déjà tombée dans les pommes sur le fauteuil d'un opticien qui me faisait essayer des verres de contact. C'est dire que, pour moi, ce n'était pas de la tarte de jouer cette scène.

John et moi, nous étions comme des pruneaux ratatinés quand on avait passé la journée dans le bain minéral. C'était pendant la semaine où il y avait Pierre le Grand à la télévision. Alors, je rentrais chez moi tous les soirs, complètement lessivée, je mangeais des petits gâteaux, du chocolat, je regardais les deux programmes en même temps, et je m'endormais pendant les actualités. Dure semaine. Les élections aux Philippines furent violentes, la révolte des Haïtiens fut violente, l'explosion de la navette spatiale Challenger fut violente, et le terrorisme au Moyen-Orient était toujours aussi violent. J'appris que deux de mes amis - deux de plus - venaient de mourir du Sida, et il y eut un tremblement de terre dans le Pacifique. Je mangeais de plus en plus de petits gâteaux.

Les marées étaient plus fortes que d'habitude sur la côte californienne, et, comme je devais partir pour le Pérou, je décidai de ramener un certain nombre d'objets et d'affaires en ville. Je projetais peut-être des désastres en ayant peur, mais tant pis. Il y avait des choses auxquelles je tenais farouchement.

Ah! Maintenant je commençais à faire le tri entre ce qui était important pour moi et ce qui ne l'était pas. Je savais que plus je donnais de choses, plus je m'en rachèterais. J'essayais d'envisager ce que serait ma vie sans aucun attachement aux biens matériels. Est-ce que ça ne serait pas plus facile d'avoir seulement sept tenues vestimentaires, une par jour? J'éprouvais tellement de plaisir à posséder des choses, des objets nouveaux ou anciens... Pourquoi? D'abord, parce que chaque chose me rappelait des souvenirs. Certains psychanalystes prétendent que ce sont des substituts, que ça remplace l'amour. Alors, la nuit qui a précédé mon voyage au Pérou, je me suis assise pour méditer. C'était comme si je dialoguais avec mon sur-moi. Parce que j'étais en accord, en harmonie avec mon sur-moi, la voix était claire et articulée. Cette voix me disait que j'étais en train de transformer mon ancienne énergie, en devenant véritablement active. Je commençais à m'apercevoir que je pouvais contrôler mon destin en passant aux actes. Désormais, j'allais partager mon expérience avec les autres. Le moment était venu pour moi de devenir complètement responsable et consciente de ce qui se passait autour de moi, sans en avoir peur. « ON » me disait que j'étais en train d'examiner mes diverses vies antérieures, et que c'était pour cela que je faisais le tri dans mes vêtements et mes objets personnels. Je me suis rendu compte, alors, que ça faisait longtemps que je me préparais pour ce voyage au Pérou; que la première fois que j'y étais allée, j'avais décidé de faire de ce voyage une quête initiatique, une recherche de visions, et je savais que ça me servirait pour écrire le livre, qui deviendrait à son tour le film, qui me ramènerait là-bas. Mon sur-moi me disait qu'il était nécessaire de tourner au Pérou à cause de l'énergie présente là-bas; que l'équipe me suivrait dans ma recherche, qu'ils seraient tous invités et motivés par moi, et que d'autre part ils allaient subir de subtils et profonds changements; et le vrai voyage allait se faire entre les prises, et en chacun de nous.

Le Pérou nous servirait à évoluer, intérieurement. Ce serait difficile, mais nous pourrions apprendre que le cheminement est plus important que le but. Je demandai à mon sur-moi si on verrait des Ovnis. Il me dit que ça n'était pas important, que ça dépendrait de la conscience collective de l'équipe; leur évolution individuelle étant plus importante que le fait de voir des Ovnis. Mais à quoi ça servirait si on voyait des Ovnis et que ça fasse flipper l'équipe? On (sur-moi) me répondit que certains étaient prêts à les voir, mais beaucoup ne l'étaient pas, et la conscience collective ne pourrait progresser qu'au rythme de ses membres les plus lents.

« ON »[1] me dit aussi que nous aurions des sensations étranges et pourtant familières sur certains lieux de tournage; certains auraient une vibration atlante, à la fois triste et agréable; d'autres auraient des vibrations lémuriennes[2], plus paisibles et tranquilles. Cela confirma ce que John et Mc-Pherson avaient dit : « Il faudra faire attention à l'humidité pour le matériel et vérifier la sécurité. »

Et finalement, je lui demandai ce qui se passait dans le monde. On me dit que la raison pour laquelle l'époque semblait si négative était que la tragédie devenait plus personnelle, plus perverse que par le passé. Et ça continuerait à se dégrader. La tragédie n'était plus un événement de masse maintenant; c'était un événement personnel parce qu'il fallait que nous puissions voir que chaque vie humaine a de la valeur. Même la douleur dans mon corps me rappelle que quelqu'un, quelque part, souffre, et à quoi sert la connaissance spirituelle sinon à aider le corps à moins souffrir?

Enfin, On me rassura : « Les êtres humains vivant actuellement apprendront qu'ils peuvent préserver le monde magnifique qu'ils ont créé pour eux-mêmes ou qu'ils croient que Dieu a créé pour eux. Ça revient au même. Il y a plusieurs moyens d'arriver à un début de perfection, ou de réalisation. En étant incarné, en vivant dans un corps, on peut ressentir la présence divine en soi. C'est tout à fait réalisable. C'est ça « l'Ère Nouvelle ». Sur ces perspectives positives, je m'endormis et, le lendemain matin, nous partions pour le Pérou.

Mais d'abord, plusieurs membres de l'équipe se sont inquiétés de la nouvelle loi martiale déclarée au Pérou. En réalité, certains n'avaient pas envie de partir. Stan organisa une petite réunion, et déclara qu'il avait parlé avec notre ambassadeur au Pérou. Celui-ci a simplement dit que la loi martiale et le terrorisme n'étaient rien en comparaison du problème des pickpockets.

Finalement, je me suis retrouvée assise dans l'avion d'Air-Pérou, à côté de Colin. Nous avons discuté de notre film,

1. *ON : l'auteur appelle ainsi son sur-moi, c'est-à-dire la voix de sa conscience, de son âme.*
2. *Du latin* lemures *: âmes des morts.*

mangé, sommeillé, lu, parlé, et mangé encore avant d'arriver. John, assis derrière nous, m'a tendu un petit papier, à 11 000 mètres, qui disait : « En direct du bureau de Dieu. Le bonheur, c'est d'atterrir. »

Il était 3 heures, heure locale. En sortant de l'avion, je me rappelai ma première arrivée, il y a pas mal d'années; j'étais seule, mais j'étais pleine d'espoir. Les représentants du gouvernement d'Alan Garcia nous accueillirent et nous donnèrent le droit d'être escortés à travers la ville sans nous soucier de la loi martiale.

Ils étaient particulièrement aimables et prévenants avec Stan et moi, mais ils ignorèrent complètement John Heard, qui dut attendre ses bagages avec les péons. Je m'aperçus que John n'était plus là. En Amérique du Sud, son talent et sa notoriété passaient complètement inaperçus. Lorsque j'envoyai des gens le chercher, ils pensèrent qu'ils s'appelait John Hurt, et ils le félicitèrent pour sa brillante interprétation dans *Elephant Man.* John aurait préféré qu'on lui fiche la paix.

Il n'y avait pas d'activités à Lima. C'était déjà le couvre-feu, et la nuit silencieuse et humide était sinistre. A tous les carrefours il y avait des tanks blindés avec des soldats jeunes et arrogants, la mitrailleuse à l'épaule, prêts à tirer.

Nous avons fait route pour l'hôtel Sheraton de Lima en voitures et en camionnettes; là, nous pourrions prendre une douche, et nous reposer quelques heures. Personne ne savait ce qui allait se passer.

Seuls, quelques chiens errants nous rappelaient qu'il y avait une vie normale. Sinon, Lima était grise et déprimante, avec un brouillard de pollution au-dessus de la ville sombre et déserte. Colin et Simon étaient assis â côté de moi, à l'arrière de la voiture officielle. Simon était venu au Pérou pour s'occuper de moi, mais sur le contrat on ne l'avait pas prévenu qu'il devrait se mesurer avec des soldats machos, prêts à chatouiller la gâchette au moindre geste.

Nous ne disions pas grand-chose. Nous étions seulement inquiets et fatigués. Notre voiture s'arrêta au premier contrôle, et le laissez-passer que notre chauffeur présenta n'eut pas l'air de les émouvoir.

J'essayais de comprendre le flot de paroles en espagnol. Les soldats pointaient leurs fusils sur nous. Simon et Colin me jetaient des regards inquiets. Je me demandais si c'était parce que j'étais une grande star de cinéma, et que les soldats n'oseraient pas nous descendre comme ça, ou parce qu'ils savaient que j'avais frôlé la mort plusieurs fois et que j'avais survécu. En tout cas, je tapotai nerveusement leurs mains pour les rassurer, en me demandant ce qui allait nous arriver. Les soldats regardaient notre laissez-passer d'un air blasé; visiblement ils n'en avaient rien à cirer. Je pensais à toutes les républiques-bananes d'Amérique du Sud, où les gens disparaissent pour un oui ou pour un non. S'ils ne savaient pas qui nous étions, on était mal partis.

Puis j'entendis notre chauffeur mentionner mon nom et citer *Irma la douce.* Les soldats se penchèrent pour me regarder. J'essayai de leur sourire, mais je suis déjà complètement coincée quand je passe un contrôle dans un aéroport, alors là, j'étais décomposée. Ils posèrent un tas de questions au chauffeur et j'essayai de comprendre ce qu'ils disaient. Il leur disait que nous étions venus au Pérou pour faire un film. Le ton changea d'un seul coup.

Je crois que, finalement, mon ancien rôle de gentille pute arrangea bien des choses. Ils nous firent de grands signes de respect dès que le chauffeur leur eut dit que les soixante-dix personnes qui suivaient étaient avec moi. Cela, ils le comprenaient d'autant mieux que les personnages importants en Amérique du Sud voyagent toujours en grande compagnie. Aucun doute, j'étais comme eux. Et puis, nous étions les seuls véhicules sur la route...

Pourtant la même scène se reproduisit cinq fois jusqu'à l'hôtel. Je me demandais à quoi pensaient les types des différents contrôles : ils devaient sûrement se foutre de moi, mais je ne disais rien, je me contentais d'avoir la trouille au ventre, par accès douloureux comme des coliques nerveuses.

Pourtant, nous avons réussi à arriver jusqu'à l'hôtel. Les autorités voulaient garder nos passeports pour raison de sécurité, mais je refusai de leur laisser le mien, en disant qu'il était plus en sécurité avec moi. Ils se regardèrent d'un air « Faut pas l'emmerder celle-là », et me laissèrent tranquille. Je savais que dans un pays étranger il vaut mieux avoir son passeport que sa main droite.

Chacun se retira dans sa chambre pour se remettre du voyage et des émotions, jusqu'à 7 heures du matin. Le service de sécurité entra, fouilla ma chambre, regarda sous mon lit, et partit.

Pour moi le confort, c'était de pouvoir prendre une douche chaude, de faire un peu de yoga, et de grignoter des fruits et des cacahuètes pralinées. J'ai lu un magazine péruvien et puis je suis tombée dans un étrange sommeil pendant deux heures, en gardant mon passeport à la main.

Le signal du réveil fut donné par un garçon qui apportait des fruits frais, du café trop fort, et un panier de toasts et de brioches. Premier jour d'adaptation à la nourriture péruvienne. Dans le couloir, il y avait déjà presque tous les gens de notre équipe de saltimbanques, qui étaient grognons, mal réveillés, et d'une humeur de chien. John, bien entendu, était le plus teigneux de tous, parce qu'il avait eu sa part d'expériences désagréables en tout genre. Je lui rappelai qu'il était un petit acteur de théâtre new-yorkais qui adorait la bagarre. Il me dit : « Non! Ça, c'est John Hurt! » John était le genre de type qu'on avait à la fois envie de prendre dans les bras, de câliner gentiment, et à qui on avait envie de botter le cul.

Les gardiens de la sécurité nous donnèrent l'autorisation de partir, et tout le monde s'entassa avec les bagages dans un grand car.

L'aéroport avait un autre aspect en plein jour. De longues files de gens attendaient devant les tableaux d'affichage des départs. Le personnel de l'aéroport semblait ignorer ce qui se passait. J'allai au rayon des journaux; il y avait un *International Herald Tribune*, et je me précipitai sur cette bouée de sauvetage, le meilleur journal au monde, celui qui me donne toujours l'impression d'avoir accès à tous les événements internationaux, quel que soit l'endroit où je me trouve.

Même quand je suis en plein chaos, je peux m'évader dans une rêverie bienfaisante, du moment que j'ai sous la main un journal ou un magazine d'information. C'est exactement ce que je fis, pendant que Simon et Colin discutaient.

Trois heures plus tard l'avion pour Cuzco décolla, sûrement à l'initiative du pilote, parce que personne ne semblait prêt à prendre des décisions dans cette pagaille bureaucratique.

Puis ce fut la descente sur le magnifique terrain de notre destination au Pérou : CUZCO. La splendeur des Andes coiffées de neige me frappa de sa grâce féminine. C'était tellement logique et normal, tout cela. Les Andes étaient le pôle d'attraction de l'énergie féminine sur la planète; l'Himalaya était le versant masculin. J'avais arpenté l'Himalaya au Bhutān, Sikkim, Kalimpong et au Népal. En y repensant, c'était une période de ma vie où j'étais très masculine dans mes activités et mon attitude. Je défiais l'autorité, je montais aux barricades avec mes idées politiques, je me mettais en rogne à la moindre injustice, et je calculais les effets de mon agressivité pour mesurer les changements que cela provoquerait dans la société. Je fonctionnais avec mon énergie yang, et je frottais mon pouvoir à tous ceux que je trouvais. Je me battais avec les mêmes armes que celles que je haïssais. Mais c'était le passé. Désormais, je serais plus rusée, plus concentrée, plus efficace et, franchement, j'aurais sans doute plus de satisfactions parce que jusqu'ici j'avais été responsable de ma vie agitée. Maintenant, j'étais prête à devenir cliente pour une vie plus paisible et plus harmonieuse. J'espérais que je n'aurais plus besoin de me mettre dans des états de rage et de frustration terrassants, parce que j'avais tellement donné dans ce sens-là que le plus gros était déjà résolu. Bien sûr, j'aurais encore des coups de cœur et des coups de sang, par-ci par-là; mais de façon superficielle. Et puis j'apprendrais ma leçon. Je n'aurais même plus besoin de recommencer.

Je commençais à ressentir ce début de sagesse en moi. Ainsi, les Andes m'apparaissaient comme l'entrée dans un royaume profondément féminin, vers des aspects de moi-même que je n'avais pas encore eu le courage ou le désir d'approcher.

Je caressai la petite icône de la Vierge Marie dans mon sac.

Juste avant mon départ des États-Unis, une amie m'avait offert une petite reproduction de l'icône, qui ressemblait plus à l'original que la photo. Le moine canadien la lui avait envoyée pour me la donner. Bien sûr, c'était un talisman, et je le savais. Mais les talismans ont un effet sur les humains parce que nous leur attribuons une magie. Et la magie crée les miracles et l'irrationnel. Renier la magie, c'est nier toutes les possibilités infinies. Je la gardais dans mon lit comme un souvenir de la vibration féminine que j'essayais de faire vivre en moi – j'allais avoir besoin de tous ces fétiches.

A Cuzco, il faisait beau, et, malgré l'altitude de 3 400 mètres, l'atmosphère était claire et agréable. Tous les membres de l'équipe étaient logés dans deux hôtels. Au Libertador, il y avait tous les « créatifs » – acteurs, scénaristes, producteurs. Au

Savoy, il y avait tous les « techniciens » – cameramen, sonorisateurs, électriciens, machinos, assistants. Ce n'était pas le Ritz, mais les deux hôtels étaient confortables. Ma chambre, au Libertador, était à côté de celle de Simon qui était chargé de filtrer les visites et les appels pour moi. A l'origine, c'était une suite, avec une marche pour passer d'une pièce à l'autre. Ma chambre donnait sur une petite rue pavée.

Celle de Simon était moins confortable. Mais il y installa un réchaud électrique, pour y mitonner sa propre soupe. A côté de ma chambre, il y avait une petite pièce que je fis débarrasser pour y installer une table de masseur et y faire mon yoga. Nous avions fait venir avec nous un masseur-kinésithérapeute. J'avais pensé que tout le monde pourrait en profiter et s'en trouver bien, après une journée de travail.

Étant donné que l'hôtel nous servirait de maison pendant au moins un mois, les chambres devaient être vraiment confortables. La mienne était correcte. La moquette et le dessus-de-lit étaient propres. J'avais seulement des réticences à cause de la photo de Jésus, souffrant et saignant au-dessus de mon lit sur sa croix. La bonne la retira et accrocha à la place une photo de deux hommes en sombrero. J'allai visiter la chambre de Colin. En ouvrant la porte de sa chambre, nous sommes tombés sur des piles de linge sale et une vingtaine de matelas fatigués.

« Ils me cherchent ou quoi? » me dit-il. Ils ne lui avaient pas donné le bon numéro de chambre.

Colin s'installa, et nous partîmes à la recherche de John Heard. Ce fut vite fait. La porte de sa chambre était grande ouverte, et il faisait comprendre clairement qu'il voulait faire sa valise et retourner en pays civilisé, retrouver sa chère statue de la Liberté, et les rues de Manhattan. Et il ajouta aussi qu'il en avait « plein le cul » du bruit des voitures sous sa fenêtre. Aussi, on lui trouva aussitôt une chambre près de la mienne. Est-ce que c'était un effet de la justice divine, ou le résultat de son comportement, toujours est-il que John allait toujours à la limite de ses expériences. Mais, au fond, ça lui ressemblait, et il faut croire qu'il avait besoin de vivre de cette manière.

Cette nuit-là, j'ai battu le record de l'histoire de mes insomnies. Les types de la décoration, qui étaient déjà installés à l'hôtel depuis plusieurs semaines, avaient décidé de faire une petite fête. Ils avaient organisé ça dans la salle à manger juste en dessous de mon lit. Les murs et les sols étaient en matériaux ultra-minces, et j'ai d'abord eu droit à toutes les réjouissances de la fine équipe (chansons, blagues, rires gras et rocailleux, danses du ventre et autres numéros de music-hall, au rythme endiablé de tambours et de caisses claires qui auraient facilement décroché la palme de la meilleure fanfare le jour de l'Indépendance).

C'était justement la nuit où on avait du sommeil à rattraper, et la production nous avait recommandé d'aller au lit de bonne heure, pour être à pied d'œuvre le lendemain très tôt.

Je mis en route mon diffuseur de sons, et le montai au maximum. Dieu merci, le courant était correct. Mais les bruits de la fête couvraient tout.

Vers minuit, Simon alla se plaindre au bureau de la production. La secrétaire américaine, qui nous avait donné la consigne de dormir en arrivant, déclara : « Elle n'a qu'à nous prévenir quand elle dormira. » Simon nota son nom sur son carnet noir et fit venir le patron de l'hôtel.

Une équipe de cinéma américaine n'écoute personne en dehors du réalisateur et parfois d'une star soupe au lait. Comme le réalisateur n'était pas là, j'ai donc fait mon boulot. Mais ce que je ne savais pas, c'est qu'il y a souvent des pannes de courant à Cuzco, ce qui détraque le matériel électrique. Et, bien entendu, mon diffuseur de sons sauta. Pourtant, moi je n'ai pas sauté au plafond. Je me suis assise sur mon lit en me disant : il doit y avoir une bonne raison à tout cela et ça va sûrement s'arranger. A 5 heures du matin, j'ai fini par m'endormir. A 6 heures, la trompette de la caserne d'à côté, sonna le réveil, suivie d'une fanfare militaire qui accompagnait joyeusement une compagnie de soldats qui partaient en manœuvre. Mais avant de partir, ils devaient marcher au pas dans le quartier jusqu'à 7 heures du matin. J'ai donc dormi entre 7 heures et 11 heures du matin.

En me levant, je me suis dit : j'ai du rêver tout ça ou le vivre il y a longtemps dans une autre vie.

Simon envoya un appel de détresse à Los Angeles pour avoir deux diffuseurs de sons express. Je ne pouvais pas dépendre d'une panne de courant pour fonctionner moi-même en continu pendant toute la durée du film. Et je n'avais pas envie de passer pour la reine des emmerdeuses, jouant son propre rôle.

Après quoi, nous sommes allés visiter la cité inca qui serait notre résidence pendant quatre semaines.

Personne ne sait vraiment à quand remonte l'origine de Cuzco. Comme pour toutes les cultures préhispaniques, les faits sont imprécis à cause de la tradition orale. Mais les archéologues contemporains prétendent que Cuzco a été habitée par des cultures pré-incas. Le mot Inca est un terme quechua utilisé pour décrire une personne unique – l'empereur en personne. Le quechua est encore la langue des Incas. La légende de la ville de Cuzco est fascinante.

Au tout début, vivaient des créatures barbares, sur une terre sombre et désolée. Puis le grand Soleil envoya son fils sur la terre pour y apporter la lumière et la culture. Il s'appelait Manco Capac. La grande déesse de la Lune lui envoya sa fille, comme fiancée. Elle s'appelait Mama Occlo. Ils ont plongé tous les deux dans les eaux du lac Titicaca et une longue odyssée s'est déroulée jusqu'à leur arrivée dans la vallée fertile de Cuzco. Sur l'ordre de son père, le dieu Soleil, Manco Capac, lança son sceptre d'or sur le sol. Lorsqu'il le vit disparaître, il sut que c'était là qu'il créerait son empire. Ainsi, Cuzco était plus que la capitale de l'Empire inca. C'était une ville sacrée, un lieu de pèlerinage qui avait autant de signification pour les Quechuas, que La Mecque pour les musulmans.

Les Incas donnèrent à la ville la forme d'un puma. C'est à l'intérieur de cette admirable forme animale que j'ai pu visiter le temple du Soleil, la Place des Armes, la place des Lamentations, les cathédrales et le palais de Pachacutec.

En marchant dans les rues pavées de Cuzco, nous étions assaillis d'images colorées, de spectacles et de sons nouveaux. A chaque croisement, nous étions confrontés à l'histoire antique. Après tous les tremblements de terre, seules les structures incas subsistaient. Les boutiques d'objets artisanaux vendaient des tapis, des paniers, des bijoux, des pulls, de l'or et des peintures.

Plus tard, Colin vint me retrouver, et nous sommes allés sur les lieux du tournage repérés par l'équipe de production. Bien que ma propre expérience ait eu lieu dans un autre endroit du Pérou, à Huancayo, on avait dû, pour des raisons techniques, trouver d'autres lieux de tournage. Je sentais que les directeurs artistiques quêtaient mon approbation, sachant que nous étions sur un terrain complètement différent. Mais ils avaient fait un boulot superbe en choisissant des lieux très ressemblants à ceux que j'avais décrits dans mon livre... en dehors de l'hôtel où je vivais.

Ma première expérience était beaucoup plus primitive que celle du tournage. Moi, j'avais vécu dans un taudis en terre battue baptisé « hôtel ». Il n'y avait pas de fenêtres, pas d'eau courante, pas de chauffage : rien. Ils avaient peut-être eu du mal à me croire. Je n'en sais rien; mais au lieu de suivre les indications du livre, ils avaient déniché un petit hôtel un peu bizarre, presque européen, rouge et blanc, avec une cour abondamment fleurie. Liz Taylor aurait adoré y passer une de ses lunes de miel. En tout cas, ils avaient demandé – moyennant finances – l'autorisation au directeur de l'hôtel de salir un des murs et la cour avec de la boue. Lui qui croyait que c'était pour le charme coquet de son établissement qu'ils étaient venus tourner chez lui! On entassa de la terre dans la cour, et aussitôt l'équipe se mit à couvrir joyeusement les murs de boue, à l'extérieur et à l'intérieur des chambres. Il avait toujours cru que les gens d'Hollywood étaient un peu givrés, mais maintenant il n'avait plus aucun doute.

Finalement, le résultat n'était pas concluant. Même avec des centaines de mètres cubes de boue, l'hôtel n'était pas assez « primitif ». Alors la compagnie dédommagea le patron, et restaura son hôtel en un temps record. Puis tout le monde partit à la recherche de l'endroit adéquat pour nos rêves en celluloïd. J'espérais que le patron de l'hôtel s'en remettrait.

Comme nous avions tourné les séquences du bain minéral dans un studio de Hollywood, nous avions besoin de faire les extérieurs au Pérou. Il a donc fallu creuser un grand trou et reproduire un phénomène naturel introuvable à Cuzco. Il fallait aussi que l'eau bouillonne et fasse de la vapeur.

Pas de problème pour le trou. Il y en avait justement un, naturel, près de la rivière Urubamba. Mais où trouver l'eau pour le remplir?

Quelqu'un nous parla du maire de Coija, qui avait une piscine chauffée avec de l'eau soigneusement javellisée. Le chlore était essentiel, soit-disant, parce que John et moi allions devoir tourner dedans pendant plusieurs jours.

Le directeur artistique alla trouver le maire et lui demanda si, MOI, je pourrais utiliser l'eau de sa piscine pour notre film. Il donna son accord et, du coup, ils avancèrent la date du tournage, tellement ça... baignait pour ainsi dire.

Mais quand l'équipe arriva avec le camion-citerne des pompiers pour récupérer l'eau de la piscine du maire, celui-ci l'avait déjà vidée pour la remplacer par de l'eau pure, non chlorée. Le directeur artistique essaya de lui expliquer que ce n'était pas sa piscine que je voulais utiliser, mais SON EAU. Le camion-citerne des pompiers entra et il fallut faire un nombre incalculable de voyages pour acheminer l'eau (plus de 300 000 litres) et la chauffer avant de la déverser dans un trou entouré de rochers « sauvages » afin que ça ne ressemble pas à un bassin de parc municipal pour touristes.

Mais à peine l'eau fut-elle déversée dans le trou qu'elle se mit à s'échapper. 150 000 litres d'eau se déversèrent dans l'Urubamba avant qu'on ait eu le temps de bloquer la fuite.

Ensuite, ils colmatèrent la brèche avec du rubson, remplirent à nouveau le bassin et firent chauffer l'eau avec des résistances. Mais la chaleur fit fondre le rubson, qui remontait à la surface par paquets caoutchouteux.

Quelqu'un suggéra de jeter de la glace dans l'eau pour que la vapeur camoufle tout ce qui flottait sur notre « bain minéral ».

Ça a marché. John et moi n'aurions qu'à dire notre dialogue très vite pour ne pas garder la bouche ouverte trop longtemps. Le tournage du bain minéral fut donc remis à plus tard.

Les gens de la direction artistique accomplirent un travail de titan, au Pérou. Tellement titanesque, que le directeur artistique dut rentrer chez lui, parce qu'il ne pouvait plus soutenir le mal des montagnes et la pression insensée du tournage.

Il faut dire que travailler au-dessus de 3 000 mètres n'est pas un jeu d'enfant. D'abord on a une migraine, constante et lancinante. La digestion est très pénible. L'oxygène est tellement rare que la tête tourne, le cœur bat la chamade, et c'est difficile à supporter constamment. Voilà, en gros, ce qui se passe physiquement. Mais les effets psychologiques sont encore plus profonds.

Au bout d'une journée et demie, je faisais déjà des rêves et des associations, qui n'avaient rien à voir avec tout ce que j'avais eu jusqu'ici.

Je pense que c'était le mélange détonant de l'altitude et de l'énergie des Andes; par la suite, les gens de l'équipe m'ont raconté des histoires presque semblables. Tout le monde était plus ou moins déboussolé.

Nos rêves étaient plus précis, plus vrais que d'ordinaire. J'avais l'impression de vivre dans deux ou trois niveaux de conscience en même temps.

La veille du tournage, Colin Simon et moi sommes allés faire un tour sur les marchés. Les objets artisanaux péruviens sont sublimes : sacs tissés multicolores, pulls en laine d'alpaga brodés de dessins merveilleux. Les tapis d'alpaga sont superbes comme dessus-de-lit. J'en profitai pour faire tous mes cadeaux de Noël à Cuzco. Même en ne mangeant que de la soupe et du pain, nos estomacs se révoltaient, et le moindre écart de régime nous rendait encore plus malades.

Tout le monde était prêt pour le tournage. C'est alors qu'on s'est aperçus que mes bottes de para avaient disparu et, pis encore, toutes les bouteilles d'alcool stockées dans le bureau de production avaient été volées.

Oh! Joie, notre chef costumier avait pensé à prendre une paire de bottes en double, mais notre producteur n'avait pas de solution de rechange pour l'alcool.

Le tournage commença sur la place de Cuzco. Les badauds s'attroupèrent aussitôt. L'équipe était bien organisée, rapide et professionnelle. Brad s'arrangeait pour protéger mes yeux du soleil de haute altitude avec une petite mousseline fixée au-dessus de ma tête. Stanley nous demanda, à John et moi, de tourner une des scènes les plus dramatiques du script, dès le premier jour, pour des questions de planning de production.

Je sentais que nous n'avions pas encore eu le temps de nous habituer à l'altitude et que nous aurions de vrais problèmes pour crier et nous lancer à la figure un dialogue carrément dramatique. John était d'excellente humeur. Il apprenait l'espagnol et discutait avec les gens du coin. Il ne fit aucune objection pour tourner la grande scène de la Plaza. Au contraire, il adorait les difficultés. Ensuite, on nous fit tourner la scène de l'arrivée à l'aéroport, parce que nous n'avions l'autorisation que ce jour-là. L'après-midi, nous devions aller sur le Machu Picchu.

La matinée se passa sans encombre, bien qu'à l'aéroport on ait pris du retard. Nous avons déjeuné, et avec tout le matériel et les gens de l'équipe, nous avons réussi à monter dans le train qui va au Machu Picchu.

Le trajet devait durer trois heures, mais on est arrivés sept heures plus tard.

Nous avons traversé des paysages fantastiques. La rivière Urubamba descendait en cascades du haut des Andes paradisiaques, et elle longeait le train de si près qu'en étendant les mains par la vitre nous sentions l'eau gicler en gouttelettes sur notre peau. Nous traversions le livre de la jungle, avec ses innombrables variétés d'arbres, d'oiseaux et de fleurs. Quelques ponts de chanvre et des petites vignes de montagne étaient la seule trace de vie humaine dans la région sauvage que nous traversions.

Il n'y avait rien à manger en dehors des boîtes de sandwiches que l'hôtel nous avait préparées. Et à chaque arrêt de montagne, on les donnait aux paysannes qui les acceptaient avec dignité pour leurs enfants. Elles étaient alignées au bord du quai, drapées dans leurs robes-saris aux couleurs vives, qui faisaient ressortir le noir bleuté de leurs cheveux tressés. Elles essayaient de nous vendre des colliers et des sacs de leur fabrication.

Tina et Julie pleuraient de voir la misère dans laquelle vivaient tous ces gens. John était accoudé à la fenêtre. En voyant toutes ces mains tendues, il sortit tout l'argent qu'il avait dans ses poches et le lança par la fenêtre, sans regarder, incapable de supporter ce spectacle.

Personne d'autre ne le vit. C'est un de mes souvenirs les plus forts de ce voyage au Pérou.

La nuit tombait. La bière aidant, les gens de l'équipe commençaient à se sentir mieux, et John également. Il adorait boire avec eux. Et on a commencé à raconter un tas d'histoires marrantes sur les gens du métier avec qui on avait déjà travaillé. Rien n'est sacré quand on s'y met. De temps en temps, quand le train se rapprochait de l'Urubamba, on se penchait tous par les fenêtres pour se faire asperger.

Finalement, à 2 heures du matin, le train est arrivé en gare de Machu Picchu. Et, comme on le craignait, il pleuvait. Nous nous sommes entassés dans un car qui montait jusqu'aux ruines. Si le temps changeait, nous devions tourner trois heures plus tard, à l'aube.

« Écoutez dit Brad. C'est la guerre. On le sait tous. On fera avec et on s'arrangera pour que ça marche. »

C'est comme ça que je me suis retrouvée sur les ruines du Machu Picchu qui m'avaient envoûtée dix ans auparavant.

Le Machu Picchu était connu comme étant la cité perdue des Incas qui fut découverte qu'en 1911 par un Américain, Hiram Bingham, qui devait devenir gouverneur et sénateur du Connecticut, et aussi directeur des études sud-américaines à Harvard. Les Indiens eux-mêmes ne savaient pas qu'elle existait. Les ruines sont situées au sommet de la montagne, et il n'y a aucun accès pour les véhicules et la construction. Personne ne peut expliquer comment ce monument a été construit. Je sortis du car dans la pluie et le brouillard. Le vieil hôtel était toujours là. En levant les yeux, j'aperçus la silhouette des blocs de pierre et, juste au même moment, je vis un alpaga géant sortir des nuages. Il était immobile, dans la pluie – comme s'il gardait les lieux.

Je grimpai les marches de la véranda de l'hôtel. Depuis que j'étais venue la dernière fois, il était passé au moins un million de touristes. J'avais été bouleversée par cet endroit; il m'était arrivé beaucoup de choses depuis, j'avais beaucoup appris et j'avais encore beaucoup à apprendre.

Il fallait qu'on dorme à deux dans les chambres, car il n'y avait pas assez de place pour loger tout le monde. Colin partagea donc ma chambre. Quand il entendit les bruits aquatiques de mon diffuseur de sons il s'écria :

– Alors, c'est ça qui te fait dormir?

– Ouaip! et tu seras endormi toi aussi avant de te demander ce que le Pérou te réserve pour demain.

CHAPITRE 19

Au réveil, Colin avait des nouvelles inattendues pour nous. Il pleuvait et il y avait un battement avant le tournage, alors il jugea le moment opportun pour m'en parler. C'était au sujet du dialogue, sur le Machu Picchu.

– J'ai eu un entretien avec un type du service culturel, commença-t-il.

– Oh! lui dis-je, comment est-il?

Colin fit la grimace.

– Il a l'air de sortir tout droit d'un mauvais Costa Gavras.

Ce n'était pas bon signe.

– Bon! et alors? je lui demandai, plutôt inquiète.

– Il dit que si on ne coupe pas tout ce qui se rapporte aux extra-terrestres, dans notre script, il ne nous laissera pas tourner ici.

Je regardai Colin, essayant de comprendre. On m'avait déjà ridiculisée à cause de mes convictions sur l'existence des vies extra-terrestres, mais là, ça me paraissait grave.

– Pourquoi? lui demandai-je. Qu'est-ce qui lui déplaît?

– Eh bien, répliqua Colin, il croit qu'il y a un complot néo-nazi dans le monde, qui fait courir le bruit que les cultures du tiers monde, telles que le Pérou, sont trop arriérées et stupides pour avoir pu construire des monuments aussi splendides que le Machu Picchu, sans l'aide des extra-terrestres. Je n'avais jamais entendu une telle théorie.

– Tu veux dire que ce type croit qu'il faut être néo-nazi pour supposer que les extra-terrestres ont aidé à construire le Macchu Picchu?

Colin fit un signe affirmatif.

– D'après le bonhomme, oui. Alors, on ne peut pas faire dire à David que ça pourrait être vrai.

Je réfléchis un moment.

– O.K., je déclarai. Alors, Shirley va demander si les ET

ont pu les aider, et John, avec son charme habituel, pourrait se contenter de hausser les épaules sans répondre, ce qui signifierait « peut-être » ou « qui sait », comme il nous fait tout le temps. On aurait le même résultat, mais sur le script, on écrirait : « David ne répondit pas. »

Colin sourit, de son sourire d'Harold. Le même sourire affiché sur le visage d'Harold avant de se pendre pour embêter sa mère.

– Bien, dit-il, ça marche! Shirley posera la question à David et il haussera les épaules.

– D'accord, je vais donner une conférence de presse et dire que les ET ont probablement aidé les Incas parce qu'ils étaient la seule culture suffisamment intelligente pour les comprendre, ajoutai-je.

– Tu devrais faire de la politique, dit Colin.

– Merci, répliquai-je, mais la politique de l'esprit me suffit.

Ça paraissait simple comme bonjour, vu de notre chambre d'hôtel près du Machu Picchu. On allait changer une ligne et c'était classé. Mais en réalité, ce jour-là, le type avait convoqué une conférence de presse avec des journalistes péruviens et étrangers. Il m'accusa d'être une néo-nazi et leur donna sa thèse de complot. Les journalistes étaient effarés et amusés. Les Péruviens savaient qu'il aimait se faire mousser auprès des journalistes et les étrangers trouvaient que ça ferait de bons papiers. Comme j'avais refusé de donner des interviews jusqu'à ce que le film soit terminé, je ne pouvais pas, et je ne voulais pas dire quoi que ce soit.

Ainsi, une fois de plus, dans la presse internationale, c'était comme si je m'étais fourrée dans une situation farfelue, cocasse. Mais si j'étais toujours aussi controversée, du moins, le débat devenait de plus en plus cosmique.

En sortant de la chambre, dans le hall de l'hôtel, nous sommes tombés, Colin et moi, sur l'équipe qui remballait tout le matériel dans les bus. J'allai trouver Stan.

– On se tire, me dit-il, c'est la journée la plus chère de toute ma carrière. Ça nous coûte la peau des fesses, cette histoire. Je ne te parle pas du prix du voyage, j'aime mieux pas le savoir. Les mecs sont crevés. J'ai pas envie qu'ils se cassent la figure sur ces vieilles pierres. De toute façon, la journée est foutue, on avait seulement le permis de rester pour une journée, et l'hôtel ne peut pas nous loger ce soir, alors, on a décidé de rentrer et de revenir une autre fois.

Bon, c'est ce qu'on pouvait appeler une décision à haut risque, pour la création.

– Qu'est-ce qui te fait croire qu'il ne pleuvra pas la prochaine fois qu'on reviendra, Stan? Il me semble que j'avais le droit de lui poser la question.

– Parce que TU vas pouvoir nous prouver le contraire, Shirley, dit Stan, simplement. Tu vas nous faire une démonstration de pensée positive.

Oh, ma vieille, c'est le moment de nous montrer ce que tu sais faire. Sors-nous ton numéro. Je vois. Il avait complètement raison.

Très vite, je lui dis que j'allais faire un petit tour en haut des ruines. Stan me dit : « D'accord. »

Je commençai à grimper les marches en pierre. J'étais en tenue de combat : bottes et treillis imperméable. Des nuages de brume flottaient autour des montagnes. Les pierres étaient glissantes et je compris les inquiétudes de Stan. Je me rappelai l'histoire du fantôme inca de la tour de la pendule, qui apparaît souvent et dit qu'il ne veut pas qu'on vienne là. Je me demandais si c'était pour ça qu'on avait de la pluie. Certains archéologues prétendent que la Cité Perdue fut construite uniquement pour des princesses incas. En contemplant les flancs des ruines, j'imaginais les vaisseaux en train de soulever les blocs de pierre gigantesques, dans les carrières qui sont visibles de l'autre côté de la vallée. Comment concevoir autrement que les Incas aient pu transporter des blocs de vingt tonnes jusque-là.

Je m'arrêtai un moment. J'étais toute seule, tranquille. J'essayai d'évoquer les sentiments que j'avais eus quand j'étais venue là pour la première fois, bien avant que je comprenne ce que je cherchais.

Je n'avais jamais eu l'impression que j'avais déjà vécu là, ou que j'y étais venue dans une vie antérieure.

Par contre, je me sentais en accord avec une énergie qui datait de cette époque, une technologie avancée qui s'adressait à la compréhension de forces au-dessus et au-delà de celles qui nous sont familières de nos jours.

J'avais l'impression que nous avions régressé de bien des manières, en nous concentrant sur des priorités qui ne nous aidaient pas vraiment, qui nous éloignaient de la raison, de la sagesse, et qui peut-être nous conduiraient à notre perte.

Tristement, je m'en retournai à l'hôtel. L'alpaga que j'avais vu la nuit précédente était debout, gracieux, dans le brouillard, clignant de l'œil vers moi. Je me demandai si la prochaine fois je le verrais dans le soleil.

Quand j'entrai dans le hall, John Heard était assis avec Michael et Cowboy, en train de boire de la bière. Comme pour Simon et moi, ils étaient chargés de s'occuper des moindres désirs de John. Ils ne lui avaient pas encore dit qu'on arrêtait de tourner, d'où, bien entendu, la bière.

Stan me prit de côté et m'offrit une tasse de café. Il hésita un peu, et puis il me dit quelque chose que je n'arrivais pas à croire.

– Écoute, dit-il, je crois que tu devrais le savoir maintenant. Il y a trois personnes qui sont venues dire que si John et toi n'aviez pas eu cette scène où vous criez « JE SUIS DIEU », on n'aurait pas la poisse qui nous colle au train depuis. Ils pensent que c'est Dieu qui nous punit.

– Tu n'es pas sérieux? lui demandai-je.

– Si, tout à fait, dit-il, avec un regard complètement sincère.

– Mais écoute, Stan, on n'a pas eu la poisse tout le temps. Tout le monde a été tellement sympa et coopératif. Et puis, en ce qui concerne le temps, eh bien, une des premières choses qu'on apprend, c'est que la nature suit la conscience. La nature se purifie chaque fois qu'elle peut.

– Tu sais, dit Stan. Eux, ils ne sont pas au courant. Ces trois-là pensent que Dieu prend sa revanche.

– Wouah! dis-je, complètement éberluée.

Je me sentis tout à coup complètement sur la touche avec l'équipe, même s'il n'y en avait que trois qui pensaient ça. J'avais envie de savoir qui étaient les trois en question, mais je ne le lui demandai pas. Je ne voulais pas déclencher un conflit religieux, mais je voulais leur faire comprendre mon point de vue. C'était tellement plus pacifique et enrichissant que de croire en un Dieu vengeur, sans pitié, qui déclenchait des calamités chaque fois qu'on ne lui obéissait pas servilement. Est-ce que Dieu me punissait pour avoir blasphémé?

Non, je crois qu'il voulait que chacun de nous reconnaisse

l'étincelle divine en soi, et en assume immédiatement la responsabilité pour admettre que chaque être était divin. Chaque personne était Dieu.

Je pensais que Dieu aurait aimé cette scène. Dire « Je suis Dieu », c'était exaucer et respecter son amour pour nous, parce que nous faisions tous partie de la même divinité.

– Écoute, Stan, ces trois personnes ont peut-être peur d'elles-mêmes, dis-je.

Stan reposa sa tasse.

– Bon, je voulais simplement que tu le saches, dit-il.

J'acquiesçai en poussant un soupir.

– Merci d'avoir pris au sérieux ce qu'ils disaient, Stan. Et ne t'en fais pas, continuai-je, on n'aura pas la poisse. Ça sera peut-être difficile, mais on n'aura pas la poisse.

Stan me regarda droit dans les yeux. C'était un homme ouvert et profondément bon. J'étais heureuse qu'il soit le producteur de mon film.

Je me levai et me dirigeai vers le balcon. C'était drôle, chaque fois que j'avais ce que Butler appelait un coup de déprime, et de doute, à propos de ce projet, je pensais qu'il existait déjà dans l'air depuis un bon bout de temps. Ce qui était important, maintenant, c'était que tous ceux qui y étaient impliqués puissent évoluer et grandir.

La scène de « Je suis Dieu » pouvait déclencher des réactions de peur à l'idée de reconnaître en nous l'énergie divine, et d'être obligés d'admettre notre pleine et entière responsabilité, alors qu'il était si facile de blâmer Dieu. Ça me rappelait une phrase que j'avais lue et qui disait : « Dieu a besoin de nous parce que nous sommes un moyen par lequel il peut s'exprimer. »

Pendant ce temps-là, la vie continuait et on nous attendait... Nous nous sommes entassés dans le bus. Pour je ne sais quelle raison, John grommelait des commentaires colorés sur les effets de Judas sur Jésus-Christ. Je n'arrivais pas à deviner s'il s'identifiait au « traître » ou au « trahi ». Probablement au dernier, et il y avait sûrement un rapport avec la pluie. John avait le don de faire une affaire personnelle de toutes les situations. C'est d'ailleurs pour cela qu'il était un si bon acteur.

Il s'accroupit près de moi, puis il se fourra des écouteurs dans les oreilles et se mit à se balancer en écoutant de la musique, qu'il rythmait en même temps avec le pied.

– Tu connais la plus belle chanson d'amour qui ait été écrite? demanda-t-il.

– Non. Laquelle?

Mais il ne m'entendait pas. Je lui fis signe que non, avec ma tête.

– Eh bien, il dit qu'il veut encore une cuillerée d'amour de son petit ange, et le mec qui a écrit ça, il a tué sa mère.

J'essayai de parler, mais aucun son ne sortit de ma bouche. John renversa sa tête en arrière en hurlant de rire.

J'aurais bien aimé participer à sa bienheureuse folie, mais la seule chose qui me venait à l'esprit, c'est qu'il sentait la vanille.

Dans le bus qui nous faisait descendre la montagne, un spectacle pour les touristes se déroula sous nos yeux étonnés. De jeunes garçons avaient quitté le sommet en même temps que notre bus. Ils dévalaient les pentes, les cascades, les petits sentiers, à toute allure, et ils nous attendaient à la sortie d'un virage, pour nous montrer qu'ils allaient plus vite à pied que nous en bus. Pour des gens comme Cowboy, qui sont toujours clients pour la magie, c'était un truc incompréhensible. A l'arrivée, il leur donna un gros pourboire. Ils vivaient de ça.

En arrivant à la gare, le matériel fut chargé sur le train et nous sommes tous montés. On se demandait ce qui nous attendrait la prochaine fois qu'on reviendrait.

Pendant le retour je discutai avec des gens de l'équipe. Nous avons parlé des problèmes que certains avaient avec des membres de leur famille, qui n'étaient à l'aise qu'avec ce qu'ils pouvaient voir et toucher, mais qui avaient très peur de tout ce qu'ils ne pouvaient pas contrôler, même s'ils sentaient confusément qu'il s'agissait d'une dimension vraie ou vraisemblable. Peu d'entre eux se moquaient de la recherche spirituelle, mais certains la trouvaient dangereuse et interdite, comme si les « morts » pouvaient revenir et réfuter leur réalité et leur sécurité. Plus intéressant encore, était la réflexion de ceux qui, en discutant, abordaient ouvertement ces problèmes avec leurs proches. Ils comprenaient les réactions que cela déclenchait sur la vie des autres; en créant une opposition, ils s'apercevaient qu'ils s'adressaient, en fait, à une partie d'eux-mêmes qui n'était pas encore sûre et certaine de ses convictions.

Ce trajet en train était de plus en plus révélateur. Tina et

Julie lançaient des pièces et des dollars aux enfants des pauvres, avec beaucoup d'enthousiasme.

– Oh! regarde ce petit-là comme il est mignon, disait Tina en lançant de la nourriture, ou une pièce.

Elles étaient soulagées de pouvoir aider quelqu'un de plus infortuné qu'elles. Moi je regardais de l'autre côté. Je ne sais pas encore bien pourquoi.

La souffrance de John en voyant les pauvres était infiniment plus profonde pour moi. Cela le rendait littéralement malade, et il ne pouvait pas manger. Je me demandais comment il était quand il aimait vraiment quelqu'un.

A l'arrêt du train, Colin, Simon et moi sommes montés dans notre voiture pour retourner à l'hôtel, à Cuzco.

A partir du moment où nous sommes arrivés dans la vallée sacrée des Incas, j'ai passé le reste de la journée dans un état tout à fait inhabituel.

Je devais me rappeler bien des fois par la suite, dans cette région, que le film n'était pas la seule raison de mon séjour au Pérou.

Il y a eu plusieurs moments dans ma vie où j'étais certaine d'avoir déjà vu l'endroit où je me trouvais. Que ce soit dans une ville, ou en pleine nature. C'est une sensation qui commence comme une petite brise qui se met à me souffler des souvenirs. En regardant autour de moi, je sens que mon esprit s'aiguise, cherche, s'excite, jusqu'à ce que je fasse taire ma mémoire en remettant les réponses à plus tard, ou que je puisse retrouver, en hésitant, l'époque et les circonstances de ce « déjà-vu ».

C'est exactement l'impression que j'ai eue devant une ruine inca appelée Ollantaitambo. Ollantaitambo surplombe la vallée sacrée des Incas. Le paysage tout autour est vert émeraude et la rivière Urubamba y coule librement en chutes et en cascades transparentes, avec, en arrière-plan, des collines en terrasses qui se détachent sur un ciel bleu turquoise où s'étirent des petites touches de nuages en volutes. C'est une vallée sacrée, rien que par le coup au cœur, qui vous fige sur place quand vous vous trouvez devant.

Mais Ollantaitambo m'a vraiment « eue ». Je voyais les autres cars tourner à droite vers Cuzco, mais, comme si j'étais poussée par un bras invisible, j'ai demandé à notre chauffeur de s'arrêter. Il nous raconta très cérémonieusement l'histoire de ces ruines : elles étaient un lieu stratégique, là où la vallée sacrée se resserre et où l'Urubamba plonge à pic dans l'Amazone. Ollantaitambo défendit Cuzco contre les attaques des tribus du nord de la jungle. Les ruines portent le nom d'un chef de la région qui avait eu une histoire d'amour interdite avec la fille de son souverain, l'Inca Paracutec. Il se rebella et fut crucifié. Il y a eu également de grandes batailles pendant la rébellion de l'Inca Manco. Quand les Espagnols ont finalement assiégé l'endroit, il fut abandonné.

C'était l'historique des lieux, raconté par notre chauffeur, qui était également guide touristique. Mais moi, je ressentais quelque chose de différent.

« Le bras invisible » me poussa hors de la voiture. Colin et Simon sortirent aussi. Mais j'avais envie de marcher seule parmi les vieux blocs de pierre, de cette histoire ancienne qui parlait à ma mémoire.

Des blocs de vingt tonnes semblaient avoir été construits dans un souci de perfection.

Je me dirigeai vers le monument en ruine. Un vent léger se leva dans mon dos et j'eus cette sensation, déjà éprouvée. Je montai les marches de pierre. Le bras me soutenait. Je vis Simon et Colin parler au chauffeur puis venir me rejoindre. Je grimpai les deux cents marches, en leur jetant un coup d'œil de temps en temps.

Il fallait que je grimpe jusqu'en haut. C'était plus fort que moi. Je ne savais pas pourquoi. Il n'y avait pas de garde-fou, seulement des pierres de trente centimètres de largeur, à fleur de terre, parfois en saillie, parfois enfouies. Mais je savais qu'elles étaient là, sous mon pied. Je sentais que je les avais déjà montées. Puis je me suis vue avec des sandales et une sorte de collier de plumes autour du cou. C'était l'expérience la plus envoûtante, la plus ensorcelante que j'aie jamais eue; tout à fait différente des souvenirs de mes vies antérieures, provoquées par acupuncture dans un endroit aseptisé et médical. Ces souvenirs surgissaient dans ma mémoire sans autre stimulant que l'environnement, le lieu où je me trouvais. Je continuai à grimper. La montagne était très, très escarpée. Je savais que je grimpais vers la tour de garde où j'avais passé beaucoup de temps. Je respirais difficilement maintenant, à cause de l'altitude. Puis je pris la décision de m'accoutumer à l'altitude comme j'avais dû le faire par le passé. Je me concentrai en faisant une sorte de gymnastique mentale. Je sentis mon corps se redresser et une forte poussée d'énergie dans mes cuisses, comme si, à une telle hauteur, la pression devait se déplacer vers les jambes et non pas peser sur le plexus solaire.

Ce qui s'est passé ensuite fut une révélation. Soudain, je n'ai plus éprouvé aucune peine à respirer. Je ne me posais même pas la question, parce que je savais que ça n'était pas nécessaire. Je grimpai plus haut. Puis je cherchai Colin et Simon du regard. Je vis seulement Colin. Simon avait disparu. Je continuai à grimper. Le soleil commençait à disparaître et je ne voulais pas redescendre à la nuit tombante. Je commençais à voir des petites traces d'animaux sur les flancs de la montagne. Le vent se mit à changer. Il entourait mon corps d'un souffle puissant. Les nuages qui se formaient au-dessus de la montagne sacrée commençaient à s'accumuler en grosses masses cotonneuses. Il commençait à pleuvoir au sommet de la montagne. Alors, je regardai autour de moi, respirai un grand coup et souris. Je me sentais complètement heureuse, jusqu'au tréfonds de mon âme. J'étais transportée en plein paradis. Non, décidément, cet endroit n'avait pas été pour moi un lieu de batailles, de guerres, de maladies ou de tueries. C'était des souvenirs de respect pour la nature qui affluaient vers moi. Je savais que j'avais attendu des levers de soleil, et que j'avais chanté en soulevant mes paumes vers le soleil, en même temps que des milliers de gens autour de moi. Je savais que nous adorions le soleil levant, d'un côté de la montagne, et le couchant, de l'autre côté. Je regardai vers le haut. Il fallait que j'aille jusqu'en haut pour voir quelles associations j'allais découvrir. Juste à ce moment-là, je vis quelqu'un, au tournant des ruines, tête baissée. C'était Simon. Ses boucles brunes voletaient au vent.

– Attends-moi, cria-t-il. C'est tellement incroyable.

Je m'arrêtai pour essuyer mon visage. Je pliai les genoux pour sentir la force dans mes jambes. Simon n'avait pas l'air essoufflé quand il me rattrapa.

– Est-ce qu'on ne se croirait pas chez nous? demanda-t-il. C'est tellement familier.

Alors une pensée me vint en voyant sa silhouette bouger dans le crachin.

– Qu'est-ce que tu veux dire par « familier »? demandai-je.

– Eh bien, heu, dit-il, c'est comme si je devais grimper cette montagne, ici, parce que je t'ai vue faire. Je veux dire, j'ai l'impression qu'on est déjà montés sur cette ruine tous les deux, avant. Je le sens.

Je le regardai.

– Vraiment? dis-je.

– Oui, je suis formel, m'assura-t-il.

– Moi aussi, répliquai-je. Je sais qu'on est déjà venus ici avant, tout comme toi, et puis je pense qu'on était tous les deux, et peut-être que l'une des raisons pour lesquelles on est associés en ce moment, précisément au Pérou, c'est parce qu'on s'est connus ici.

– Ça remonte peut-être même avant les Incas, dit Simon. Ça me paraît secret, comme si personne ne devait le savoir.

Je pensais, oui, c'est bien possible. Peut-être que mes images de méditation collective remontent à une époque antérieure aux Incas. Beaucoup d'anthropologues prétendent que les Incas ont emprunté leurs connaissances administratives et agricoles à une culture beaucoup plus ancienne que la leur.

– Est-ce qu'on monte jusqu'en haut? demandai-je. Il faut que j'y aille.

Simon me suivit.

– Oui, me dit-il, c'est pour ça qu'on est là.

Maintenant, il n'y avait plus de sentier. Les touristes et les guides ne venaient jamais si loin. Je voyais pourtant les traces des anciens Incas. Je me sentais de nouveau avec eux, mes pieds touchant à peine le sol. Le soleil commençait à décliner. Les troncs des arbres étaient dorés. Les nuages prenaient des formes amusantes entre les arbres, comme s'ils étaient vivants. Simon et moi, nous montions toujours plus haut, comme si nous étions poussés par une force omniprésente.

Devant nous se dressa tout à coup une petite tour, ou un reste de temple.

En nous frayant un chemin dans la broussaille et les cactus, nous avons croisé une chèvre sauvage qui se planta devant nous, essayant de nous provoquer, du regard, et nous avons souri en même temps.

– C'est comme si on était chez nous, dit Simon.

La chèvre se mit à brouter un arbuste épineux. Elle nous laissa passer. Puis nous grimpâmes la dernière montée. Un vent âpre nous enveloppa jusqu'au sommet de la montagne. Le temple était là, vestige dépouillé et indestructible d'une période de splendeur révolue.

Juste à côté, il y avait une sorte de cour balayée par le vent et entourée de structures de pierre. Ces structures formaient des niches à hauteur de la taille, comme en Égypte. Mais je sus tout de suite, en les voyant, à quoi elles servaient. Je m'approchai aussitôt de l'une d'elles et j'y passai le torse. Puis je commençai à fredonner. L'amplification provoquée par cette caisse de résonance passa dans ma tête et dans mon corps. A mon avis, les niches avaient été utilisées pour des formes de thérapie par le son. Je chantai la gamme qui utilise les HUMMM! A chaque note ascendante, je ressentais une vibration différente dans mon corps. La vibration amplifiée touchait également mes organes internes.

Simon choisit une niche et commença à chanter, bouche ouverte, puis fermée. Puis nous avons chanté les mêmes notes ensemble. Malgré le vent, le son était renvoyé d'un mur à l'autre, d'écho en écho. C'était un exercice de guérison. Je sortis de la niche et contemplai les environs. J'eus soudain la vision, venue d'un autre niveau de ma conscience, d'images qui se matérialisaient autour de moi, dans l'air. Il y avait des femmes habillées de vêtements de tissus transparents comme du cristal, et décorés de plumes brillantes. Leur peau était d'une teinte dorée, presque brun orangé. Elles se plaçaient dans les niches et chantaient en se balançant gracieusement. L'exercice semblait les plonger dans une sorte de rêverie extatique. Elles souriaient paisiblement, en communiquant par images mentales. Je sentis que j'avais déjà communiqué comme ça aussi. Je sortis de cet endroit pour me diriger vers le temple en forme de tour. C'était une structure toute simple, avec des points de mire de tous les côtés. Je grimpai dans la tour et regardai à l'horizon. Dans l'état de vision ou j'étais, je vis comment les blocs de vingt tonnes avaient été transportés depuis les carrières de la vallée jusqu'au sommet de la montagne.

Tout en bas, dans la vallée, il y avait de longues files de prêtres, assis sur le sol, à environ 3,50 mètres les uns des autres. Ils étaient assis paisiblement dans la position du lotus, et ils portaient des robes de tissu blanc, chatoyant comme du cristal. Et au-dessus de la longue file de prêtres, je voyais d'énormes pierres monolithiques, flottant vers la montagne, guidées par la puissance méditative engendrée dans l'esprit des prêtres. Les images que je voyais dans la vallée étaient étonnantes, mais je savais qu'elles venaient d'un niveau particulier de ma conscience. Je crois que si je le voulais, même aujourd'hui, je pourrais retrouver cette conscience parallèle et la développer. Ce que je vis ne me fit pas peur. C'était comme si j'observais une autre vérité à l'intérieur d'une bulle de temps, et dans cette bulle, je me voyais en train de contempler ce spectacle.

Simon me rejoignit dans le temple. Je ne lui parlai pas de ma vision.

– Je n'ai pas l'impression que c'était une forteresse ici, dit-il. Je ne ressens pas la guerre. J'ai l'impression que c'était une société très évoluée, et, pourtant, je ne peux pas me rappeler comment c'était pour moi, je sais que même maintenant il est sacré.

Le vent nous fouettait violemment.

– Je vois, dit-il, des prêtres et des cérémonies rituelles en l'honneur du soleil, de la lune et de Dieu. Je vois que tous ces gens sont en complète harmonie avec la nature.

Je ne lui ai jamais dit que ses images collaient avec les miennes.

– Je suis contente, dis-je, que l'on soit là tous les deux. Je suis si contente que tu sois venu avec moi. Simon me regarda et me toucha le bras.

– Il n'y a pas de hasard, dit-il gentiment, on est ici pour une bonne raison, mais on le sait depuis toujours, n'est-ce pas?

Je pressai la main de Simon et quittai la tour du temple. Je grimpai jusqu'au bord de la montagne et levai les bras au ciel. Je sentais que je devais faire un vœu, une promesse à moi-même. Je sentais que la présence invisible, derrière moi, se détendait; je sentais aussi la présence d'autres êtres avec moi.

Je levai mon visage vers le vent brumeux.

– Pour vous tous, guides invisibles, maîtres et Dieu autour de moi, dis-je à voix haute, je sais que vous êtes là, et je sais que je ne vous laisse pas m'aider et m'aimer assez. Je vais changer tout cela en me laissant accepter votre amour et votre aide. C'est ça être une femme.

Je baissai les bras. C'était tout ce que j'avais à dire. Il y avait ceux qui diraient que je me « laissais » déjà beaucoup trop aider; mais j'avais appris une chose il y a longtemps. Le meilleur endroit pour moi était d'être perchée sur une branche parce que c'est là qu'il y a le fruit.

CHAPITRE 20

Le lendemain, la scène que nous devions tourner se passait dans un autobus déglingué. John et moi étions entourés de poules, de cochons et de chèvres. Pour mieux montrer le choc entre deux cultures, nous avions écrit que dans cette scène on mettrait un cochon sur les genoux de Shirley et David pendant qu'ils mangeaient un sandwich. Il a fallu dix-huit prises de manipulation de cochon, et un nombre insensé de virages sur la route pour avoir la lumière adéquate pour l'arrière-plan. Pourquoi l'arrière-plan est tellement important dans une scène où on tient un cochon résume assez bien le conflit classique, sur un tournage de film, entre ceux qui sont « derrière » et ceux qui sont « devant » la caméra. Je n'ai jamais réussi à comprendre, depuis le temps que je fais du cinéma, qui a la priorité. En principe, pour les acteurs – ceux qui sont devant la caméra –, le jeu de leurs réactions par rappport au cochon paraît plus important. Mais, s'il y a de l'ombre à l'arrière-plan, le plan éloigné risque de ne pas être « raccord » avec les gros plans qui viendront après. En tout cas, la bonne humeur matinale de John et mon enthousiasme naturel ne firent pas long feu. Très vite, la scène tourna au caca délirant des plateaux de cinéma en folie. Le cochon tomba malade et se mit à me gerber dessus. La chèvre me bouffa mon sandwich, et les poules, échappées des cages, se lâchèrent sans scrupule, à fiente que veux-tu, sur mon beau poncho péruvien, dont je n'avais pas de double, parce que c'était celui que je portais quand toute cette histoire m'était arrivée la première fois. La vie imite l'art, dit-on? Ou bien est-ce que l'art imite la vie? Je n'en sais rien. J'étais trop malade pour me poser des questions. De toute façon, je ne suis pas à mon avantage dans les véhicules qui roulent. Les virages me rendent malade. Et mon odeur préférée est celle du propre. Alors, j'étais gâtée! De toute évidence, cette réalité était une expérience comme une autre, et j'essayais de croire que je pourrais en tirer quelque chose de positif.

John s'évada dans un de ses sourires d'illuminé – parti ailleurs, quelque part. Et moi j'utilisai tous les trucs de visualisation de cercles métaphysiques, pour ne pas en rajouter en vomissant sur mes vêtements. Pour couronner le tout, une femme édentée, entrant avec son bébé en plein champ de la caméra, décida que c'était l'heure de la tétée et, sortant un superbe téton, le fourra dans la bouche du bébé, en entonnant une chanson qui couvrait notre dialogue. Butler cria : « Coupez! »

Bien entendu, elle ne parlait que le quechua et elle continua d'allaiter son bébé en chantant. Les caméras s'arrêtèrent, la bande-son s'arrêta, le bus s'arrêta, et la scripte sortit du bus pour aller vomir. Le cochon vomit encore une fois sur le sol, la chèvre commença à entamer mon chapeau, et la volaille continua d'aller se percher là où il ne fallait pas. Le bébé tétait en silence, imperturbablement concentré sur le téton. Un des membres de l'équipe demanda qu'on arrête le bus; il eut juste le temps de descendre les marches pour renvoyer son petit déjeuner dans la nature. John souriait toujours, et Butler grimaçait d'horreur. Il ne supportait pas les bébés qui tètent néanmoins. Il décida de prendre la situation en main. Il commença par interpeller une femme dans le fond du bus, dans son meilleur argot de télévision de Beverley Hills : « Bon, écoute-moi, mémé, tu vas bouger ton cul et me ramener ce panier de légumes ici, vite fait. Tu piges? »

La femme écarquilla les yeux. On le regardait tous, sidérés. Non seulement la malheureuse ne parlait pas un mot d'anglais, mais elle ne parlait même pas espagnol. Elle ne parlait que le quechua. Butler avait l'air de s'en foutre complètement. Il répéta ses instructions avec l'air d'y croire dur comme fer, pendant que nous tous regardions nos pieds en souhaitant qu'il se passe quelque chose d'agréable.

Deux heures plus tard, la prise était faite, et il se mit à pleuvoir. Mais la pluie, au Pérou, se transforme immédiatement en boue; elle se mélange à tous les déchets organiques de notre Mère Nature, et c'est dans cette gadoue malodorante que nous avons dû marcher, glisser et nous propager pendant le reste du tournage. McPherson nous avait prévenus que nous aurions de la pluie, mais j'imagine qu'il avait dû vouloir dire de la boue (et le reste). Mais c'est sûrement un élément trop terre à terre pour qu'un être qui vit dans la lumière le mentionne.

Étant donné qu'une grande équipe de cinéma est une microsociété, rien d'étonnant à ce qu'une révolution éclate dans les rangs des équipes péruviennes et américaines. Les Péruviens déclarèrent qu'ils n'étaient pas nourris correctement ; ils étaient en colère. Les Américains étaient bien nourris, mais ils avaient honte de bien manger devant les équipes de Péruviens qui travaillaient aussi dur qu'eux, dans la pluie et la boue, et ils étaient furieux également.

Yudi, l'assistante photo, se chargea du problème. Elle vint me trouver en me demandant comment s'y prendre avec ces radins d'ABC. Je lui suggérai d'envoyer le chauffeur à l'hôtel pour se ramener un de ces pingres de producteurs qui mangeaient, au sec et peinards, dans la salle à manger.

Le chauffeur ne se gratta pas pour leur dire qu'ils devaient se bouger le fion parce que moi, Shirley, j'allais tout laisser tomber. (Il faisait sûrement partie de ceux qui n'avaient rien à manger.) Ils arrivèrent à la vitesse grand V. (Quand la vedette veut partir ou refuse de travailler, les compteurs de dollars s'affolent et l'alerte rouge est déclenchée...) LE GRAND PDG commença à parler.

– Tout est arrangé, dit-il.

Yudi ne voulait pas entendre davantage de conneries.

– Écoutez, l'accusa-t-elle, ça fait cinq fois que je vous parle de ce problème depuis le début du tournage et vous n'avez rien fait pour donner à manger correctement aux Péruviens. Vous, vous vous en foutez ; vous restez à l'hôtel toute la journée. Mais NOUS, on travaille avec eux.

– Eh bien, dit le PDG adjoint, vous savez que les Américains sont mal vus partout.

Sa logique échappait à mon entendement.

Le grand PDG parla à son tour.

– Ils n'aiment pas notre nourriture, de toute manière. Ils ont leur façon de vivre à eux, vous savez. J'imagine que ça signifie crever de faim en silence, pensai-je.

Ils continuaient, en duo, sur leur lancée.

– En principe, ils doivent apporter leur nourriture. Et puis, notre équipe a dû embaucher plus d'assistants au noir, et c'est pour ça qu'il n'y a pas assez à manger pour tout le monde. Mais vous savez qu'ils se font plus d'argent avec nous en une journée qu'en un mois ici. Ils savent ce qu'ils veulent. Ils ne veulent pas faire comme nous.

Ils se tournèrent vers moi.

– Voilà dis-je, notre équipe d'Américains en a ras le bol de votre manque total de respect et de sensibilité, alors qu'ils sont en train de tourner avec leurs collègues péruviens dans la boue et la merde de cochon. Ils achètent de la bouffe pour leurs collègues avec leur fric. Trouvez une solution, je vous en prie. Je n'ai pas envie qu'on passe pour des salauds d'Américains alors qu'on est en train de tourner un film spirituel ici.

Les types se mirent à rougir. Je savais que leur boulot à eux, c'était de faire attention à l'argent. Comme dans tous les problèmes de tournage du même type, celui-ci venait d'un malentendu. La compagnie péruvienne qui avait embauché l'équipe avait certainement oublié de leur dire que la nourriture n'était pas comprise dans le contrat. Et alors, on était littéralement... dans la merde.

– Écoutez, je ne les blâme pas de ne pas faire comme nous. Mais ils voudraient qu'on leur donne à manger. Alors commandez-leur de la nourriture péruvienne chez le traiteur. O.K.?

Ils acquiescèrent collectivement, en se levant pour partir.

J'appris par la suite que Yudi leur avait dit leurs quatre vérités en réunion privée :

– On se retrouve avec un réalisateur qui parle un argot de télévision que personne ne comprend, une équipe qui vomit, un cochon qui vomit, des poules qui ont la diarrhée, des chèvres qui broutent les accessoires, une mère qui allaite son bébé en pleine prise, un bus enlisé dans la boue, une révolte péruvienne, et un horaire à respecter. Alors, vous allez vous excuser auprès de chaque membre du groupe et je ne veux entendre personne me dire que c'est moi qui fous la pagaille...

Le patron accepta. Le mélange de l'art et du business n'était pas facile pour les susceptibilités, en particulier quand chacun avait ses priorités. Toutefois, j'étais très fière de Yudi.

Pendant ce temps-là, le représentant du bureau culturel téléphona à Stan et dit :

– Pas de soucoupes, pas d'Ovnis, et pas de complet néo-nazi pour saborder les services secrets au tiers monde.

Colin lui dit :

– Pensez-y comme si quelqu'un vous racontait que le pont de Brooklyn a été construit par un New-Yorkais, et quelqu'un d'autre qu'il a été construit par un extra-terrestre. Il faut laisser la parole à celui-là aussi. C'est ça la liberté d'expression. C'est ça la démocratie.

– Non, Colin, dit Stan. Demande à John de nous faire une de ses fameuses séquences de « ça pourrait être n'importe quoi ». Les mecs n'y verront que du feu.

J'entrai dans la caravane de John. Il avait un petit sourire malicieux. Les difficultés le rendaient toujours plus heureux parce que cela l'aidait à définir son indentité. Cowboy, l'assistant de John, faisait frire du hareng saur sur un bec Bunsen.

– Alors tu vas manger ce machin frit, lui demandai-je.

John me sourit.

– Oui, comme tu vois. J'aime ça les brûlures d'estomac, moi. Faut bien que je me fasse du mal puisque tout le monde est gentil avec moi.

John mordit dans son infâme truc.

– C'est pour ça que j'aime Cowboy; comme je lui dis toujours, c'est la providence qui me l'envoie pour que je me ramasse, que je me plante, bref, pour que je me sente encore un peu « looser ».

Les péripéties de la révolte de l'équipe étaient suffisantes pour nous donner de quoi discuter pendant plusieurs jours. Je savais déjà depuis longtemps que sur un tournage il faut toujours qu'il y ait un méchant. C'est fou ce que le fait d'avoir une personne en commun à haïr peut rapprocher les gens. Mais au moins, pendant ce temps-là, ils ne passent pas leur temps à s'entre-tuer. C'est pour cela que, quand il y a un salopard dans un groupe, les autres fonctionnent harmonieusement. C'était donc le rôle que tenaient les patrons d'ABC. Stan savait qu'il devait jouer le rôle du gentil – celui qu'on aime et qu'on respecte –, et moi, j'étais la « créative », celle qui était assez folle pour mettre en route toute l'affaire. Et John? Il nous servait de professeur et d'animateur, puisque nous n'avions pas la télévision et que toutes nos petites gâteries étaient restées à la douane (chocolats, petits gâteaux, etc.). Le tournage se poursuivait malgré le mauvais temps. Faire un film, c'est un peu comme préparer une invasion militaire. L'intérêt particulier disparaît au profit de l'intérêt général; pourtant, s'il n'y a pas de contributions individuelles bien spécifiques, il ne peut pas y avoir de bon théâtre de « guerre ». Il y a une précision mathématique rigoureuse, un mélange de désintéressement, un désir de plaire, et une crainte de déplaire au responsable – qui dans les longs métrages est le réalisateur et à la télévision le producteur.

L'endroit où nous tournions était d'une beauté à couper le souffle. L'air raréfié des hauteurs, dans les Andes, nous faisait ressentir intensément les heures de travail comme les heures de sommeil. Chacun de nous faisait des rêves très forts, parfois des cauchemars, parfois aussi on avait des images exquises, ou des histoires d'amour idéalisées. C'était comme si nous nous trouvions dans un endroit qui amplifiait tout ce qui aurait passé inaperçu autrement.

Nous ne dormions pas plus de quelques heures par nuit. Et quand ça nous arrivait, c'était toujours un sommeil agité; parfois nous ne savions pas si nous dormions ou si nous étions éveillés.

La pluie tombait plusieurs fois par jour. Nous tournions quand même, transis jusqu'à la moelle. Comme on était cadrés jusqu'à la taille – en plan américain –, ça n'avait pas d'importance que nous soyons dans la gadoue jusqu'à mi-mollets. McPherson nous avait prévenus... Quand les petits sablés aux amandes – qui avaient fini par arriver – et le café chaud nous attendaient pour la pause, c'était carrément l'extase. On était réduits aux plaisirs enfantins des jeux de mots et des charades débiles quand il y avait un poil de soleil et aux jeux d'eau dans la baignoire quand la boue nous avait giclé dessus toute une journée.

Les assistants et les figurants péruviens faisaient de leur mieux pour comprendre pourquoi on avait envahi leur pays, pourquoi on leur demandait de faire des trucs étranges comme « en place », « recommencez avec un peu plus d'entrain », etc. C'était d'autant plus difficile pour Yudi et Butler qu'il n'y a pas de mots en quechua pour « cinéma, caméra, encore une fois, ou même merci ». Je me souvenais avoir demandé à un type de l'équipe péruvienne si c'était difficile de parler quechua. Il m'avait dit que pour bien le parler il fallait être né là-bas. Plus tard, comme je lui demandais si le chi-chi, leur boisson fermentée, était fort, il me répondit :

– Une gorgée de chi-chi, et vous parlez couramment quechua.

Brad May essayait de combiner la perfection artistique avec la rapidité et l'efficacité, et son désir de gagner un oscar nous stimulait. Stanley, en bon producteur, disait qu'on roulait tous pour lui (surtout avec l'affichiste qui travaillait sur le film), mais il voulait que ça roule plus vite. Brad savait que je louchais au soleil, alors il se donna la peine de placer un petit tulle au-dessus de ma tête. « C'est le récit des aventures de la dame, elle n'a pas besoin de loucher pour ça, et on ne veut pas faire de Shirley une actrice " de caractère ", avec une gueule à la Françoise Rosay. » Et Brad prenait la responsabilité des heures perdues à bricoler des parasols improvisés, en les mettant à son compte sur la feuille d'heures de la production.

Butler promis qu'il filmerait plus de prises et qu'il essaierait de ne pas retomber dans le piège des habitudes de la télévision, en évitant de terminer chaque scène par un gros plan.

Épouvantable, disait Butler, le conditionnement, c'est vraiment l'horreur.

Yudi, qui était responsable de l'organisation de la production, s'assurait que le tournage ne prenait pas de retard; elle était confrontée aux figurants qui se demandaient pourquoi on les houspillait, aux problèmes de langues, au mauvais temps, et aux changements de scènes imprévus.

Mais tout ça n'était rien à côté de ce que me fit subir John Heard : il me balança dans le bain minéral. J'avalai une eau dans laquelle les machines n'avaient pas voulu mettre les pieds, et, bien entendu, mon maquillage et mes cheveux étaient dans un état lamentable. J'étais frappée de stupeur. L'équipe s'était repliée prudemment sur les bancs pleins de boue, se demandant comment j'allais prendre ça. Je me le demandais aussi. En remontant à la surface, je vis John, debout, qui me souriait. Je me demande vraiment ce qui a pu lui passer par la tête. C'était un acte tellement spontané que c'en était drôle. Culotté, mais drôle. Alors, je me suis ébrouée comme un vieux chien de chasse et je n'ai rien trouvé d'autre à dire que : « Je ne le crois pas. »

L'équipe avait déjà flairé le moment de la pause-café. Je retournai dans ma caravane. Il n'y avait pas d'eau chaude, alors on me lava les cheveux dans un seau avec de l'eau de pluie. Mon maquillage s'était transformé en une bouillie de mascara et de boue. Après m'avoir débarbouillée, Tina le refit.

Stan entra.

On se dit toujours qu'on ne fera plus jamais de films, n'est-ce pas? Mais quand tout est fini, on oublie les problèmes et les peines.

Avec un petit rire, je répliquai :
– C'est comme l'accouchement, hein?
– Ouais, répliqua Stan.

Je me regardai dans le miroir en me demandant si John s'en remettrait si je le poussais dans l'Urubamba. Exactement comme l'avait prédit McPherson, plusieurs membres de l'équipe éprouvaient des difficultés cardio-vasculaires assez graves à cause du travail rude en altitude. Presque tout le monde souffrait de problèmes intestinaux et digestifs, et nous perdions tous du poids. Il y avait souvent des coups de gueule quand la standardiste se trompait de numéro dans les chambres au milieu de la nuit.

Le problème le plus grave fut avec notre ingénieur du son. En vieux routier des plateaux, il avait mis ses malaises dans sa poche et continuait à travailler comme un fou. Il était au bord de la crise cardiaque tous les jours. Aussi Stan décida de le mettre dans l'avion et de le renvoyer chez lui. Aucun film ne valait la peine qu'on en crève.

Le jour de son départ, on arrêta les caméras pour lui faire des grands signes d'adieu, au moment où l'avion passait au-dessus de nous. J'entendis quelqu'un dire « le petit veinard », mais un autre lui répliqua « Et alors? T'es pas content de ce que tu apprends sur toi-même en ce moment? »

Il est vrai que, très vite, on s'est aperçus qu'on avait tous des choses à apprendre sur nous-mêmes, sur notre propre estime. J'entendais le mot Karma chaque fois que les relations tournaient au vinaigre. Une sorte d'harmonie karmique commença à apparaître. « On récolte ce qu'on sème » était un leitmotiv sur le plateau. Si quelqu'un piquait une colère et faisait preuve de cruauté à 10 heures du matin, avant 11 heures il en prenait plein la figure, d'une autre personne.

– Généralement, je me faisais taper sur les doigts au bout de trois mois, maintenant ça demande vingt minutes, dit quelqu'un.

Et la pluie continuait à tomber. Elle arrivait parfois comme une tornade, et on n'avait pas le temps de se mettre à l'abri qu'on était déjà trempés. On faisait beaucoup de scènes de voitures. John et moi, dans une jeep ouverte, avec des cameras vissées solidement sur le pare-brise, pendant que les cameramen remontaient et redescendaient d'un camion, dans leurs cirés jaunes de marins bretons. Ils arrivaient à chanter comme des dingues sous les averses. Parfois, ils grelottaient en silence. Je crois que John, en tant qu'acteur new-yorkais, a dû réviser son jugement sur le tournage d'un film. Il n'y avait aucun moyen de savoir ce que les caméras enregistraient. Il n'y avait pas de place dans la jeep pour Brad, et Butler s'asseyait sur le siège arrière, incapable de nous voir. Les rushs ne nous sont jamais parvenus, et nous tournions dans l'inconnu intégral, au pif, avec seulement, de temps en temps, un coup de fil rassurant de la salle de montage, pour nous dire que tout ce qu'on leur envoyait était O.K. Ils étaient sûrement loin de se douter de ce que c'était que de pousser des camions enlisés tous les matins et de ne se nourrir que de beurre de cacahuète et de crackers. On avait les pieds gelés et transis dans nos chaussures de paras, et la dysenterie péruvienne nous ravageait l'estomac. Les Péruviens eux-mêmes, pieds nus dans leurs sandales trempées, grelottant patiemment, sous leurs ponchons dégoulinants, nous regardaient d'un drôle d'air, comme si ces envahisseurs venus d'Hollywood venaient d'une autre planète.

De temps en temps, on nous apportait des sucettes sur le plateau. Les grands machos balaises, les machinos, se jetaient dessus comme des gamins, et on les voyait sucer leurs bâtonnets au raisin en sortant une caméra de la boue.

Les lamas et les alpagas s'arrêtaient de brouter parfois, pour nous jeter un coup d'œil étonné, en relevant leurs grands cils. Ils faisaient une moue dédaigneuse en considérant notre folie, et ils retournaient à la sérénité et à l'équilibre de ne faire qu'un avec la nature.

Chaque fois que je le pouvais, je retournais dans ma caravane, un vieux bus transformé en espace suffisamment grand et confortable pour que je m'y sente bien. J'aurais bien aimé inviter les membres de l'équipe à y venir, mais en commençant par qui?

Je faisais des petites réserves de crème à la vanille et je me délectais de ce régal que j'avais déniché dans une pâtisserie de la place de Cuzco. Parfois, il y avait des pannes d'électricité dans ma caravane. Les Péruviens disaient que c'étaient les dieux du Machu Picchu qui étaient responsables de ces pannes dans toute la région.

Quand je rentrais à l'hôtel le soir, je me précipitais dans la baignoire pour ôter la boue. Il n'y avait pas de bouchon, alors je devais coincer mon pied dans la vidange pour retenir l'eau.

J'avais tellement froid que je dormais directement sous la couverture, pour avoir plus chaud, et je prenais des notes sur des carnets, sur tout ce que je vivais, ce que j'éprouvais, en me demandant comment j'arriverais à communiquer tout cela. Les jours passaient, et pourtant, le temps semblait être arrêté.

CHAPITRE 21

La deuxième attaque sur le Machu Picchu approchait. La colère du délégué culturel atteignait le point de non-retour. Il m'avait de nouveau traitée de néo-nazi en public. Il avait téléphoné aux membres de la presse locale et étrangère pour attirer leur attention sur ce problème. Il proclamait qu'il allait faire interdir le tournage de notre film, si je ne récrivais pas la scène sur le Machu Picchu.

Moi, pendant ce temps-là, j'avais rencontré une de ses bonnes amies. Cette femme le connaissait très bien. Elle me dit que le fils de ce délégué était un mystique, qui consacrait son temps à l'ésotérisme. Elle me raconta que le père avait vu personnellement des Ovnis. (C'était difficile de ne pas en avoir quand on habitait Curzo, ajouta-t-elle.) Il avait même supposé que les ruines incas ne pouvaient pas avoir été construites par des gens « d'ici ».

D'autre part, il y avait eu un séminaire archéologique et anthropologique l'année précédente. Plusieurs tendances étaient représentées, et chaque groupe avait essayé d'expliquer la splendeur de la civilisation inca, non seulement au Machu Picchu, mais à travers tout le Pérou. Un groupe prétendait qu'il y avait certainement eu une aide extra-terrestre, puisque depuis tellement de siècles, on voyait des vaisseaux dans l'espace, et que la technologie requise pour construire de tels monuments dépassait toutes les explications actuelles. Un autre groupe réfutait violemment ces arguments. Il s'agissait du groupe politique qui soutenait que l'idée d'une aide des extra-terrestres était un complot néo-nazi orchestré pour déstabiliser les services secrets du tiers monde. Ce groupe brassait un maximun de publicité. Le délégué culturel, qui avait sûrement ses raisons, avait décidé d'en faire partie, et il le faisait savoir bien haut. Plusieurs radios locales avaient divulgué l'affaire, disant que le tournage de notre film avait été interrompu. Tout cela, pour m'obliger à retirer du script toute la spéculation extra-terrestre.

Franchement, j'étais plus préoccupée par le temps, parce que la fameuse scène qui tracassait tant le pauvre homme avait déjà été tournée à Los Angeles. Mais lui, il n'en savait rien.

Esther Ventura était une femme argentine qui travaillait pour la production qui avait engagé notre équipe au Pérou. C'était une femme cultivée et sensible, avec des yeux noirs et des cheveux bouclés, qui comprit tout de suite mon script parce qu'elle avait déjà entamé sa recherche spirituelle. Elle savait que j'étais inquiète au sujet du temps qu'il ferait pour tourner sur le Machu Picchu. Nos chances étaient plus que minces.

– Je vous suggère de me laisser vous amener un broujo [1] dit-elle de sa voix rauque. Ils peuvent être très efficaces pour faire changer le temps.

Je n'avais jamais rencontré de broujo. Je savais qu'ils existaient, à cause de mes lectures métaphysiques, et j'avais envie de tenter l'expérience, d'autant que les vibrations négatives s'accumulaient au-dessus du tournage au Machu Picchu.

– Benito fut accepté en tant que grand prêtre inca, chargé de la région de Cuzco et du Machu Picchu. De toute manière sa bénédiction aurait été indispensable, selon la loi inca. Ainsi, la cérémonie qui se préparait n'était pas seulement une aventure occulte; elle aurait eu lieu de toute manière.

Esther amena Benito dans ma caravane pendant une nuit de tournage. Il faisait particulièrement sombre et froid. Je m'attendais à voir un vieil homme habillé d'un poncho traditionnel, mais à ma grande surprise, Benito sortit d'une Toyota, en costume de tweed. Il portait un grand sombrero sur la tête, et il était accompagné par sa femme, qui portait une jupe longue et un châle.

Simon les fit entrer dans ma caravane et leur offrit des petits gâteaux, du café, des liqueurs, et des chocolats. Benito n'avait que quelques dents sur le devant, mais en moins d'une demi-heure il engloutit presque la totalité des chocolats, tout en discutant, à la lumière de la bougie. Dès l'instant où j'ai vu son visage doux et sage, je l'ai aimé, et ça m'a fait de la peine quand j'ai vu qu'il souffrait d'emphysème, et qu'il bougeait ses doigts arthritiques avec beaucoup de difficulté en sortant son sac de feuilles de coca. Le sac de feuilles de coca semblait être son bien le plus précieux. En faisant tomber les feuilles de coca, il pouvait

1. *Broujo : sorcier.*

« voir », selon la manière dont elles retombaient, le passé, le présent et le futur. Les feuilles de coca étaient sensées détenir les secrets de l'univers. Immédiatement, je me rappelai un article sur une arrestation pour drogue à New York. Un homme avait eu une longue peine de prison parce qu'il avait passé la douane avec un sac de feuilles de coca, souvenir du Pérou. Je me demandai ce qu'ils feraient du vieux Benito.

Avec beaucoup de soin et de tendresse, en respirant avec difficulté, Benito plaça un petit sac de feutre attaché avec une ficelle, sur une des caisses à oranges que j'avais mises devant lui. Pendant un moment, il sembla absorbé par le sac de feutre. Ses yeux d'un brun transparent semblaient regarder à travers le tissu. Alors, avec mille difficultés, il dénoua le sac et en sortit une douzaine de minuscules figurines en argent. En les regardant de plus près, je vis qu'elles représentaient une étoile, un lama, des chiffres, une chèvre, des symboles zodiacaux, etc... Il tenait les petites figurines en argent serrées dans sa main. Tout à coup, l'une d'elles s'échappa et tomba. Il me regarda et ouvrit la bouche d'un air surpris. Je ne comprenais pas ce qui s'était passé.

– C'est vraiment bizarre, dit-il à Esther en quechua [1], ça m'est jamais arrivé, comprends pas.

Je regardai le petit objet d'argent qui était tombé. C'était une petite étoile d'argent.

– Qu'est-ce que cela signifie? je lui demandai.

Esther traduisit et demanda à Benito.

– Nous le saurons dans les jours qui viennent, répondit-il, en faisant des efforts énormes pour respirer. Puis il me fixa droit dans les yeux. C'était comme si l'étoile tombée représentait un dés-astre (dis-astrado signifiant la séparation d'avec une étoile, ou un astre.) Mais je n'arrivais pas à imaginer lequel. Est-ce que le temps sur le Machu Picchu allait devenir catastrophique et que nous ne pourrions pas tourner? Puis, sans raison particulière, je sentis que quelqu'un venait de mourir. Je ne savais pas pourquoi.

Benito prit la petite étoile d'argent dans la paume de sa main quelques instants, comme s'il essayait de capter le message. Puis il me regarda de nouveau avec un petit sourire triste, et il chassa ses pensées.

1. *Quechua : langue inca.*

Ayant apparemment compris ce qu'il cherchait à savoir avec le reste des figurines en argent, il les rangea dans le sac et les remit dans la poche de sa veste. Il fit ensuite un geste à sa femme, qui se balançait d'un pied sur l'autre, debout derrière lui, à côté de Simon. Elle lui tendit un petit paquet enveloppé dans du papier journal. Il le posa sur ses genoux, l'ouvrit et lentement, il commença à en extraire le contenu.

Avec ses doigts perclus de rhumatisme, il posa fermement les objets suivants sur le lit à côté de nous : un épi de maïs, une boule de graisse animale, quelques graines, un cristal, une pièce d'or et d'argent, un petit livre fait de feuilles de papier argenté et doré, des coquillages, une éponge, des calissons, un morceau de fœtus de lama (je l'ai appris par la suite), et une plume de condor. Il saupoudra le tout de sucre, puis d'une giclée de liqueur d'anisette. Je me disais que le lit allait en subir les conséquences, mais il s'agissait du début de la cérémonie.

Juste à ce moment-là, on frappa à la porte de ma caravane.

– On vous attend, dit l'un des deuxièmes assistants. Je me levai et j'expliquai que je reviendrais tout de suite après la prise.

Esther traduisit et Benito acquiesça.

Comme je sortais dans la nuit froide et glacée, le second assistant me dit « Qu'est-ce que c'est ce truc de cérémonie vaudou là-dedans? » J'éclatai de rire et lui dis que je ferais n'importe quoi pour avoir beau temps sur le Machu Picchu le lendemain.

Je me dirigeai vers le décor, qui était l'intérieur de la jeep, éclairée pour une petite scène entre John et moi. John était assis au volant, il avait l'air de mauvaise humeur, et il n'avait pas envie de parler. J'étais soulagée – je tournais la prise et revins à ma caravane.

Benito m'attendait. Comme je m'asseyais, il fit le signe de la croix et se plongea dans une longue méditation. Après quoi, il dit : « Je m'adresse aux grands prêtres incas du Machu Picchu. Ils contrôlent le temps. Il y a sept guides spirituels titulaires qui vous guident. Ils sont en train de se parler. Votre recherche est sincère, mais vous devez faire une cérémonie au grand prêtre de l'Inca, le grand chef spirituel.

– Très bien, dis-je. Que dois-je faire?

Benito ignora mes paroles; il soulevait chacun des objets et méditait sur eux séparément.

Esther me souffla : « Il m'a dit que chaque objet représente un élément de vie au Machu Picchu, qui doit être respecté et agréé. »

Sa cérémonie de méditation durait bien depuis une heure quand on frappa de nouveau à la porte.

– Ils m'attendent encore, dis-je, je suis désolée, mais c'est justement à cause du film que nous sommes là.

Je les quittai et me dirigeai vers le décor. Maintenant, je sentais les chuchotements et les coups d'œil dans mon dos.

– Elle doit être en train de faire un de ses trucs de lévitation, tu sais... chuchota quelqu'un.

On tourna la prise et je repartis à la caravane.

On me fit venir cinq fois durant, le reste de la soirée, et chaque fois, je quittai ma caravane aussi vite que possible. J'étais particulièrement vigilante, parce que je craignais ce qui allait se passer de toute manière.

Il y eut pourtant un moment de pause assez long pour que Benito puisse poursuivre sa méditation et sa cérémonie, et il me parla de ma vie. Il avait étalé un gigantesque sac de feuilles de coco sur le lit et il caressait chacune d'elles tout en méditant, comme si chaque feuille avait une histoire à raconter. J'avais consulté assez de voyants pour savoir que les cartes de tarot, les feuilles de thé, la cire de bougie, etc. n'étaient qu'un support, qui permettaient au voyant de déclencher ses visions et d'éveiller sa prescience. Cette perception est à la portée de nous tous, parce que c'est elle qui est en contact avec le sur-moi, l'esprit céleste, qui est la connaissance, et qui est relié directement à la Source d'Énergie Universelle. Mais les voyants se sont entraînés à développer cette perception « extra-sensorielle », c'est pourquoi ils peuvent y croire plus facilement que le commun des mortels.

Pendant que Benito étudiait les feuilles de coca, je le voyais partir dans un lieu que ses sens spirituels lui permettaient de voir et de sentir.

– Vous avez rencontré beaucoup d'obstacles dans votre vie, dit-il.

J'acquiesçai

– Mais vous les avez surmontés. Vous utiliserez vos sept guides à l'avenir pour mener votre projet à bien.

Il s'arrêta un moment.

– Pourquoi vous intéressez-vous tellement à vos vies antérieures?

Je haussai les épaules.

– Vous devez laisser tomber ça. Votre présent est plus intéressant.

Il s'arrêta de respirer pendant un moment, puis il reprit :

– Vous êtes séparée de quelqu'un parce que vous avez ouvert une grande brèche dans sa vie et il n'a pas pu le comprendre.

Je ne dis rien, mais je pensai à Gerry. Benito me regarda d'un air triste et il n'ajouta rien. Puis il revint à notre affaire.

– Vous devez faire la cérémonie pour le beau temps au Machu Picchu. Le grand prêtre de l'Inca est d'accord pour vous aider si vous participez. Ça ne marchera pas si vous n'êtes pas sincère. Il faut que vous manifestiez que vous y croyez. Ne doutez pas. N'ayez pas peur. Ayez confiance. Ce que vous croyez va arriver.

Benito versa ensuite de l'anisette dans un verre qu'il fit passer à sa femme, à ESTHER, Simon et moi.

– Ce n'est pas la liqueur qui est importante, c'est le fait de partager, dit-il.

Chacun de nous en but une gorgée et fit passer le verre.

Ça durait depuis deux heures et demie. La dépense d'énergie physique, exigée de Benito, dans son état de santé, était impressionnante, mais la cérémonie touchait à sa fin. Après avoir béni chaque feuille de coca, il les rangea dans son grand sac et les mit de côté. Puis il rassembla tous les ingrédients et fit un autre paquet séparé. Il ficela le paquet bien serré, et me le tendit.

– Vous devez porter ceci, dit-il, sur le point le plus élevé du Machu Picchu, face à l'est, et brûler ce paquet. En le brûlant, vous penserez uniquement à votre vision du beau temps, et votre souhait de beau temps se réalisera. Ne doutez surtout pas de votre désir.

Je pris le paquet et le tendis à Simon, en me demandant si la graisse d'animal et le fœtus de lama tiendraient jusqu'au lendemain. Benito prit un petit paquet dans sa veste.

– Ceci est une infusion de plantes, dit-il. Vous risquez d'être malade pendant la cérémonie. Si c'est le cas, buvez ceci.

Je pris la tisane. Benito se leva. Les bougies étaient presque entièrement consumées et toute l'équipe était déjà partie se coucher. La pluie tambourinait sur le toit de ma caravane. Benito fut pris d'une quinte de toux.

– Il faut aller voir un médecin, lui dis-je. Vous m'avez aidée, laissez-moi vous envoyer un médecin.

Esther traduisit. Il fit un petit signe affirmatif et lui dit quelques mots.

– Il dit qu'il sait que vous êtes célèbre. Tout ce qu'il veut, c'est une photo de vous.

– Certainement, dis-je, en comptant lui envoyer notre médecin dès que possible.

– Merci, Benito, à propos, quel est votre nom de famille?

Esther traduisit ma question. Il me regarda d'un air triomphant : « Mon nom signifie le condor du trésor ».

Sur ces mots, il me salua, et sa femme sur ses talons, il quitta ma caravane et remonta dans la Toyota, que l'on avait louée pour lui, comme je l'appris par la suite. Je lui dis au revoir d'un signe de la main; le crachin ajoutait à l'épaisseur de la nuit. Je fis une prière silencieuse pour que le paquet qu'il m'avait donné soit efficace. Je m'aperçus que j'étais trop préoccupée par mes petites affaires pour dire une prière à son intention.

Simon me réveilla à 4 heures le lendemain matin. C'était le grand jour. Les membres de l'équipe se levaient en se demandant si le voyage en train en direction des sommets donnerait quelque chose cette fois-ci.

Je fis un petit peu de yoga dans ma chambre glacée, mangeai un morceau de pain grillé, et décidai que tout se passerait parfaitement toute la journée.

Ça faisait à peine cinq minutes que j'étais dans la voiture que j'avais déjà envie de déchanter.

Le trajet en train jusqu'au Machu Picchu durait plusieurs heures, à une température proche de 0°. Le brouillard était à couper au couteau. Je me demandais comment le camion des caméras, avec tout l'équipement, allait s'y prendre pour être à l'heure au départ du train. Tant pis. Je donnai une petite tape sur l'épaule de Simon qui portait le paquet de Benito en sécurité.

– Oh dit Peter, notre chauffeur. Vous devez probablement le savoir – le gardien de la sécurité, qui a la clé du camion de matériel, est parti se saouler la nuit dernière et on n'arrive pas à le trouver. Il n'est pas revenu au camion et c'est le seul qui a la clé, alors, à moins d'amener l'équipement et les caméras jusqu'au train, comment on va faire pour filmer?

Mon estomac se révulsa. Je le sentis littéralement se retourner. J'étais muette.

Je regardais par la vitre comme si je pouvais voir à travers le brouillard. Simon s'éclaircit la gorge.

– Comment le savez-vous?

– Eh ben, heu, dit-il, quand je suis parti, ils étaient tous comme des fous dans le bureau de production, mais les huiles sont pas encore au courant.

– Moi je le suis, dis-je, retrouvant ma voix.

– Oui, madame, répondit-il.

Bon d'accord! C'était le moment de mettre en pratique la formule, il faut toujours voir le côté positif des choses. Le gardien s'était saoulé et il avait fait la java toute la nuit avec une pute qui avait dû lui faire les poches après (clés incluses), parce que son destin était d'en tirer une leçon. Mais nous là-dedans? J'essayais de garder mon calme. Si le camion de caméras ratait le train, ça nous servirait à quoi de le prendre? Il y avait des moments où les subtilités de la providence m'échappaient radicalement.

En avançant au jugé, dans le brouillard, nous dépassâmes le camion des machinos et des cameramen. Les mecs dedans, ne devaient pas se douter qu'ils n'auraient pas de matos pour shooter. Est-ce qu'ils étaient sensés en tirer une leçon?

Tout en naviguant à travers la pluie et le brouillard, je compris que ma leçon était probablement : « Arrête de projeter le pire. Ça va finir par s'arranger d'une manière ou d'une autre. » Chaque fois que quelqu'un me citait ce genre de formule, ça me tapait sur les nerfs. Je trouvais ça irresponsable, irréaliste, pas professionnel, incurablement fantaisiste et typique des fumistes. Pour tout dire, je trouvais ça complètement NUL.

Pourtant, là, je n'avais pas d'autre choix que de me résigner. Puisque je n'avais pas le moyen de changer quoi que ce soit, pourquoi ne pas croire qu'il y avait UNE BONNE RAISON à tout ce qui arrivait? A savoir d'abord, ma propre attitude.

Dans un état d'esprit un peu plus positif, disons, résigné, je me refusai l'envie de sauter de la voiture en marche, et je me rassis.

A la gare, Dean et Stan prenaient leur petit café dans l'un des compartiments du train.

Je leur sautai dessus aussitôt : « Et alors? Qu'est-ce qu'on va faire? Est-ce que le train va attendre? »

– Attendre quoi? demanda Stan.

– Le camion du matériel.

– Mais il va arriver d'une minute à l'autre, dit-il d'un ton rassurant.

– Ah tu crois ça? Comment tu vas le faire arriver, par hélicoptère ou quoi? lui dis-je.

– Qu'est-ce que tu racontes? demanda-t-il.

– Le type de la sécurité s'est tiré dans la nature avec les clés. Le camion n'est pas encore parti parce qu'on n'a pas d'autre jeu de clés, répliquai-je.

Stanley et Dean étaient verts... Ils disparurent. Je ne savais pas ce qu'ils faisaient, ni avec qui, mais la fumée était tellement dense dans le train que j'ai dû descendre. Simon me tendit un parapluie et je marchai sous la pluie, jusqu'à la rivière Urubamba. J'y suis restée un bon moment à me demander jusqu'où j'irais si je sautais dedans.

Le camion de matériel arriva trois heures plus tard. Quelqu'un avait fini par trouver un autre jeu de clés. Le type de la sécurité ne s'était pas repointé, et le train pour le Machu Picchu avait été retardé. La leçon? On avait perdu trois heures à se MINER.

Le trajet en train nous sembla plus court (il l'était), et moins lugubre que la première fois. John Heard semblait stupéfait d'apprendre qu'il avait déjà fait ce voyage. L'équipe était plutôt de bonne humeur parce que, si on arrivait à faire cette prise, on pourrait rentrer en studio après pour le reste. Colin était déjà parti pour Los Angeles depuis plusieurs jours, et Stan et moi assurions la partie créative.

Quand le train entra dans la gare juste au-dessous du monument du Machu Picchu, nous avons instinctivement récité une prière en regardant le ciel. Ce n'était peut-être pas la peine de s'alarmer pour le crachin qui tombait à la gare. Je fermai les yeux en essayant d'avoir des pensées positives. Simon leva les yeux au ciel et fit la même chose. Je n'arrivais pas à trouver Stan. Le fait d'attendre trois heures à la gare nous avait peut-être empêchés de voir le temps pourri. Esther me toucha le bras gentiment.

Puis tout le monde grimpa dans les cars et, le cœur incertain, toute la troupe se dirigea vers le sommet. Quinze minutes plus tard, nos craintes étaient confirmées. La Cité Oubliée était enveloppée d'une masse de brouillard et de pluie froide. Le Machu Picchu n'était même pas visible.

Je pris le paquet « d'éléments » de Benito. Simon avait préparé un petit fagot de branches sèches pour faire un feu, en essayant de les protéger de la pluie comme il pouvait. Je me demandais combien de temps un feu pourrait résister à ce déluge.

Stan était toujours introuvable. Esther me proposa d'essayer de le repérer dans la mêlée des membres de l'équipe. Je les regardais descendre des bus, chacun scrutant le ciel et les environs, et je me mis à rire.

– C'est une plaisanterie, non, dit l'un d'entre eux en enfilant son imperméable. Y a rien à voir! On peut pas filmer là-dedans... On peut tout juste circuler, et encore...

– O.K., dis-je à Simon. Allons-y. Commençons à grimper. C'est le moment ou jamais de croire à ma réalité.

Esther revint avec Stan.

– Qu'est-ce qui se passe? demanda-t-il.

Je lui expliquai tout ce que Benito avait dit. Il ne broncha pas d'un cil. Au contraire.

– Allons-y, dit-il, on a beaucoup à faire en une seule journée de travail. D'autant que c'est LA SEULE journée de travail ici.

L'équipe nous regardait avec méfiance, lorsque Stan, Esther, Simon et moi sommes entrés dans la chape de pluie et de brouillard en disparaissant à leurs yeux.

Grimper en haut du Machu Picchu n'est pas une partie de plaisir. Même si le soleil se montrait, je me demandais comment les gars allaient traîner le matériel jusqu'en haut. Tant pis. C'est ça le show-business. Nous grimpâmes dans le crachin avec les branches et le précieux paquet, pendant quinze minutes. En nous arrêtant pour reprendre notre souffle, nous nous sommes retournés pour regarder en bas. On ne voyait strictement rien. C'était comme si nous montions dans un paradis de brouillard, en laissant la terre derrière nous pour toujours. On entendait des voix dans le royaume d'en bas, mais c'était celles des sceptiques, qui ne croyaient pas aux bienfaits de l'attente et de l'espoir. Nous avons échangé un sourire et recommencé à grimper. Près du sommet nous avons repéré un endroit plat qui ressemblait à un autel de cérémonies. Nous y sommes arrivés. En dépassant la couche de brouillard, nous nous sommes retrouvés debout sur ce rocher plat, avec une vue à 360 degrés sur le brouillard et les nuages, flottant autour de nous. Au même moment, un lama géant (un alpaga, celui qui garde le monument d'après la légende) se matérialisa au-dessus du rocher et, je le jure, flotta vers nous. Nous étions immobiles. Il s'arrêta, nous regarda, rumina un petit coup, et, comme s'il nous donnait sa bénédiction, se retourna royalement et disparut dans son royaume de brumes. J'avais la chair de poule. J'avais appris à reconnaître ces frissons d'étonnement. Ils signifiaient presque toujours que ce que j'étais en train de penser ou de dire était vrai. Nous avions repéré la direction de l'est, aussi nous avons placé le paquet dans le sens du soleil – caché – mais levant. Il nous a fallu un moment pour admettre que le soleil était bien au-dessus de nous, même s'il était complètement invisible.

Alors, Simon plaça les branches sous le paquet. Il était tellement mouillé que nous avons dû l'entourer de kleenex pour l'allumer. Tout doucement, les branches ont commencé à fumer, puis à prendre feu.

Debout, face à l'est, nous avons commencé nos visualisations.

« Imaginez le temps que vous voulez avoir, avait dit Benito. L'image de votre esprit se concrétisera si vous y croyez. »

Stanley prit la parole :

– En tant que producteur qui a prié pour avoir du beau temps dans pratiquement tous les pays, dit-il, je n'ai pas le culot de demander plus de soleil qu'il n'en faut!

– O.K., dis-je, je vais visualiser un ciel en trois dimensions avec une légère brume éclairée de soleil. J'aimerais aussi quelques nuages légers par-ci par-là.

Nous échangeâmes un coup d'œil en nous préparant à faire ce que nous pourrions pour faire plaisir au Machu Picchu.

Le paquet « d'éléments » commença à brûler en silence. Puis il se mit à craquer et à pétiller. Nous nous tenions par la main, chacun de nous projetant notre désir collectif de beau temps. En même temps, je me demandais quelles étaient les impressions des autres. Est-ce que leur esprit obéissait plus vite à leur volonté que le mien? Je pensais aux miracles et à toutes les histoires sur Lourdes. « Les miracles se produisent parce que les gens le veulent vraiment », m'avait-on souvent répété. Oui, je pensais, c'est bien comme ça que ça doit être, n'est-ce pas? Le patient devrait toujours aider le médecin. Si vous vous persuadez que vous allez bien, vous l'êtes et vice versa. Le corps suit l'esprit. Il valait mieux ne jamais reconnaître que le doute est réel.

Je fermai les yeux, tout en imaginant le soleil brillant sur des nuages en trois dimensions. Je sentis un instant la crainte de l'échec. Je la repoussai. J'ouvris les yeux et observai Stan, Simon, et Esther. Chacun méditait, les yeux fermés.

Cinq minutes s'écoulèrent. Petite spirale de fumée rose entre les branches. Puis, soudain, un homme arriva vers nous, en gravissant les marches de pierre. Il avait l'uniforme officiel, imperméable, chapeau et insigne, des pompiers qui gardent le monument.

Il commença à nous faire des signes et à hurler en espagnol. Cela nous fit sortir de notre rêverie, mais personne ne dit rien. Puis, comme si nous étions manipulés par un montreur de marionnettes, nous nous sommes tournés vers le pompier en même temps sans dire un mot. Il s'arrêta de nous faire signe. Pas un mot ne fut échangé, et, comme s'il était guidé par une force invisible, il détourna ses regards et, changeant complètement de direction, il reprit son chemin et disparut. C'était comme les rencontres qu'on fait dans les rêves. Il n'avait même pas fini sa phrase de menace et d'interdiction, et il ne s'était pas retourné. Aucun d'entre NOUS n'avions prononcé un mot.

Esther me regarda et me fit un clin d'œil. Puis nous reprîmes notre méditation. Les oiseaux de pluie recommencèrent à chanter. Une poussée d'énergie envahit mon corps. Puis, je devins profondément paisible. J'entendais pratiquement le glissement des nuages dans la brume. Les sept guides dont m'avait parlé Benito investirent ma pensée. Je méditai sur eux. Ils n'avaient pas vraiment de forme. Je sentais seulement leur présence. Je leur demandai de m'aider. Je visualisai le Machu Picchu exactement comme je le voulais. Je sentais que les autres méditaient avec la même intensité. Il se passa une demi-heure. Puis, en parfaite synchro, nous arrêtâmes notre méditation. Le « paquet d'éléments » était réduit en cendres. Il ne restait plus de la cérémonie mystique qu'un mince filet de fumée. Alors, nous nous sommes étirés et nous nous sommes embrassés comme pour conclure la scène. Il n'y avait rien d'autre à faire ou à dire – si ce n'est ce qui me brûlait la langue. Alors je le dis.

– Il y aura du soleil dans une heure environ, j'annonçai, absolument sûre de moi.

Les autres acquiescèrent

– Bon, alors je redescends à l'hôtel pour m'habiller et me faire maquiller, pour être prête.

En descendant les marches des ruines, un étrange malaise commença à me faire souffrir. J'avais tellement envie de vomir que j'arrivais à peine à tenir debout. Je pensai que c'était l'altitude, ou peut-être le gâteau à la confiture que j'avais mangé dans le train. Je marchais toujours. La nausée empirait. Qu'est-ce que j'avais? Puis je me rappelai le petit paquet de tisane que Benito m'avait donné. « Vous allez être malade à cause de toute l'énergie dont vous serez bombardée. Faites une infusion avec ceci. » Mais je ne me souvenais pas où je l'avais mise. Je marchais toujours. En arrivant vers l'équipe, je pouvais à peine parler, mais je les entendais dire :

– Qu'est-ce que vous faisiez là-haut? Pleuvoir davantage?

– Quand est-ce qu'on part? On pourra jamais tourner aujourd'hui...

Je ne pouvais pas répondre. Juste sourire. J'avais besoin de m'allonger dans ma chambre. Je ressentais une étrange pression sur mon corps, une véritable décompression. Je n'avais jamais éprouvé cela de ma vie. J'allai dans ma chambre et m'allongeai pendant une minute. Puis quelque chose me fit bondir immédiatement et aller dans la salle de maquillage, où Tina était prête. Je m'assis dans la chaise de maquillage. Elle me fit remarquer que j'étais blanche comme un linge et me demanda pourquoi je voulais me faire maquiller, vu le temps pourri. Je pouvais à peine respirer. J'avais besoin d'air pour pouvoir continuer. Je m'assis, malade, et nauséeuse jusqu'à ce qu'elle ait fini. Puis, je mis ma robe de chambre, et c'était curieux, je sentais mon corps détaché de moi, comme si ma robe de chambre appartenait à quelqu'un d'autre. Puis j'entendis les gens de l'équipe crier et s'exciter dehors. Avec difficulté, je marchai jusqu'à la fenêtre et levai les yeux. Les nuages partaient. La pluie s'était arrêtée. L'équipe portait le matériel sur le sommet de la montagne.

– Hé, dit Tina, regarde ça! Qu'est-ce que vous avez fait là-haut, vous autres?

Je ne pouvais pas lui répondre. Je sortis. Simon voyait que j'étais vraiment malade. Il marcha près de moi.

– Allez, grimpons maintenant, dis-je. Je veux être prête quand le soleil sortira.

Quelqu'un avait déjà prévenu John, pour qu'il soit prêt aussi. J'arrivais à peine à tenir sur mes jambes. J'étais obligée de m'appuyer sur le bras de Simon, pour monter une marche après l'autre; mes genoux étaient raides comme des cannes. Dieu merci, il était costaud. J'étais de plus en plus mal. C'était trop. Je ne comprenais pas ce qui m'arrivait. C'était comme si j'étais le centre d'un brassage d'énergies et l'intensité de la vibration était plus que je ne pouvais en supporter. Je levai les yeux . Le soleil apparut. Quelques membres de l'équipe applaudirent. Je grimpai encore plus haut, prête à vomir à chaque marche, sans y parvenir. Simon m'aidait à marcher. Il était comme une batterie pour moi – j'avais besoin du contact de son bras pour me recharger. Les caméras étaient sur moi, prêtes à tourner. En arrivant dessus, des gens de l'équipe vinrent à ma rencontre pour m'aider. Je leur expliquai que c'était l'altitude et un manque de sucre dans mon sang, qui me rendaient nauséeuse et sans force. Certains se contentèrent de mon explication, mais d'autres, plus réceptifs, comprirent qu'il y avait autre chose. John était prêt à tourner. La scripte me tendit le script. Je jetai un coup d'œil à mon texte, respirai un grand coup; j'étais prête.

– Ça va? demanda John.

– Bien sûr, répondis-je.

– J'ai l'impression que quand tu fais la sorcière pour faire partir la pluie, ça te rend malade, hein?

Il était vraiment inouï celui-là.

– Ouais, répondis-je, économisant mon énergie pour la prise.

Je regardai autour de moi. Le soleil avait complètement percé les nuages et brillait au-dessus, comme pour projeter une aura qui soulignait le profil des ruines et des arbres. La qualité de lumière en trois dimensions, était encore plus forte que celle que j'avais visualisée. C'était de la peinture poétique et mystique... Parfaite.

– C'est magnifique, dit John; ça valait la peine.

Dans la scène, je devais marcher jusqu'au bord d'une falaise, regarder en bas, et donner un peu de texte. John vit que je pouvais à peine marcher, alors il m'aida. Je soulevais les pieds beaucoup trop haut parce que je ne savais plus marcher, mais on tourna la bonne prise. Les cameramen déplacèrent leur matériel dans un autre endroit. Encore une prise. Pendant tout ce temps-là, j'essayais de garder l'équilibre pour ne pas vomir. J'étais blanche, verte, et je souhaitais désespérément que ça soit fini. Je mourais d'envie de boire un Coca-Cola. On envoya quelqu'un m'en chercher à l'hôtel. J'avais besoin de sucre, et je le bus d'une seule traite.

Ensuite, on a tourné sans arrêt pendant deux heures et demie. J'étais dans une capsule de cosmonaute, l'estomac en déroute. L'équipe voulut faire la pause du déjeuner.

– S'il te plaît, dis-je à Yudi. Demande-leur si on peut continuer à tourner. Je ne vais pas pouvoir tenir encore longtemps, et si on s'arrête, je suis sûre qu'il va se mettre à pleuvoir.

Yudi parla à l'équipe. Ils acceptèrent.

Esther vint me trouver.

– Tu sais, dit-elle, tu es en train de subir une purification en même temps que le reste. Elle avait l'air absolument certaine de ce qu'elle disait. Je fondis en larmes. Quelle purification? Je ne savais pas pourquoi. Je sentais que c'était vrai. Je n'avais rien mangé depuis le matin, et la pensée d'une nourriture riche me dégoûtait. Je n'avais pas fumé non plus de la journée, ce qui était inhabituel pour moi. Soudain, j'eus du mal à supporter les gens qui fumaient dans l'équipe. Puis on a continué à tourner. Le Machu Picchu fut filmé sous toutes les coutures, pour donner un maximum de choix aux monteurs. Je me levais et me rasseyais avec raideur, pour contenir l'énergie, ou ce qui en tenait lieu. Finalement, on tourna la dernière prise. L'équipe applaudit. J'étais soulagée, détendue. En levant les yeux, je le jure devant Dieu, je vis un nuage passer devant le soleil. En réalité, les nuages semblaient se matérialiser à partir de l'air léger, transparent.

– Vite, vite, s'écria Yudi. Je voudrais faire une photo de toute l'équipe là. Tout le monde est prêt?

La photographe installa son trépied, vérifia l'ouverture, et couvrit son appareil avec une feuille de plastique, pendant que nous nous alignions tous bien sagement, en frissonnant sous le vent qui commençait à se lever. La photographe donnait des indications; et puis il se passa quelque chose que je n'oublierai jamais, aussi longtemps que je vivrai. Elle prit environ cinq photos du groupe, parmi les rires et les cris, et alors, comme si elle jouait un rôle dans le film, la photographe déclara :

– Ça y est, je n'ai plus de film.

Et aussitôt, le ciel déversa des trombes d'eau sur nous. En moins d'une minute, nous étions trempés, dégoulinants. Tout le monde se mit à rire et se tourna vers moi. C'était une telle coïncidence!... A ce moment précis, mes nausées et ma fatigue disparurent. Si c'était arrivé à quelqu'un d'autre, je ne l'aurais pas cru. Mais, maintenant, la pression de l'énergie était tombée, et tout était redevenu normal. Je descendis quatre à quatre les marches étroites des ruines jusqu'à mon hôtel, et je filai dans mon lit. Je dormis trois heures, pendant que l'équipe remballait le matériel et le chargeait sur le train. Pendant mon sommeil, j'eus plusieurs visions (rêves, images, apparitions – peu importe le mot). D'abord, je vis Gerry. C'était bizarre parce que je n'avais pas vraiment pensé à lui depuis notre rencontre à Londres. Mais il était là, – comme suspendu au-dessus de moi, à la fois curieux et désireux d'entrer en contact avec moi.

Puis j'eus une drôle de vision dont la signification continue de m'influencer encore aujourd'hui.

Je n'ai jamais fumé de façon trop excessive – pas plus d'un paquet par jour –, et je n'ai jamais inhalé la fumée. C'était plutôt un tic, pour occuper mes mains, ou pour me relaxer et être plus sociable. Mais j'étais fidèle à une seule marque. Je fumais toujours des Marlboro.

La vision que j'eus ce soir-là était celle d'un paquet géant de Marlboro, de la taille d'un homme. Je grimpais sur le paquet de cigarettes, comme pour escalader une montagne, et en arrivant en haut, je regardais à l'intérieur du paquet. Il était vide. Il n'y avait pas de cigarettes à l'intérieur. A ce moment-là, une voix me disait : « Arrange-toi pour qu'il reste vide. » Cette vision m'amusa beaucoup. Elle me réveilla. C'était comme si mon sur-moi avait dessiné un message tellement graphique et frappant, que j'étais obligée de le comprendre. Je fais maintenant partie des milliers de gens qui ont abandonné cette sale habitude. Je n'ai pas tiré une « taffe » depuis cette vision bizarre. Je ne suis pas certaine de pouvoir recommander ma méthode aux autres, cependant.

Dans le train, en revenant, je contemplai le fleuve Urumba, tournoyant sauvagement sur les rochers des Andes. Je repensai à mon premier voyage dans les Andes, et comment toute cette aventure m'avait poussé à écrire *L'Amour-foudre;* comment aussi le conflit avec Gerry m'avait amenée à mieux comprendre ce que signifiait la vie, la mienne en tout cas. Et Gerry faisait encore partie de moi; c'était encore un personnage qui s'impo-sait sur le déroulement de ma vie, même si c'était seulement dans un rêve.

En retournant à Cuzco, la nouvelle se répandit très vite que j'avais fait changer le temps et fait apparaître le soleil sur le Machu Picchu, par une journée en principe sinistre et pluvieuse. Par la suite, les journaux péruviens racontèrent que je croyais être la réincarnation d'une princesse inca. Rien qu'avec tous ces articles et ceux où j'affirmais que c'étaient les extra-terrestres qui avaient construit le Machu Picchu, j'aurais pu démarrer mon propre *Peruvian National Enquirer*, le journal national péruvien.

CHAPITRE 22

Le lendemain, le tournage dans le marché de Chinchero commença plutôt agréablement. Le maire de la ville organisa une petite cérémonie à mon intention, et il nous montra une étoffe très ancienne représentant les couleurs du village. Il offrit une charrue antique, symbole du travail, à Bob Butler.

Certains membres de l'équipe parlaient de rester après le tournage parce qu'ils trouvaient les gens tellement purs et simples.

Je suis tombée dans la boue pendant une prise.

J'ai lu quelques magazines de cinéma près d'un kiosque à journaux.

J'avais une impression de décousu, d'absurde, de disloqué. Toute la journée, j'ai ressenti une impression de solitude intense, comme s'il me manquait quelqu'un ou quelque chose. J'ai essayé de ne pas y penser, mais c'était une douleur sourde et tenace, qui vous ronge et vous angoisse même quand vous essayez de ne pas y penser.

Je pensais à Gerry sans arrêt, comme si je devais lui téléphoner.

Le soir, j'ai eu envie de prendre un bon bain chaud, quitte à coincer la vidange avec mon talon. Comme je me déshabillais, le téléphone sonna. A l'écouteur, je compris qu'il s'agissait d'un appel de l'étranger, et j'entendis la voix de Bella.

– Ça fait deux jours que j'essaie de te joindre, dit-elle, ton bled n'existe pas sur la carte, ou quoi?

– Eh bien, je n'ai pas reçu ton message.

– Je sais, dit-elle, en cherchant la suite.

– Qu'est-ce que tu veux dire?

– Je ne voulais pas te dire ce que je dois te dire. Je ne voulais pas que ce soit moi qui te l'apprenne, dit-elle. Je n'avais aucune idée de ce qu'elle cherchait à me dire.

S'il était arrivé quelque chose à ma fille, à maman ou à papa, ce n'est pas Bella qui m'aurait appelée.

– Dis-moi? lui demandai-je

– C'est Gerry, dit-elle.

– Gerry?

– Oui, dit-elle. Puis elle hésita. Il a eu un accident de voiture pendant ses vacances dans le sud de la France.

Tout me revenait d'un seul coup; la nostalgie, l'impression d'un manque. Je m'arrêtai de penser pendant une minute. Puis je sus.

– Il est mort, n'est-ce pas? lui demandai-je.

J'entendis un léger sanglot étranglé.

– Oui, ma chérie. Je suis vraiment désolée.

Je ne dis rien. Elle continua.

– C'est tellement bizarre, dit-elle, que tu sois en train de tourner un film sur lui et qu'une fois de plus, je sois le personnage dans ta vraie vie, qui te dit qu'il est parti pour toujours.

Je ne savais pas quoi dire.

– Je ne voulais pas te le dire. C'est pour ça que je n'ai pas laissé de messages.

– Oh, je comprenais tout à coup ses réticences.

Je me souvins alors de la petite étoile d'argent qui s'était échappée des doigts de Benito, et son air de détresse.

– C'est arrivé quand, Bella? demandai-je.

Elle me le dit. Je calculai l'heure d'ici, mais je le savais déjà. C'était exactement au moment de la visite de Benito.

– Comment tu l'as su? lui demandai-je.

– D'abord par les journaux anglais. Puis j'ai donné quelques coups de fil.

– Comment est sa femme?

– Accablée.

– Est-ce qu'il va y avoir un enterrement? je me demandais si j'aurais fini le tournage à temps pour y aller.

– Je ne sais pas, dit Bella. Mais si c'est le cas, tu ne devrais pas te montrer à Londres. Ça ne serait raisonnable pour personne.

Je n'arrivais pas à me concentrer. Je pensais à notre dernière rencontre. Je mis une main devant mes yeux et j'essayai d'oublier ce qui m'entourait. J'essayai de reconstituer le puzzle de mon destin, de mon karma. Est-ce que j'avais deviné ce qui allait se passer, en voulant le revoir une dernière fois? Est-ce qu'il savait qu'il allait partir? Est-ce que chacun, au fond de son inconscient, de son âme, ne savait-il pas quand et pourquoi il allait mourir? Est-ce que c'était là le grand moment d'exercer notre libre-arbitre? Mais pourquoi avait-il fait ça?

– Ça ne va pas? demanda Bella.

– Pourquoi il a fait ça, ma Bellitcka? lui demandai-je.

Elle hésita, sachant qu'elle venait d'entrer dans une conversation métaphysique et spirituelle à un niveau de compréhension qui nous dépassait toutes les deux. C'est peut-être pour cela qu'elle avait hésité à me le dire.

– Tu veux dire pourquoi il est mort?

– Je veux dire, pourquoi a-t-il DÉCIDÉ de mourir maintenant, alors qu'il avait encore tellement de choses à accomplir? Nous avions tellement de choses à nous dire, à comprendre ensemble. Pourquoi a-t-il changé d'avis?

– Écoute, dit-elle, il n'a pas décidé de mourir. Je te l'ai dit. C'était un accident. Personne ne décide de mourir. Ça arrive tout simplement. C'est un de ces mystères...

– Non, dis-je. Non. Ce n'est pas si simple que ça. C'est RELIE à quelque chose, Bella.

Ma voix dérivait en même temps que mes pensées. Je n'avais pas envie de pleurer, mais j'avais désespérément envie de m'en aller, quelque part, là ou je serais tranquille, toute seule. Je me disais que je n'étais plus impliquée sur un plan émotionnel, comme par le passé, avec Gerry pour être terrassée par sa perte. Mais quelque chose me tourmentait depuis deux jours. Est-ce que c'est pour ça que je n'arrêtais pas de penser à lui, au Machu Picchu et aujourd'hui? Est-ce qu'il était vraiment à côté de moi? Est-ce qu'il essayait d'entrer en contact avec moi, en tant qu'âme puisqu'il n'avait plus de corps? ALORS, je compris que je ne le reverrais plus jamais. Aussitôt je revis notre dernière rencontre, quand il marchait de long en large devant sa bibliothèque. J'eus aussitôt un de ces réflexes déplacés en raison des circonstances...

La voix de Bella répétait.

– Tu es là, ma chérie, est-ce que tu te sens mal?

– Je vais bien, Bella. Écoute-moi, Bella. Qu'est-ce qu'il va se passer si on trouve mes lettres d'amour dans ses livres? Qui va s'occuper de ses effets personnels?

– Mon Dieu! je ne sais pas, dit-elle. Mais je suis sûre qu'ils respecteront sa vie privée pour des tas de raisons.

Bien entendu, j'oubliais que ça faisait partie du métier.

« Est-ce que Mr. Dance joue bien mon rôle? » avait-il demandé ce jour-là à Londres. « Atrocement bien; avec tout le mépris pour la spiritualité qu'il peut faire passer. » Mais moi, j'étais différente. Je pouvais voir Gerry fonctionner au maximum de ses facultés intellectuelles, tout en demeurant complètement dans le brouillard et l'ignorance dans sa recherche spirituelle. Du moins, je n'avais pas essayé de le changer, de changer sa réalité, son rythme. Et maintenant, il n'était plus dans ce corps d'intellectuel empirique. Il se trouvait soudain sur le territoire dont il avait toujours nié l'existence. Il était désormais une âme. Est-ce qu'il était rentré chez lui sans comprendre où il se trouvait? Est-ce que je sentais sa présence parce qu'il avait besoin d'aide et qu'il ne savait pas à qui la demander?

– Je le sens à côté de moi, Bella, je dis finalement.

– Qu'est-ce que tu racontes?

– Tu vois, c'est comme s'il était dans mes pensées depuis quelques jours, sans raison. Maintenant je comprends pourquoi. Dieu sait comment il me contactera maintenant que je sais où il est.

– Oh! dit Bella. Eh bien, ma chérie, comme je te l'ai dit, toute cette histoire est trop pirandellienne pour moi. J'ai l'impression d'être dans la pièce de quelqu'un d'autre en t'annonçant cette nouvelle.

– Tu sais, Bella, dis-je, quand je l'ai vu la dernière fois, j'ai senti nettement qu'il écrasait les gens avec sa supériorité intellectuelle et qu'il ne se posait pas assez de questions spirituelles. J'ai failli lui conseiller de développer sa spiritualité, parce que ça lui jouerait des tours.

– Ouais, dit-elle. Tu me l'as dit, mais est-ce que tu lui as dit à lui?

– Non! Je n'ai pas pu. Il avait tellement l'air sûr de lui, en train de donner des ordres et de brasser l'air autour de lui. Mais, Dieu, qu'il était séduisant! J'ai vraiment cru qu'on allait remettre ça pour un moment.

– Ouais, dit Bella. Tu m'as dit ça aussi.

– Bon-on-on, je ne savais plus quoi dire, j'imagine qu'il avait ses raison pour partir maintenant.

– Tu y crois vraiment, hein? demanda-t-elle très sérieusement.

– Oui, j'y crois vraiment. Et je dirais la même chose si

c'était Sachi ou toi, ou qui que ce soit, que je serais désespérée de perdre.

– Alors, tu penses vraiment que nous décidons LE MOMENT de notre mort? demanda-t-elle, en essayant de comprendre le sens de sa question.

– Certainement, répondis-je, non seulement le Moment, mais aussi Comment.

– Je vois, dit Bella simplement.

– Il sait d'après mon livre qu'il a été un catalyseur dans ma propre recherche spirituelle. C'est le rôle qu'il a joué dans ma vie et maintenant à l'écran. Il sait qu'il a été une des personnes les plus importantes de ma vie parce qu'il m'a fait comprendre que le pragmatisme intellectuel n'est pas suffisant.

– Comment sais-tu qu'il comprend ça?

– Parce que, maintenant, il est de l'autre côté, là ou l'intelligence et le pragmatisme ne servent pas à grand-chose.

– Tu crois vraiment qu'il est là, à côté de toi, comme une ombre ou un esprit?

– Oui, dis-je, je le sais. Je le sens. Et maintenant, il veut comprendre.

– Alors, tu vas l'aider? demanda-t-elle.

Je réfléchis un moment.

– Je ne sais pas.

– Ouais. Bon, dit Bella. Je te l'ai déjà dit, je suis désolée pour toi, ma chérie, et si je peux faire quelque chose pour toi...

– O.K., mais je crois que c'est surtout lui qui a besoin d'aide maintenant, pas moi. Je crois qu'il doit être vraiment choqué de découvrir que la mort n'est pas le néant. Il faut que je l'aide à comprendre, à admettre le fait qu'il n'a plus de corps.

– Tout ce que tu me racontes, dit Bella, moi, je n'arrive pas à y croire. Parfois, j'aimerais y croire, mais je ne peux pas. On se reparlera d'ici quelques jours.

– Merci, Bella dis-je. Comment va Martin?

– Il va bien. Il t'envoie ses condoléances. Mais il dit que tu avais déjà tourné la page avec Gerry, et puis voilà, une pièce inachevée, qui continue, et moi je joue toujours le même rôle.

Elle raccrocha et moi aussi.

Je me mis à arpenter ma chambre d'hôtel. J'avais besoin de

bouger, de marcher. Je m'habillai et je sortis. J'allai me promener dans les bazars de Cuzco. Je m'achetai des pulls en angora, des boucles d'oreilles, n'importe quoi pour me changer les idées. Je m'arrêtai pour écouter sonner les cloches de l'église, un vieux disque d'Elvis Presley sur un juke-box. Alors, j'entendis le refrain d'une chanson que Gerry et moi aimions écouter. J'avais l'impression d'être spectateur d'une pièce dont j'étais aussi l'acteur. Je me regardais réagir.

Le rêve du gorille me revint. Ce fameux rêve où il me poursuit jusqu'à la falaise, et où je me retourne quand j'arrive au bord en lui disant : « Et maintenant, qu'est-ce que je fais? » Et il me dit : « Je ne sais pas, mon p'tit, c'est ton rêve. » C'était comme si ma vie était devenue un rêve, une illusion, comme le prétendent les bouddhistes et les hindous. Si on crée nos rêves nocturnes à partir du matériel, du résidu subconscient, superconscient de nos pensées, alors on fait peut-être la même chose dans la journée.

On peut peut-être faire ce que l'on veut de nos rêves conscients, éveillés, selon nos besoins, nos désirs, « pour sortir de la fange et du bourbier de cette illusion qu'est la vie », comme disent les hindous dans les anciennes écritures védiques. La vie serait un rêve, une illusion, une pièce de théâtre, un spectacle. Certains d'entre nous aiment la violence, d'autres la tragédie, d'autres la comédie et l'aventure. Et d'autres n'aiment plus aucun de ces spectacles. Quand c'est le cas, ils décident d'interrompre le rêve, de tirer le rideau sur le spectacle qu'ils s'étaient d'abord choisi.

Ma question était la suivante : Est-ce que c'était moi qui avais tiré le rideau sur Gerry, ou est-ce que c'était lui qui l'avait tiré sur moi?

A partir du moment où j'ai su que Gerry avait quitté son corps, tout a changé pour moi. Je le sentais continuellement autour de moi. C'était une sensation étrange mais positive. Ce n'était pas déconcertant, mais rassurant, parce que mes principes spirituels étaient basés sur ma croyance en l'éternité de l'âme. Souvent, je me demandais si je faisais de l'autosuggestion pour confirmer mes croyances. Mais la sensation était très différente.

Pas de bruits bizarres, ni d'apparitions fantomatiques au pied de mon lit, la nuit. Pas de lueurs étranges, ni de messages transmis par un guéridon frappeur.

C'était plutôt une présence constante, lancinante, et pourtant bienveillante, comme si Gerry demandait des explications, des conseils. Je SENTAIS ses questions, comme s'il me disait qu'il était coincé dans une dimension intermédiaire entre la terre et une vérité plus élevée, qui serait sa prochaine aventure. Je sentais qu'il était complètement désorienté, incapable de trouver l'équilibre et de s'ajuster à ce qu'il avait fait, au résultat de son départ. C'est sûrement là que mon rôle était. Le conflit qui s'était élaboré dans nos relations venait de ce que j'avais commencé à comprendre que l'homme était avant tout un être spirituel, alors qu'il était persuadé que l'homme était avant tout un être physique et mental. Gerry avait été un athée confirmé dénonçant le rôle de Dieu et de l'église dans la culture d'une civilisation évoluée, et en tant qu'intellectuel socialiste il avait été compatissant et humain, uniquement par idéologie sociologique : un bon socialiste devait être assez futé pour comprendre la nécessité de la paix dans un monde violent.

Il croyait que les problèmes de l'humanité étaient essentiellement économiques, alors que je croyais que l'ignorance spirituelle était le problème majeur de base, d'où provenaient tous les conflits dans le monde des riches et des pauvres. Chaque fois que je lui faisais remarquer que la plupart des guerres qui éclatent sur la planète aujourd'hui ont pour prétexte l'interprétation de Dieu et de ses dogmes, il n'était pas d'accord avec moi. Il disait que c'était à cause des disparités économiques. Quand je lui disais que la foi en Dieu donnait l'espoir aux gens et leur donnait la force littéralement d'aller de l'avant, il répondait qu'il fallait perpétuer ce genre de mythe pour supporter la tragédie de la pauvreté.

Quand je lui disais que je croyais que la force de Dieu était en nous, non pas dans un petit nuage rose suspendu au-dessus de nos têtes, avec des anges aux fesses de bébé distribuant du lait et du miel au son des harpes célestes, il disait que la croyance en Dieu donnait aux hommes le droit de juger les autres avec pruderie et intolérance, et aussi celui d'abuser cruellement de leurs pouvoirs.

A quoi je répondais que les athées qui essaient d'endoctriner les autres (les communistes par exemple) abusaient de leur pouvoir plus que n'importe qui.

Son leitmotiv, c'est que nous vivions une époque de disparité économique, et le mien, que nous étions dans une période d'ignorance spirituelle qui provoquait une forme d'intolérance particulièrement destructrice. Chaque faction, chaque parti croyait que SON Dieu était le seul, parce qu'il était impossible d'accepter le Dieu de quelqu'un d'autre. Et le conflit n'en finissait jamais. Nous n'arrivions pas, ni l'un ni l'autre, à tomber d'accord sur ce qui n'aurait pas dû être une exclusion mutuelle.

Comme Gerry était un économiste et un politicien pragmatique, j'étais fascinée par les démonstrations de son intellect virtuose. J'étais même intriguée par la triste constatation qu'il était vraiment borné, spirituellement. C'était un défi incroyable pour moi, parce que je me battais avec quelque chose de déroutant. Comment un homme aussi brillant, exceptionnel, et sophistiqué intellectuellement, pouvait se bloquer, se fermer, se sentir menacé par l'idée que Dieu et l'âme deviennent une aventure pour moi.

Bien sûr, ce qui l'agaçait dans cette recherche, c'est qu'elle échappait à des dimensions connues, parce qu'il ne pouvait ni les voir, ni prouver qu'elles existent. Mais j'ai toujours pensé que ça l'agaçait parce que, s'il avait admis la possibilité de cette existence, il aurait été submergé par la vertigineuse sensation de perte de contrôle qui accompagne cette découverte. Et avant tout, Gerry avait besoin de se sentir autonome, indépendant.

L'autre raison de son intellectualisme borné était plus compliquée. C'était en rapport avec sa confiance en lui et son besoin de contrôler totalement la vie qu'il menait. En tant que pragmatiste absolu – du genre, deviens qui tu es – il était plus préoccupé par les choses qu'il faisait que par ce qu'il était, la base de son arrogance intellectuelle aurait pu venir de sa haute opinion de lui-même. Mais ce n'était pas le cas. Quand il me disait qu'il aimait être admiré, mais pas par n'importe qui, je comprenais qu'il était plus facile pour lui de faire la démonstration de ses brillantes qualités devant un public, et de façon intermittente, plutôt que d'avoir constamment à jouer le même rôle en privé. Il n'aimait pas la pression qui accompagne TOUJOURS la question du moi spirituel. Il comprenait que l'homme ne peut pas fonctionner sans la dimension invisible de l'espoir, mais, quand il regardait le monde, avec sa vision admirablement raisonnable, il ne pouvait pas expliquer le pourquoi et le comment de son origine. Alors, il niait en bloc la raison de l'espoir, et il faisait de son mieux, en termes pragmatiques, pour les masses populaires, invisibles, et impersonnelles. Pourtant, dans son for intérieur, Gerry savait qu'il se trompait et qu'il les trompait. Quelque part, en lui, il comprenait son arrogance d'intellectuel, et il avait peur d'admettre que lui aussi il était relié et branché sur le Divin, comme tous les autres, qu'ils aillent la messe, qu'ils se sentent avoir une âme, ou pas. Maintenant qu'il était de l'autre côté de la barrière, est-ce qu'il était obligé de prendre conscience que son reniement farouche de la Dimension Divine était une profonde erreur? Est-ce que c'est pour cette raison que je le sentais à côté de moi, me demandant de l'aide? Est-ce que je serais capable de l'aider, à condition que je sache comment m'y prendre?

Entre-temps on avait bouclé le tournage du film. Certains membres de l'équipe souffraient d'un tas de maux comme la dysenterie, sous toutes ses formes, l'insomnie et autres désordres de leurs organismes surmenés. En pilote automatique ils rêvaient du jour où ils iraient faire un tour au Mac Donald's ou au Fast Food du coin, s'asseoir devant la télé avec une bière, pour profiter des bonnes joies simples, typiquement américaines, en retrouvant la famille et les êtres chers. Bref, tout ce qui paraît aller de soi, trop souvent. D'autres avaient passé le test, l'épreuve primitive des Andes, et désormais ils seraient heureux n'importe où.

Plusieurs, qui s'étaient bien amusés, ne semblaient pas avoir progressé d'un poil. Ceux qui dormaient et fonctionnaient sans problème nageaient debout, peinards; ils avaient décidé de ne pas faire d'introspection, et de ne pas remuer les résidus non résolus. Bien entendu, ils n'avaient peut-être pas de résidus... Certains, parmi les plus mal à l'aise, avaient fait des sauts spirituels considérables, parce qu'ils n'avaient pas eu peur de confronter leurs conflits personnels, quitte à mal supporter les conditions primitives.

Une chose était certaine. Chacun commençait à comprendre qu'il était responsable de ce qu'il avait trouvé sur les lieux du tournage. Nous n'étions pas victimes de circonstances heureuses ou malheureuses à cause du lieu du tournage, mais c'est notre façon de percevoir les choses qui était en cause.

Moi, j'avais encore des choses à apprendre à cet égard. Il s'agissait surtout de l'abus de pouvoir. Au moment du départ de la production, et des règlements de cachets, la question des primes fut soulevée. J'entendis dire qu'Esther n'aurait pas de prime parce qu'elle avait eu une mauvaise influence sur moi. Furieuse, je demandai à voir les patrons, et le grand PDG arriva. Nous avions rendez-vous dans un bar, au milieu de toute l'équipe, lorsque je l'agressai de but en blanc :

– POURQUOI Esther n'a pas droit à sa prime?

– Parce qu'elle a amené ce sorcier vaudou dans votre caravane et ça vous a tellement intéressée que vous avez fait poireauter toute la production.

– Première nouvelle! Moi qui avais fait tellement attention de sortir dès qu'ils m'appelaient pour une prise.

– Écoutez, lui dis-je, je ne sais pas où vous avez pris ça. Je sortais de la caravane, immédiatement après qu'on m'eut appelée, JUSTEMENT parce que je ne voulais pas qu'on m'accuse de faire attendre tout le monde.

– Ce n'est pas ce qui est écrit sur la feuille de production et mon boulot, c'est de m'en tenir à ça, répliqua-t-il

– J'emmerde la feuille de production, c'est faux! j'hurlai.

– Et d'ailleurs, même si j'avais fait attendre la produc, ce qui n'était pas le cas, je préparais une cérémonie pour faire changer le temps sur le Machu Picchu.

– Ouais, dit-il. Et cette cérémonie vous a rendue malade.

– ET ALORS? dis-je. Qu'est-ce que ça peut vous foutre à VOUS? On a eu le soleil, et on a fait la prise, oui ou non? Comment on s'y est pris et comment je me sentais, c'est pas vos oignons, n'est-ce pas?

Il me regarda d'un air ébahi. Mais peut-être, ça ne lui était pas égal. Finalement, nous n'étions pas en train de parler de problèmes de production. On parlait de spiritualisme, et il se servait de mon malaise et de mes retards pour attaquer quelque chose qu'il n'arrivait pas à accepter, parce que ça ressemblait à un « miracle métaphysique ». Je haïssais ce genre d'attitude. Pourquoi est-ce qu'il n'y allait pas carrément en disant que tout ça pour lui c'était des conneries de magie noire vaudoue. Prise d'un nouvel accès de fureur, je repartis à l'attaque, en mettant en cause son intelligence, son honnêteté envers lui-même, en l'accusant de n'avoir pas donné correctement à manger à l'équipe de Péruviens, et surtout d'abuser de son pouvoir. C'est là que j'ai craqué parce que je venais de m'apercevoir avec horreur que je projetais sur lui exactement ce que j'étais en train de faire. Interloquée et secouée par ma colère et mon propre abus de pouvoir, mais encore incapable de l'admettre publiquement, je me levai et dis quelque chose comme : « C'est vraiment trop. » Et je sortis la tête haute. Je n'avais pas le cran de faire des excuses.

Une fois de plus, je m'étais plantée, j'avais réagi de façon violente et négative à une situation qui aurait pu être traitée en douceur, avec un peu de compréhension et de raison. Avec un minimum de bon sens, si j'avais pu prendre un peu de recul sur le rôle que je jouais dans le conflit des intérêts, j'aurais pu éviter de piquer un tel coup de sang.

Quand je compris mon attitude, je m'aperçus durant les derniers jours du tournage que j'attirais beaucoup plus de gens qui ne m'avaient pas abordée avant parce que je n'étais pas prête pour eux : j'étais trop absorbée par le conflit émotionnel que j'interprétais Gerry ne me quittait jamais. C'était comme s'il était au-dessus de moi, en train de regarder et d'écouter ce qui se passait dans ma vie. Sur terre, il se serait moqué de moi. Il m'aurait dit « foutaises et aberrations de l'imagination ». Mais maintenant, qui sait? non seulement il ne pouvait plus se permettre d'être borné, mais encore lui faudrait-il compléter ses connaissances.

Pendant ce temps-là, MOI j'avais l'intention d'explorer d'autres aspects plus élevés de la connaissance.

CHAPITRE 23

M. Anton Pons de Léon est anthropologue, responsable des recherches sur les Ovnis à Cuzco. C'est un homme gentil, sans prétention, à la fois patient et méthodique, avec un esprit curieux et rigoureux. Comme les témoignages affluaient sur son bureau, c'était un homme très occupé.

– Je n'ai jamais vraiment compris les rapports que je recevais jusqu'à ce que j'en fasse moi-même l'expérience.

Anton décrivit alors ce qu'il avait vu près d'une lagune, dans la montagne, dans la région de Cuzco. Il rentrait chez lui, tard le soir, par la route de montagne, lorsqu'il remarqua un faisceau de lumières immobiles au-dessus de la lagune. Il sortit de la voiture pour observer la chose de plus près. Il n'entendait rien que le coassement des grenouilles. Sinon, le silence. Tout à coup, le faisceau de lumières se déplaça sans bruit jusqu'à ce que les deux extrémités se rejoignent, formant un cercle. Il ne pouvait pas voir si les lumières venaient d'un vaisseau ou non. Puis, à l'opposé, il vit une autre lumière en suspens au-dessus de la ville de Cuzco. Cette lumière se dirigea alors vers le cercle lumineux au-dessus de la lagune, s'élargissant au fur et à mesure qu'elle se rapprochait de celle de la lagune jusqu'à ce qu'elle s'arrête juste au-dessus de l'autre. C'est alors qu'il put voir un vaisseau géant, éclairé par la lumière du dessous. Ensuite, il vit les deux vaisseaux lumineux se rejoindre au-dessus de la lagune.

– C'est comme si l'un d'eux rechargeait l'énergie de l'autre vaisseau, dit Anton. Je les ai regardés pendant trois heures et demie jusqu'à ce que j'aie trop froid pour rester plus longtemps.

– Qu'est-ce que c'était? lui demandai-je.

Il me regarda, hésitant à me répondre.

– Je ne sais pas, dit-il. C'est l'expérience que j'ai eue personnellement. Depuis, je n'ai plus jamais considéré les témoins d'Ovnis comme des dingues. Et ceux qui pensent que je suis fou, ne le penseront plus quand ils auront eu leur propre expérience.

Anton n'avait pas lu *L'Amour-foudre* et ne savait rien du film que nous étions en train de tourner. On lui avait seulement dit que je m'intéressais aux activités extra-terrestres. Un jour, après une séance de tournage, nous sommes allés nous promener tous les deux, et j'ai essayé de le mettre en confiance pour qu'il me donne plus de détails.

Il me raconta qu'il avait rencontré une femme qui avait eu une influence déterminante sur sa vie philosophique et spirituelle. Je n'y prêtai guère attention au début, jusqu'à ce que j'aie l'impression d'avoir déjà entendu parler de cette même femme.

– De quoi parlait-elle? je demandai.

Anton hésitait. Elle lui parlait de la situation du monde actuel, comment les pensées négatives pouvaient détruire les relations humaines, et comment, seule, une vraie foi, une véritable croyance spirituelle intérieure en Dieu, en chacun de nous, pourrait sauver l'humanité, en particulier, devant le risque d'un désastre nucléaire. Elle parlait de quelque chose qu'elle appelait « technologie spirituelle », en soulevant les schémas énergétiques, et les fréquences de vibrations électromagnétiques émanant d'une personne sereine, contrairement à l'énergie négative qui se dégage d'un individu torturé et empêtré dans ses conflits. Elle a dit que la paix intérieure était l'état d'esprit le plus précieux dans l'univers.

– Oui, alors, comment s'appelait-elle?

Il haussa les épaules.

– Elle n'avait qu'un prénom.

Il n'en dit pas plus.

J'insistai :

– Comment était-elle physiquement?

– Elle était petite, avec des cheveux bruns, des yeux noirs, en amande, pas vraiment orientale. Je n'ai jamais vu des yeux comme les siens. Elle était tellement belle. C'était comme si elle lisait dans mon âme, et quand elle marchait, elle avait l'air de flotter.

– D'où venait-elle?

Anton épousseta le revers de son manteau et haussa les épaules de nouveau.

– Je vais vous le dire, lui dis-je.

Je lui fis alors la description de Mayan, le personnage extra-terrestre de *L'Amour-foudre*, avec qui David affirme avoir été en contact.

– Elle ressemblait exactement au portrait de cette femme, et elle s'appelait Mayan, ajoutai-je.

Le regard d'Anton s'alluma d'un seul coup.

– C'est bien le nom de la femme que j'ai rencontrée; et elle avait un « commandant » qui travaillait avec elle. Je l'ai rencontré aussi.

Je me souvenais que David avait décrit le commandant du vaisseau dans lequel il était monté. Il disait qu'il ressemblait à un être humain, mais qu'il était petit, sans cils et sans paupières, et que ses oreilles étaient presque collées sur sa tête.

– Comment était son « commandant »? demandai-je à Anton.

– Il était très petit, environ 1,50 mètre. Il ressemblait à un homme comme nous, sauf que ses yeux n'avaient pas de paupières. Ses oreilles étaient rondes, au ras du crâne, et il n'avait pas de cils.

Aucun doute, c'était de l'excellent matériel pour un créateur de BD. Mais il ne s'agissait pas de BD. Ça se passait réellement. Je n'avais pas inclus l'épisode du voyage dans l'espace de David, dans mon livre précédent, parce que mes éditeurs m'avaient dit que personne n'y croirait, par conséquent Anton ne pouvait pas avoir répété ma description.

– Alors, Anton, dis-je. Est-ce qu'on est en train de dire que David et vous avez eu un contact avec une femme extra-terrestre qui vous a transmis des connaissances que l'on n'apprend pas habituellement sur la terre?

Anton approuva.

– Oui, en effet, c'est bien ça! Il y a un homme à Lima – un Yougoslave – il a eu des contacts lui aussi, et il a écrit plusieurs livres sur ce sujet. Il est monté plusieurs fois sur des vaisseaux. Je vais vous donner ses coordonnées, et quand vous partirez d'ici, vous pourrez le contacter à Lima.

Anton Ponce de Léon et moi avons marché longtemps ensemble, en discutant des conséquences de la présence possible d'extra-terrestres sur la terre.

Il me raconta la légende de Cuzco, qui remonte à la nuit des temps. On prétend qu'un extra-terrestre a atterri à côté de l'ancienne cité, il y a des milliers d'années. Il reste encore un monument de pierre, non daté, érigé à son intention.

Quand nous nous sommes quittés, Anton et moi, je savais que c'était seulement le début de nos recherches respectives.

Cette nuit-là, Esther me conduisit chez Benito. Je voulais lui parler de notre pluie magique au Pérou. Je le trouvai dans une cabane en tôle ondulée et en terre battue, avec une seule ampoule électrique, des chiens, des chats, des poules et des puces partout. Il faisait nuit, et ses poumons étaient tellement congestionnés de phlegme et de pleurésie, qu'il ne pouvait pas dormir. Je me dirigeai vers son lit avec ma photo dédicacée, un pull en laine enroulé autour d'une liasse de billets, et un bouquet de fleurs sauvages dans les bras. Mais il ne vit que le bouquet de fleurs. Il s'assit avec difficulté dans son lit, en aspirant l'air comme un poisson hors de l'eau, et il toucha chaque fleur, l'une après l'autre, en disant une prière à chaque fois.

Il retomba en arrière, sous ses couvertures sales, emmailloté dans une chemise et un gilet marron en tricot, avec un lama blanc rebrodé.

Le médecin de la production était venu avec moi. Il s'assit à côté de Benito sur le lit, se demandant certainement, comme nous tous, s'il attraperait des puces. Le médecin ausculta le cœur et les poumons de Benito, puis son abdomen, méthodiquement.

– Emphysème, turberculose possible, cœur trop gros, pneumonie probable, œdème, diagnostiqua-t-il. Il a plus de quatre-vingts ans, et il va très mal. Je vais faire venir une ambulance pour l'emmener à l'hôpital, lui faire faire des radios et le soigner.

J'examinai la cabane. Il y avait des vieilles marmites et des casseroles accrochées à des clous plantés dans les murs en torchis, et sur un cageot à oranges, le costume de Benito avec un sombrero marron. Je regardai Benito.

Qu'est-ce que cela signifiait? L'homme qui m'avait donné le secret de changer le temps, de provoquer la pluie, n'était pas capable de nourrir son corps? Était-ce à cause de la pauvreté? Ou bien l'éducation? Benito ne devait rien comprendre aux besoins du corps en protéines, à l'hygiène, et tout en étant malade, il continuait à prier.

Oh, Gerry, pensai-je. Est-ce que c'était sa foi spirituelle qui l'avait soutenu pendant toute sa vie de souffrance et d'inconfort. Est-ce que cette fois avait allégé son fardeau? Est-ce qu'il n'aurait pas dû être déjà mort depuis longtemps s'il n'avait pas été maître de pouvoirs invisibles? Je sentais Gerry à côté de moi. Mon esprit était agité de pensées contradictoires. Je me penchai vers Benito et lui touchai l'épaule :

– Merci pour tout ce que vous avez fait pour nous, lui dis-je. C'est grâce à vous que nous avons pu tourner sur le Machu Picchu.

Il leva les yeux d'un air surpris, comme si mes remerciements étaient inutiles et déplacés. Il me tendit le bouquet de fleurs.

– Donnez-les à ma femme, dit-il. Et dites-lui de faire une offrande à Dieu.

Je quittai son chevet, sentant fortement la présence de Gerry à mes côtés. J'avais envie de le toucher derrière mon épaule, comme si la danse magnétique entre la spiritualité et le matérialisme se prolongeait. Sentant continuellement la présence de Gerry, je revins sur le tournage. Il s'agissait de la scène où John (DAVID) me parle à moi (Shirley) de Mayan. Nous avions tourné « la bonne prise » de la scène une semaine auparavant. Le mauvais temps nous avait empêché de continuer. Ça ne serait pas facile à faire « la prise de sécurité » maintenant, et de retrouver la même émotion. On était là, de nouveau, debout près de la jeep; on mémorisait nos marques et on répétait pour que les gestes et les émotions soient identiques à ceux de la semaine précédente. Même le temps était identique : un peu de vent, un peu de brume, un peu d'azur – une peinture délicieuse.

Les caméras tournèrent – il y en avait trois pour gagner du temps. John commença son long monologue. Tout alla bien, pendant un certain temps. Puis la script tomba et se fit mal au genou, deux piles de caméra tombèrent en panne, et une bourrasque de pluie se mit à tomber. C'était comme si quelque chose ou quelqu'un nous faisait savoir qu'il n'était pas question de tourner la scène de cette manière. John tapait du pied dans la boue. Je lui tapotai l'épaule en lui chuchotant quelque chose du genre : il faut faire confiance à la « providence » et je me dirigeai vers ma caravane pour ne pas mouiller mes vêtements. Je m'assis devant le miroir pour vérifier mon maquillage. La pluie tambourinait sur le toit. Il y avait quelque chose qui clochait. Je me penchai en avant. En me regardant de plus près, je vis que j'avais oublié de remettre mes boucles d'oreilles après le déjeuner, et que nous aurions eu un problème de rapport colossal dans les gros plans. On ne s'en serait aperçu qu'au retour, aux États-Unis! Je récupérai mon sac, et remis mes boucles d'oreilles. Immédiatement, la bourrasque s'arrêta. La pluie cessa, et, au moment où je regardai par la fenêtre, la brume bleutée réapparut. Quelques instants plus tard, les assistants frappèrent à ma porte et me dirent qu'ils étaient prêts pour moi. J'avais envie de leur dire : « Êtes-vous prêts pour le pourquoi ? »

En revenant sur le plateau, je regardai le ciel, en direction d'un Gerry invisible et lui dis : « Est-ce que tu peux voir tout ça ? »

Je racontai mon histoire de boucles d'oreilles à l'équipe. Ils regardèrent mes oreilles, puis le ciel, ils se jetèrent un coup d'œil, haussèrent les épaules, et la prise fut mise en boîte. Quand ce fut terminé, John me dit :

– Qu'est-ce qui se passe avec tes « guides » ? La script n'a plus mal au genou et les piles des caméras se sont rechargées.

Le retour à Lima fut différent de l'aller. Nous ne savions pas que l'ambassade américaine avait été bombardée jusqu'à ce que quelqu'un à Los Angeles nous prévienne et le joyeux climat tropical semblait démentir le fait qu'il y avait encore le couvre-feu. Bien entendu, nous demeurions à l'Hôtel Condado, dans le quartier Miraflores, ce qui nous faisait oublier ce genre d'événement.

J'avais une suite très agréable, avec un Jacuzzi, et la télévision nous informait sur tout ce que nous avions ignoré quand nous étions à Cuzco.

Un de mes premiers plaisirs fut de pouvoir respirer normalement de nouveau. Mon cœur battait plus lentement, et je n'avais plus ces maux de tête abrutissants. Mais à peine arrivée, mon mal de gorge se transforma en vraie grippe. Pourtant j'arrivais à boire deux cocktails sans être saoule, et le soleil brillait toute la journée. L'humeur de l'équipe changea. D'un côté, ils étaient plus à l'aise, et par ailleurs, ils étaient sidérés de voir à quelle vitesse ils étaient retournés à leurs vieilles habitudes citadines : nourriture trop riche, trop d'alcool, shopping à gogo, et un rythme plus stressant qui éliminait progressivement la paix intérieure qu'ils avaient partiellement découverte dans la montagne. Il n'y avait qu'un jour et demi de relâche avant de partir aux États-Unis, mais certains décidèrent de rester plus longtemps. Nous avons fait du shopping, nous sommes allés au musée Gold. Nous avons regardé la vie péruvienne passer, à la terrasse des cafés, en pensant à la nôtre, chacun de nous plongé dans ses propres réflexions : ce que nous avions appris, ce que nous n'étions pas prêts à apprendre. Chacun, sur le film avait connu une aventure, un drame, une histoire, et les leçons n'étaient pas évidentes à tirer. Quand on se rencontrait au hasard des restaurants et des boutiques du quartier Latin, nous évitions les discussions.

Pour le quarantième anniversaire de John, on lui fit une grande fête, dans un magnifique hôtel de réceptions avec dancing et décors de rêve. Il fut charmant, confus, et sobre. Nous échangeâmes les cadeaux et je le remerciai chaleureusement d'avoir interprété David avec autant de classe et de sensibilité. Il me remercia d'avoir insisté pour qu'il joue le rôle.

Je donnai ma conférence de presse au sujet des Ovnis. Je dis que j'étais désolé que quelqu'un puisse penser, dans ce beau pays, que j'étais nazi. On m'avait déjà traitée de tous les noms, mais jamais de celui-là. Puis, je parlai des extra-terrestres.

– S'ils étaient venus, ils n'auraient pas donné de la confiture à des cochons. Ils auraient apporté des connaissances supérieures à une civilisation qui aurait été capable de les comprendre, comme les Incas, déclarai-je.

La presse eut l'air de trouver cela sensé. En réalité, ils étaient beaucoup plus intéressés de savoir si je pensais avoir été une princesse inca. Je leur dis : « Pourquoi pas? J'ai déjà joué toutes sortes de rôles. »

J'allai à la plage, dans une boîte de nuit, et dans un maximum de restaurants, en deux jours. Parfois, je me mêlais aux gens du métier et je parlais potins et show-business. Mais la plupart du temps, j'étais préoccupée par la mort de Gerry. J'essayai d'appeler Bella, mais je n'arrivai pas à la joindre.

Et avant de m'en apercevoir, tous les gens qui avaient participé au tournage du récit de ma vie étaient déjà partis pour le point de chute professionnel qui les enverrait à nouveau sur un autre endroit de la planète pour recommencer avec quelqu'un d'autre qui croyait avoir quelque chose à dire.

Simon et moi, nous sommes restés. Je voulais rencontrer des gens pour leur parler des Ovnis. Il ne me faudrait pas longtemps pour penser qu'on devrait les appeler Ovis : objets volants identifiés.

CHAPITRE 24

Une des personnes les plus intéressantes m'ayant affirmé avoir eu des contacts avec les extra-terrestres était Vitko Novi, un homme d'affaires yougoslave de soixante-cinq ans. Il était à la retraite, mais il continuait à aller à son bureau tous les jours pour « bricoler », et il passait son temps également à écrire le récit de ses contacts avec les Ovnis.

Il arriva à mon hôtel avec des diapos et la version espagnole de ses livres. Il s'assit avec nous. Jenny Gago, l'actrice qui interprète Maria (la voyante) dans mon film, était avec moi ce jour-là. Jenny traduisait la conversation et ne paraissait pas surprise d'entendre ce que racontait Vitko. J'enregistrai tout l'entretien.

– Ma première rencontre eut lieu le 10 mars 1960, dit-il. Il était tard cette nuit-là, et pendant que je travaillais dans une centrale de la Cordillère blanche, en haute altitude, il y eut une coupure de courant. Je me dirigeai vers une fenêtre et regardai à l'extérieur. La nuit était claire, même sans les lumières. Je sortis. Là, au-dessus de la centrale, il y avait un vaisseau de forme allongée, tellement lumineux que je n'arrivais pas à en soutenir l'éclat. Je n'avais pas peur, parce qu'il y avait un ouvrier avec moi qui me dit qu'il avait vu ce genre de vaisseau plusieurs fois. Ensemble, nous vîmes le vaisseau descendre silencieusement puis atterrir. J'étais pétrifié, tandis que deux humanoïdes très grands, avec des épaules étroites et tombantes sortaient du vaisseau. Ils étaient vêtus de combinaisons moulantes, en tissu brillant, un peu comme la peau mouillée d'un phoque. Ces combinaisons étaient faites d'une seule pièce et elles recouvraient leurs pieds sans chaussures.

Leurs visages présentaient un mélange extraordinaire de nos races, de nos couleurs, et de nos traits, quelque chose que je n'avais jamais vu avant.

Les deux êtres marchèrent tranquillement vers moi, ils s'assirent, et firent apparaître un feu pour nous réchauffer dans cette nuit froide!

En racontant cela, Vitko était très calme et très concret. Peu importe le nombre d'histoires semblables qu'on m'avait déjà racontées. J'étais toujours étonnée, souvent sceptique au départ, et parfois même envieuse parce que ça ne m'était jamais arrivé personnellement. Vitko dit qu'à ce moment-là il regarda dans le feu, avec les deux hommes de l'espace à côté de lui, en essayant de réfléchir calmement. Il ajouta qu'il n'avait pas peur et ne voulait pas partir, mais qu'il était incapable de croire à ce qui lui arrivait. Puis un des êtres parla à Vitko dans sa langue maternelle. Vitko relata l'essentiel de ce qu'ils lui avaient dit à Jenny, qui me le traduisit ainsi. :

– Nous sentons que dans vos structures cellulaires vous nous rejetez, dit l'humanoïde. C'est votre droit. Mais notre message à votre égard est « Tout pour les autres ». Vitko ne comprenait pas ce qu'il voulait dire.

– Nous voulons dire que nous ne voulons rien pour nous. Là d'où nous venons, c'est notre devise, notre credo. Nous faisons tout pour les autres.

Soudain, les deux êtres touchèrent un endroit sur leurs combinaisons et Vitko les vit s'élever en l'air, tourner et virevolter dans tous les sens. Il dit que c'était comme du James Bond. Mais ils lui expliquèrent que lorsqu'ils inversaient les ions positifs dans l'atmosphère autour de leurs combinaisons, ils pouvaient contrôler leurs mouvements en sortant de leur gravitation.

Vitko dit que les deux êtres lui donnèrent un spectacle pyrotechnique de « dégravitation » puis ils revinrent sur le sol et s'assirent à côté du feu. Vitko dit qu'il était arrivé au point où il se croyait devenu fou, mais son ami était très à l'aise et il s'amusait bien, parce qu'il était habitué...

Pendant que Vitko me racontait son histoire, je me rappelai le personnage de David dans mon livre et dans le scénario. David était un condensé de plusieurs personnes réelles qui avaient eu des expériences similaires. Est-ce que ce genre d'histoire était répandu? Est-ce que c'était vrai, ou bien voulaient-ils croire à leur histoire? Vitko projeta ses diapos sur le mur blanc de ma chambre d'hôtel. J'étais fascinée par les photos. J'en avais déjà vu tellement. Le vaisseau (soucoupe volante) au-dessus des montagnes avec la centrale en dessous. Est-ce qu'elles étaient vraies ou truquées? Et est-ce qu'il y avait réellement des êtres à l'intérieur? Tellement de gens dans le monde entier racontaient la même chose. Qu'est-ce que cela signifiait? Est-ce qu'ils fabulaient tous?

Vitko ajouta que les êtres lui avaient dit qu'ils venaient d'une étoile appelée Apu et qu'ils venaient dans les Andes depuis des siècles. On les connaissait depuis toujours, et ils étaient surnommés « anges » parce qu'ils pouvaient faire pleuvoir (en manipulant les ions négatifs de l'atmosphère) et ils étaient très recherchés comme guérisseurs.

– Les Anges Apuniens, dit Vitko, atterrissaient souvent et ils invitaient les malades et les estropiés à venir à bord de leur vaisseau. Tous leurs patients sont toujours rentrés chez eux guéris.

– Eh bien, dit Vitko, ils disaient qu'ils désintégraient les cellules malades et les régénéraient avec l'énergie Divine. Lorsqu'ils ont découvert l'énergie atomique, ils ont également découvert comment elle fonctionne dans le corps humain. Ils ont dit que nous serions tous capables d'en faire autant, si nous pouvions comprendre et utiliser les composants de l'atome, mais cela requiert une connaissance de l'énergie Divine, la compréhension de la physique de l'âme, et le désir d'accepter que chaque être vivant dans le cosmos est fait avec cette énergie. Il a dit que si nous éprouvions de la haine ou de la peur pour nous-mêmes ou pour les autres, nous ne pourrions pas y arriver.

C'était donc la technologie spirituelle dont j'entendais parler de plus en plus. C'était comme si nous étions au seuil de la découverte que le succès d'une technologie externe dépendait entièrement du succès de la compréhension de notre technologie intérieure, interne. C'était comme si nous, les humains, tournions tout près du centre de notre propre énergie, en frôlant nos capacités de transformation, en nous interdisant inconsciemment d'exploiter tout notre potentiel. Si seulement on lâchait prise, ne serait-ce qu'un tout petit peu. Nous étions au bord de la métamorphose parce que nous avions épuisé nos vieux schémas de conscience. Tout le monde le sentait. Alors pourquoi ne pas envisager que ces êtres infiniment plus conscients que nous viennent nous aider à réaliser notre potentiel infini?

Certains de ces êtres avaient des corps physiques et venaient en vaisseaux de toutes sortes; et d'autres n'avaient pas de corps physiques, comme ceux qui se servent de médiums pour transmettre leurs messages. Dans tous les cas, le message était toujours le même : nous restons limités à cause de nos peurs. Nous faisons l'expérience de la pauvreté parce que nous n'avons pas encore compris que nous méritons l'abondance à juste titre. Et la création de l'abondance est dans notre conscience, et sous notre contrôle intégral ; nous pourrions, si nous le voulions, créer cette abondance pour tout le monde. Nous créons les guerres et les tueries, l'égoïsme, l'avidité, parce que nous sommes persuadés que si nous ne le faisons pas, nous manquerions de tout... de nourriture, de biens matériels, de liberté, de beaucoup de choses. Le résultat de ce sentiment de peur est que presque toute notre énergie est canalisée dans des entreprises de destruction. Le plus étonnant, c'est que le massacre et la destruction de la vie font partie encore, en ce moment, de notre expérience humaine, de notre vraie réalité.

A l'époque où j'ai rencontré Vitko, je n'avais pas l'intention de me moquer de ces histoires d'enseignants venus de l'espace. En réalité, plus que jamais je souhaitais faire ce genre de rencontre.

– Les êtres me demandèrent si j'aimerais monter à bord de leur vaisseau, continua Vitko. J'acceptai. A vrai dire, je pensais qu'ils étaient des espions ou quelque chose comme ça, aussi j'étais curieux, même avec la frousse.

Vitko et son collègue suivirent les « êtres » dans le vaisseau.

– Je remarquai, dit-il, que quand ils marchaient devant nous, l'herbe ne se couchait pas sous leurs pieds. Je leur demandai pourquoi, et ils me répondirent qu'ils ne voulaient absolument rien abîmer sur cette douce terre et qu'ils faisaient très attention de contrôler leur apesanteur.

Vitko dit que la pièce où ils entrèrent était ronde, sans angles, avec des gros canapés confortables pour s'asseoir.

– Immédiatement, continua-t-il, j'eus une sensation étrange de dégravitation. Mon corps avait un poids, mais quelque chose à l'intérieur de moi se sentait plus léger. Soudain, je m'aperçus que j'étais entouré d'écrans. Les deux êtres me demandèrent si je voulais voir ma vie défiler devant mes yeux. Je ne comprenais rien. Immédiatement, je vis défiler devant mes yeux, sur les écrans, toute l'histoire de ma vie. Rien n'y manquait. Ma naissance, mon enfance, des scènes qui m'avaient beaucoup affecté. C'était incroyable. En réalité, tout ce que je PENSAIS apparaissait sur l'écran également. Je regardais ma vie en trois dimensions avec l'émotion en plus.

Vitko s'arrêta de parler et se tourna vers moi.

– J'ai trouvé cela très troublant, dit-il. Je n'y comprenais rien. J'étais persuadé qu'il s'agissait d'espions communistes hypersophistiqués. Aussitôt après, j'allai à la police. Je racontai mon histoire au brigadier : tous les détails, y compris ma conclusion, qu'il s'agissait d'un vaisseau bourré d'espions ennemis. Le brigadier me dit que j'étais cinglé et que je devrais aller voir un psychiatre. Je savais que j'allais devoir faire mes recherches tout seul désormais.

Vitko souligna ensuite que sa vie était devenue une série de rencontres.

L'année suivante, il eut plusieurs autres visites. Le 4 juin 1960, il faisait une excursion tout seul dans les sierras lorsque le vaisseau atterrit de nouveau. Il avait peur parce qu'il les avait dénoncés à la police. Mais ils n'étaient pas fâchés du tout.

– Vous devez chercher la vérité comme vous le ressentez, dirent-ils. Et les deux mêmes « personnes » l'invitèrent encore à entrer. Il y avait des livres, des magazines, des pétales de fleurs, et d'autres accessoires de la vie sur terre, y compris une casquette en peau de lapin. L'un deux souleva la casquette en fourrure d'un air triste en secouant la tête et dit : « Vous ôtez encore la vie des autres créatures. » Vitko dit qu'il s'était senti très embarrassé, et il s'était assis sur un des gros canapés. Les écrans se rallumèrent. Cette fois, il vit une rétrospective des différentes ères de l'histoire qui s'étaient déroulées dans cette partie du globe. Il dit qu'il avait vu la formation de la chaîne des Andes, et aussi la construction de la première ville de Cuzco. La ville fut construite par les gens d'APU et elle fut réalisée grâce aux techniques de dégravitation pour déplacer les énormes blocs de pierre. Le plan de la ville fut dessiné sur le modèle d'un papillon en vol. Il n'y avait pas d'angles.

Puis il vit Cuzco détruite par un cataclysme – le même qui avait détruit et reformé une partie des Andes. Ce cataclysme avait tellement perturbé l'atmosphère que les vaisseaux extraterrestres avaient des difficultés pour atterrir.

A ce moment-là, Vitko avait peur d'admettre que ce qu'il voyait était vrai. Il quitta le vaisseau. Deux mois plus tard, le 21 août 1960, il rencontra de nouveau le vaisseau. Ils l'invitèrent à entrer, et ils lui parlèrent de leurs vies antérieures. L'un d'eux en avait eu 504. Ils parlèrent de la famille sur Apu, et lui révélèrent que la « cellule » familiale n'existe pas comme nous l'entendons.

Un enfant naît dans la famille de TOUS; ils sont tous aimés et éduqués de la même manière. Le sentiment de propriété n'existe pas. La discussion sur la famille déboucha sur le problème que Vitko avait avec sa fille.

– Vous êtes trop possessif avec votre fille, lui dirent-ils en le réprimandant fermement. Vous avez le droit d'avoir ces pensées et d'éprouver ces sentiments, mais il vaudrait mieux partager l'amour avec toutes les créatures – c'est pour cela que vous avez été créé.

Vitko quitta le vaisseau, bien décidé à changer ses relations familiales.

La rencontre suivante le sidéra. Sur les écrans, il vit la magnifique ville de Yungay, au cœur de la montagne. C'était son endroit préféré. Aussitôt, on lui montra la destruction de Yungay qui aurait lieu dix ans plus tard. Les êtres lui révélèrent la destruction future pour qu'il puisse exercer son libre-arbitre en allant trouver les autorités afin de les convaincre de faire évacuer la ville de vingt mille habitants dans un autre lieu.

Le maire accusa Vitko d'alarmisme saugrenu et lui conseilla d'aller se faire soigner. Vitko quitta le bureau du maire et marcha tout seul jusqu'à ce qu'il rencontre un de ses amis qui le rassura : « Vous avez fait votre devoir; mais c'est dur de se sentir ridicule, n'est-ce pas? »

Un peu plus tard, il entra dans le vaisseau avec trois montagnardes. Chacune put voir sur les écrans une partie de ses vies antérieures.

– Nous vous montrons ce que vous avez besoin de comprendre, dit l'un d'eux.

Lors d'un autre contact, il rencontra une femme qui était née sur terre et qui avait été emmenée sur Apu pour connaître son pouvoir interne. Elle dit qu'en un an, sur Apu, elle avait appris à utiliser des pouvoirs mentaux qu'elle ne se croyait pas capable de posséder. Elle a choisi, depuis, d'aller vivre avec les Apuniens.

Au cours d'une visite dans une ville qui souffrait de la sécheresse, on lui raconta que les habitants récitaient des prières pour que le vaisseau vienne. Et il est venu. Les occupants manipulèrent les ions positifs dans l'atmosphère pendant que le vaisseau restait au-dessus de la ville. Des nuages se formèrent à cause des différentes vitesses de vibrations, et la pluie se déclencha. La ville fut inondée par un orage bienvenu. Vitko me raconta une foule d'histoires sur ses rencontres avec les E.T. Au fond, ce qu'ils essayaient de lui enseigner, c'est que chaque individu, chaque création de l'humanité et de l'univers, était un chef-d'œuvre de potentiel spirituel. Que la terre était une École, où l'esprit pouvait agir sur la matière; que notre monde physique était seulement le résultat de notre intention et qu'en changeant nos intentions, nous pouvions changer le monde. Ils disaient qu'au-delà du spectre physique de la terre, il y avait des guides physiques et non physiques, qui étaient des compagnons de nos systèmes d'intelligence, et qui étaient en inter-relation avec toutes les formes de vie sur notre terre, que nous en soyons conscients ou non. Ils ont tous présents à l'esprit l'intention spirituelle de notre terre, parce que nous sommes tous frères et sœurs du cosmos. Beaucoup de nos lointains ancêtres ont été leurs ancêtres et ils sont liés à la race humaine par leurs karmas.

Vitko ajouta qu'ils lui avaient dit que chaque fois que nous maltraitons une créature vivante, c'est parce que nous refusons d'admettre qu'il s'agit d'une part de nous-mêmes. Ils lui ont dit également que le flot d'énergie consciente parmi tous les niveaux de la vie sur notre planète était instantané, comme une source constamment alimentée; qu'il n'existait pas de forme vivante, petite ou grande, qui ne ressentait pas l'impact de toutes les pensées émanant de la conscience humaine. Aussi, tant que nous ne serions pas conscients du pouvoir que nous avons, nous en abuserons inconsciemment – à notre détriment et peut-être même pour notre propre destruction.

Toute forme de destruction sur notre planète vient de notre ignorance spirituelle – ignorance du fait que nous sommes liés à tous les autres règnes vivants. Ils ajoutèrent que le but des extra-terrestres ayant un corps physique, ou étant seulement non incarnés, était de nous aider à répandre une meilleure connaissance de nous-mêmes, pour accomplir l'énorme potentiel intellectuel et spirituel qui sommeillait en nous. En quelques jours, j'appris beaucoup de choses grâce à Vitko et au récit de ses expériences. Je ne me posais pas la question de savoir si elles étaient « vraies » ou non. Le message était clair, l'humanité ne pouvait que bénéficier d'un changement, d'une prise de conscience spirituelle.

Lorsque Vitko nous fit ses adieux, à Simon et moi, j'éprouvai le besoin d'aller faire un tour du côté de Huaras, dans la montagne, là où il était allé, très haut dans la Cordillère blanche. Il nous fit un plan détaillé des lieux et nous souhaita bonne chance. Une chose était devenue lumineuse pour moi. Je commençais à comprendre que la dimension de l'espace intersidéral que nous désirions connaître serait parallèle à la compréhension de notre propre espace intérieur.

CHAPITRE 25

A 5 h 30 du matin, le lendemain, Simon et moi avons grimpé dans une camionnette avec une femme qui, je le savais, dirigeait un hôtel juste à côté de Huaras. Elle s'appelait Suzie. Elle était allemande et avait épousé un Péruvien. Il avait vingt ans de moins qu'elle, et elle paraissait parfaitement heureuse, en dépit de la désapprobation de sa famille.

Lorsque j'appelai Suzie (sur la recommandation d'une autre amie), elle me dit qu'elle savait que j'allais lui téléphoner. Elle avait lu *L'Amour-foudre*, un an plus tôt à Noël, et elle « savait » qu'on se rencontrerait dans l'année. Et c'était arrivé, nous étions en train de rouler sur l'autoroute déserte qui nous emmenait de Lima à la Cordillère blanche, qui culmine à 6 700 mètres dans les Andes.

Deux heures après avoir quitté Lima, qui se trouve au niveau de la mer, je commençais à respirer plus difficilement – mais avec la pollution je ne perdais pas grand-chose.

Chaque changement d'altitude était accompagné presque mathématiquement par un changement de terrain, au cours de ce périple de six heures. Les premières montagnes, peu élevées, étaient sèches, poussiéreuses, dénudées, comme le vestige de sable brûlé d'une ancienne explosion nucléaire. Au fur et à mesure que nous montions, le paysage devenait plus vert et plus luxuriant; plus nous montions, plus le paysage devenait extraordinaire. La route de montagne se rétrécissait en atteignant le sommet des Andes. Notre camionnette semblait se faire toute petite chaque fois que nous croisions un véhicule. Nous avons laissé derrière nous des ruines en terre battue, des champs de pommes de terre, de canne à sucre, des hectares de cactus, des troupeaux de vaches et de moutons. La vie semblait se retirer dans ces petites bulles isolées, en dehors du temps. Les gens de la montagne, paisibles et nonchalants, devaient se moquer pas mal de nos objectifs et de nos priorités. Le paysan qui marchait tranquillement à côté de sa vache toute une journée ne s'inquiétait sûrement pas de savoir s'il arriverait au marché aujourd'hui ou demain.

Les femmes portant des jarres d'eau sur la tête devaient faire 8 kilomètres à pied pour aller les remplir à la rivière Santa, et elles devaient en faire 15 pour aller échanger une chèvre contre d'autres denrées. Le temps linéaire n'existait pas pour ces gens-là. « Tout se passait ici et maintenant. » Ça se voyait à leur attitude : paisible, dégagée, et détachée malgré les difficultés.

Les piments rouges étincelaient dans la lumière sur les flancs de la montagne. Pourtant les champs de genêt me faisaient penser à l'Écosse.

En arrivant tard dans l'après-midi à l'hôtel de Suzie, à Monterrey, en pleine montagne, nous étions épuisés et excités à la fois.

Je savais que je me trouvais exactement à l'endroit où je devais être. Je regardai par la baie vitrée la vue qui s'étendait sous mes yeux. Il y avait des petites spirales de fumée autour des refuges de montagne, de la neige au sommet de la cordillère au loin, et les étoiles, qui semblent tellement plus grosses quand on est en haute altitude, attendaient le moment d'apparaître pour nous accueillir.

Pourquoi étais-je là?

Je ne le savais pas moi-même. Je savais seulement que quelque chose allait m'arriver et que je devais me trouver ici pour que cela se produise. Suzie donna un petit bungalow à Simon, j'allai dans un autre. Suzie et son mari habitaient le troisième.

Jorge était un jeune homme agréable, avec des cheveux noirs épais et de magnifiques yeux noirs, alors que Suzie était blonde aux yeux bleus. Ils avaient l'air très heureux, et ils comprirent tout de suite que je voulais rester seule.

Aussi, après avoir défait mes valises, je me dirigeai vers le sauna, pour m'y détendre et ne rien faire d'autre que « de me laisser vivre » tout simplement.

Suzie nous fit un petit dîner pour quatre, avec une omelette, des tomates, des oignons frais, et du pain qu'elle avait fait cuire. A cette altitude, une nourriture légère est plus appropriée. Nous avons parlé de métaphysique et aussi du synchronisme dans les vies humaines.

– On le sent bien, quand les choses doivent arriver, dit Suzie, on sait « où, et quand », instinctivement. Elle et son mari avaient déjà vu plusieurs vaisseaux spatiaux, et ils avaient entendu les montagnards raconter ce qu'ils avaient appris de ces occupants. Suzie raconta qu'elle et son mari avaient un ami qui était très proche du président Alan Garcia. Garcia était, paraît-il, franc-maçon et féru de métaphysique; ils ne savaient pas quel degré il avait dans la Loge Maçonnique.

Ce soir-là, après avoir été me coucher, je réfléchis au fait que c'est au Pérou que ma recherche spirituelle avait commencé. Je m'y étais déjà intéressé avant, mais l'énergie des Andes m'avait littéralement galvanisée, alors que je n'avais rien senti de semblable dans l'Himalaya.

Il paraît que les Andes représentent la vibration féminine sur terre, et que l'Himalaya représente la vibration masculine. Étant donné que la vibration féminine était en pleine activité pour préparer notre planète, avant l'arrivée de l'Ère Nouvelle, avant qu'une page décisive soit tournée, il se peut que j'aie ressenti un flot d'énergie qui coïncidait avec le mien.

Et maintenant, c'était comme si j'étais à nouveau dans les Andes pour accomplir quelque chose de plus difficile, quelque chose que je pourrais intégrer dans ma vie quotidienne. Et c'était lié à Gerry. Je ne savais pas encore de quelle manière.

En me retournant dans le lit pour essayer de dormir, le mal des montagnes me reprit; une nausée atroce, avec une migraine effrayante, et autre chose en plus. J'avais la sensation que quelqu'un ou quelque chose essayait d'entrer en communication avec moi. Je me levai et me mis à marcher autour de mon lit. Je me recouchai et ce manège recommença. Je ne voulais pas me détendre et recevoir cette chose qui essayait de me parler. Ma nuit ne se passa pas bien du tout. Mais c'était une sorte de préparation, qui avait affaibli ma résistance en attendant ce qui allait m'arriver le lendemain. Suzie nous conduisit, Simon et moi, près de « L'Horizon Perdu » que nous pensions avoir trouvé.

C'était au-dessus de la vallée Santa, surplombant le village de Mantacatto, et je sentis qu'il fallait que j'achète un morceau de terrain là, pour y bâtir un jour ou l'autre un centre spirituel où les gens de tous les pays viendraient méditer.

En scrutant la chaîne de la Cordillère blanche avec ses sommets déchiquetés couverts de neige, je ressentis, très fortement, cette impulsion positive. De nouveau, je sentis la présence d'une énergie que je n'arrivais pas à définir. Je n'arrivais pas à mettre la main dessus. Gerry ne quittait jamais ma pensée, pas vraiment. Et il avait toujours prétendu que, Moi, j'occupais toujours ses pensées!

Nous sommes ensuite redescendus du côté de Yungay. Je pensai à l'écran de prédiction sur le vaisseau spatial de Vitko. Il avait dit qu'en trois minutes il avait vu l'immensité et la rapidité de la puissance de la nature. Comment les habitants de l'espace étaient-ils au courant de ce qui pouvait nous arriver? Et pourquoi n'avaient-ils, et ne pouvaient-ils pas empêcher cela, s'ils étaient si soucieux de protéger la race humaine? Face à de telles catastrophes, de telles tragédies, c'est un maigre réconfort de croire que c'est la conscience collective du monde qui est en cause. De même, ce doit être terrible, pour ceux qui croient en un Dieu de miséricorde, d'accepter le lot quotidien d'horreurs et de tragédies autour d'eux et, souvent, aussi dans leur vie personnelle. Tout cela n'a pas de sens. Et ça continuera ainsi jusqu'à ce que la race humaine prenne conscience de la pleine responsabilité de son destin, et que la spiritualité y soit totalement incluse.

Après un déjeuner de potage et de légumes, Suzie nous conduisit dans la montagne. Au bout d'une heure, le sentier déboucha sur un lac d'eau turquoise, comme une pierre précieuse dans un écrin. L'air vif giflait mes cheveux. Je m'éloignai pour faire quelques pas tranquillement. J'avais besoin d'être seule. A nouveau je ressentis la même énergie, et en regardant vers le ciel je reconnus la montagne couverte de neige que j'avais déjà vue sur l'une des photos de Vitko. Les gens l'appelaient l'« Hindou gisant » et c'était très ressemblant : un corps allongé, drapé de blanc; mais sur la photo de Vitko, il y avait un vaisseau spatial au-dessus de la montagne. En la regardant, je ne voyais que la splendeur des cimes enneigées – et le seul miracle de cette beauté était suffisant pour vous plonger dans la méditation. Je sortis une pomme de ma poche et commençai à marcher dans cette direction.

C'est comme ça que tout avait commencé pour moi : en contemplant une montagne des Andes, il y a une dizaine d'années. Ici, sur ces hauteurs magnifiques, j'avais pris conscience pour la première fois de ce qui, en moi, était resté enfoui. En m'éveillant de ce sommeil et de cette inconscience des rêves, j'avais compris que nous étions beaucoup plus que nous le pensions. Ça s'était passé en une fraction de seconde. Pourtant, quelque chose dans mon cœur résonnait, depuis un certain temps, comme une petite musique. Mais c'est là que pour la première fois j'avais entendu la chanson dans tout son lyrisme et sa grandeur. Depuis, cette musique m'accompagnait partout. Elle m'aidait à supporter les coups durs et les crises de désespoir. C'était comme une douce vibration qui montait en moi chaque fois que j'y pensais avec respect. C'était DIEU ET c'était MOI en même temps; c'était l'étincelle divine en moi. Nous étions indissociés. Je pouvais être ce que je voulais si j'écoutais cette musique avec confiance, si je m'abandonnais à cette chanson, à cette vibration de Dieu qui était « à l'intérieur » de moi.

J'étais là assise, en train de manger ma pomme et d'étirer mes bras dans le vent frais de la montagne, lorsque je sentis une autre musique, une autre énergie m'envahir. Je m'assis et fermai les yeux, cherchant la détente dans tout mon corps pour laisser entrer cette nouvelle énergie. Une lumière brillante se forma dans mon esprit. Elle se développa et se précisa jusqu'à ce que l'image et la vision de Gerry apparaisse au-dessus de moi, et pourtant « à l'intérieur » de mon esprit. Je m'accrochai à ce que je « voyais » en essayant de comprendre ce que cela signifiait. Gerry avait l'air perdu et désemparé dans cette lumière. Puis il me parla.

– Je ne comprends pas ce qui s'est passé, dit-il. Où suis-je?

J'hésitai un moment avant de lui répondre par la pensée. Il me paraissait tellement réel, tellement distinct de moi. Alors je lui dis, en pensant mes mots très fort : « Je crois que tu es retourné chez toi. »

Son visage réagit nettement.

– Est-ce que c'est de ça que tu me parlais tout le temps? demanda-t-il. Est-ce que c'est de cela que tu parlais quand tu disais que nous étions avant tout des âmes qui habitent des corps? Et maintenant c'est vrai? Je n'ai pas de corps?

Je lui fis signe que oui.

– J'ai essayé d'entrer en contact avec toi, ajouta-t-il. Mais tu étais trop occupée pour m'entendre. Ça fait tellement de jours que je suis à côté de toi.

– Je le sais, Gerry, dis-je. Je te sentais. Pourquoi as-tu fait ça? Pourquoi es-tu parti maintenant?

Gerry semblait déconcerté, comme s'il était absorbé par la

question de savoir pourquoi il avait fait ça et ce que cela signifiait maintenant.

– Je ne sais pas, dit-il. Je ne sais vraiment pas où je suis.

– Tu es chez toi, Gerry. Tu es avec la lumière et avec l'énergie de Dieu, en qui tu ne croyais pas.

Il était concentré sur ma réponse.

– Est-ce que j'avais besoin d'entendre ça de nouveau? demanda-t-il.

– Oui, je crois que oui, dis-je.

– Je n'avais personne pour me l'expliquer, dit-il. J'ai besoin de me reposer maintenant. Je suis tellement fatigué.

Je le voyais, avec mes yeux intérieurs. Il y avait aussi un rayon lumineux qui partait de lui et me rejoignait. Cette lumière devint plus intense.

– Nous ne faisons qu'un, dit-il.

– Qu'est-ce que tu veux dire par là? demandai-je.

– Je serai toujours avec toi, dit-il.

– Qu'est-ce que tu veux dire? répétai-je.

Soudain Gerry commença à disparaître, sa lumière s'estompait petit à petit.

– Tu m'as aidé, et moi je t'aiderai aussi. Nous ne faisons qu'un, dit-il de très loin.

Et il était parti. Il avait disparu dans le brouillard de ma pensée. J'essayai de le retrouver mais lui et sa lumière avaient disparu.

J'ouvris les yeux et secouai la tête. Je respirai l'air vif et frais de la montagne. Qu'est-ce qui s'était passé? Est-ce que j'avais imaginé tout ça? Ou bien, Gerry était-il venu me visiter vraiment, réellement, dans une autre dimension? Son visage était tellement clair, son expression tellement perdue. Pourtant s'il était mort, et seulement à l'état d'âme maintenant, pourquoi avait-il une forme précise? Est-ce que c'était parce que je ne pouvais le reconnaître que sous cette forme? Beaucoup de gens qui avaient eu des visions d'êtres chers disparus disaient qu'ils leur étaient apparus sous forme de lumière ou parfois sous leur aspect habituel. Tout à fait identifiables.

Ça ne m'était jamais arrivé jusqu'à maintenant. Je n'avais peut-être jamais eu envie que ça m'arrive. Mais je n'avais jamais perdu d'homme dont j'aie été amoureuse.

Je me relevai et m'étirai de nouveau. C'était le genre de

scène que j'aurais aimé inclure dans le film. C'était la preuve que Gerry représentait pour moi la possibilité de réunir deux niveaux de conscience en même temps : le plan matériel terrestre qui implique les souffrances, les difficultés, les joies ; et le plan spirituel, qui, dans son infinie sagesse, donne assez d'amour pour nous garantir que ce monde-là est la véritable réalité, tout le reste n'étant qu'illusion. La leçon c'est que nous les créons tous les deux.

Je ne parlai pas beaucoup en rentrant. Quelque chose avait bougé, changé en moi. Je savais déjà depuis un certain temps que la connaissance la plus utile est celle acquise par « expérience ». Quand ça se produit, tout change.

Je crois que j'avais eu peur de la mort jusqu'ici comme tout le monde. La perspective du néant est tout à fait terrifiante pour les pragmatistes qui croient que la vie physique est nécessaire et suffisante, la mort est l'oubli, la manière « naturelle » de disparaître. Naturelle, parce que, comme on nous l'enseigne depuis une période récente, il ne peut y avoir de réalité en dehors de celle que nous voyons avec nos yeux physiques. Mais cela aussi est en train de changer.

Il y a quelques milliers d'années, les hommes ne pouvaient concevoir les mêmes pensées, les mêmes images, les mêmes concepts que ceux que nous imaginons aujourd'hui.

Leur croyance dans une vie après la vie était liée à des divinités primitives, aux éléments tels que le vent, le soleil et la fertilité dont la puissance physique était omniprésente. La source de la vie et tout ce qui s'y rattachait étaient sacrés. S'ils ne reconnaissaient pas l'interdépendance dans toutes les formes de vie, du moins, ils respectaient ce qu'ils considéraient comme sacré sur la terre – et ils laissaient les dieux et les déesses se débrouiller avec le reste.

Le concept d'une vie après la vie devint une réalité abstraite lorsque les religions la codifièrent. Les dogmes et les rites créèrent deux lieux principaux dans l'autre monde : un bon et un mauvais ; le Paradis et l'Enfer. Ils utilisèrent le besoin inné de l'homme de croire en l'au-delà, comme un moyen d'obtenir le pouvoir.

L'athéisme intellectuel a rejeté cette sorte de pouvoir, et du même coup on a jeté le bébé avec l'eau du bain en faisant coïncider l'indépendance d'esprit avec l'absence de foi.

Mais en réalité le niveau de nos capacités psychiques et mentales est beaucoup plus développé maintenant qu'il ne l'était dans un lointain passé. Ceci atteste du progrès mental et spirituel de la race humaine. Nos esprits sont plus aptes à accepter des idées inhabituelles, déroutantes, complexes. Les progrès de la technologie donnent la preuve de l'évolution de l'esprit humain. Mais la technologie intérieure de notre pensée illimitée a progressé également. Et s'il est vrai que nous créons tous notre propre réalité, la possibilité d'une technologie créative est tout aussi infinie. La faculté de percevoir grâce à une technologie créative des réalités autres est un saut quantique dans le progrès de l'humanité.

Dans le passé, la mort appartenait au domaine d'un Dieu inconnaissable, extérieur à nous : c'était le jardin mythologique d'un au-delà paradisiaque, inacessible aux mortels qui cherchaient à en découvrir les secrets, les promesses, et, en réalité, qui voulaient savoir s'il existait bel et bien.

Récemment, de plus en plus de gens affirment avoir vu réellement la « lumière », l'éblouissante, indescriptible lumière d'amour qui, pour eux, ils en sont certains, signifie « le Paradis ». « Dieu est une lumière. » « Je suis mort et je suis revenu à la vie pour en témoigner », disent-ils, après avoir subi une expérience de décorporation. Les rapports de ce type augmentent chaque jour, comme si, avec le nombre croissant de gens racontant tous la même expérience, le niveau de réceptivité et d'ouverture de la conscience commençait à se manifester. Le fossé entre l'enfer et le paradis est en train de se combler petit à petit, et personne ne semble s'en étonner.

La lumière est attendue maintenant. Elle a toujours été là, mais de plus en plus, nous finissons par admettre qu'en réalité nous sommes la lumière, à condition d'intérioriser ce concept avancé et sophistiqué. La lumière n'est pas extérieure à nous. Et chaque fois que nous prenons conscience de cette lumière à l'intérieur de nous, nous découvrons le secret bien gardé de la vie. Nous étions un secret pour nous-mêmes. Ce que nous cherchions partout, cette quête, ce manque, c'était la lumière que nous avions en nous. NOUS SOMMES LA LUMIÈRE.

Cette nuit-là, comme j'essayais de dormir, j'eus l'impression d'attendre quelque chose. Je ne savais pas quoi. Je ne tenais pas en place. Je me levai pour faire quelques pas dans la chambre. Je tournais en rond. Je n'étais plus préoccupée par Gerry. Ce problème-là au moins était résolu et j'en étais heureuse. Je m'allongeai et fermai les yeux. Alors je ressentis une étrange poussée d'énergie en moi, comme celle que j'avais ressentie sur le Machu Picchu. Puis la même migraine et la même nausée suivirent, un peu moins fortes. J'ouvris les yeux. Qu'est-ce qui m'arrivait? Je fermai les yeux de nouveau. Ça finirait peut-être par partir. Mais au lieu de cela, c'était comme si quelque chose essayait de communiquer avec moi.

J'étais étendue, les yeux fermés, et tout à coup j'entrai dans cet état que les scientifiques appellent « alpha », un état semi-conscient, entre la veille et le sommeil. Je n'essayais pas de contrôler ce que je ressentais, ce que je pensais, mais je contemplais ce qui m'arrivait, j'étais à la fois acteur et observateur. Puis quelque chose d'étrange se passa.

Je vis un énorme objet, rond, gris métallisé, au-dessus de ma tête, comme si je pouvais voir à travers le toit de mon bungalow. C'était un vaisseau géant.

A ma grande surprise, il n'était pas beau. Il était en métal gris. J'étais stupéfiée. C'est alors que je reçus des messages dans une autre langue. Je ne comprenais pas le message. Ma migraine s'intensifia. Je savais que je ne dormais pas, et que je n'étais pas éveillée non plus. Et je savais que j'étais réellement en train de voir cette chose, mais je n'arrivais pas à comprendre comment. Je n'étais pas dehors, pourtant je le voyais directement au-dessus de moi comme si le toit était transparent.

Je voulus écrire mes impressions, mais je n'arrivais pas à sortir de l'état dans lequel je me trouvais. Je ne le voulais pas vraiment d'ailleurs.

Ensuite, par télépathie, sans MOTS, je commençai à comprendre le message. J'avais l'impression d'être sur un sommet du temps, où les mesures n'existaient plus. C'était comme si je me trouvais au carrefour émotionnel d'une transformation, où le temps et la matière sont immobiles, dans un endroit où le jugement, le désir, le succès et l'échec n'existent pas. La seule vérité c'était d'ÊTRE. Puis je vis le chiffre 9 se former au centre du carrefour visualisé. Je ne comprenais pas ce que cela signifiait, bien que le mot accomplissement surgisse en même temps à mon esprit. Dès l'apparition du mot accomplissement, le vaisseau disparut. A la place, il ne restait plus qu'un océan de cristal liquide étincelant devant moi. Je restai émerveillée un moment, puis je me sentis projetée au-dessus de la surface de l'eau. Je pouvais danser sur les vagues de ce fabuleux cristal chatoyant. C'était... Magique... Divin. Je me mis à faire des pirouettes, des sauts de joie exubérants sur les flots étincelants.

Je me rendais bien compte que le fait de danser sur l'eau était aberrant. En réalité, au milieu de l'extase la plus complète, pour rien au monde je n'aurais voulu que quelqu'un de mon entourage puisse me voir. Et alors, je me rappelai...

Le changement dans la compréhension pour les gens intéressés par le perfectionnement spirituel était de toucher la conscience du Christ en eux-mêmes, et de lui faire confiance. Savoir que nous sommes tous dotés d'une telle puissance d'énergie que nous pouvons agir sur la force physique peut changer le cours de l'humanité à cause de cette pression collective. Le pouvoir et la réalité ne sont pas en face de nous : ils sont invisibles. A L'INTÉRIEUR. NOUS sommes responsables de tout ce que nous créons. Maintenant, il nous faut consciemment nous aligner sur l'intention Divine dans l'univers, pour que nos forces agissent en synergie. Mon image, en train de danser sur une eau cristalline, pouvait très bien me venir d'un autre endroit et d'une autre époque, mais le principe de cette image était constant et universel. Je savais que tout était possible si je le voulais.

Et je me disais que tout ce dont nous avons besoin maintenant, c'est un nouveau plan détaillé pour mieux comprendre que chacun de nous est impliqué dans l'intention Divine, que nous en soyons conscients ou non. Le changement dans cette approche de la réalité de Dieu et dans l'intention Divine vient de ce qu'il faut les sentir A L'INTÉRIEUR de nous. Parce que nous appréhendons le Divin, comme étant extérieur à nous, nous nous sommes détachés, séparés, de la nature et de nos frères humains. Nous sommes prêts maintenant à aborder cette pensée, à comprendre ce concept, à accepter l'idée que nous et la force de Dieu sommes une seule et même chose. Nos âmes contiennent les caractéristiques, la substance et l'essence de Dieu. Et ainsi, le nouveau plan prévu pour notre enseignement sera L'INTÉRIORISATION consciente des forces d'amour, sagesse, responsabilité, et pouvoir.

Allongée dans mon lit, l'idée me vint que chaque âme sur la

planète était impliquée dans le processus de sa propre transformation. Ou de sa NON-transformation. Ce qui expliquait pourquoi tant de vies étaient semées d'épreuves et de bouleversements. Nous, qui habitons sur cette planète, sommes concernés par la transition, pas par le désastre; chacun de nous à sa manière a des leçons différentes à comprendre et une purification à accomplir. Dans cette vie, Gerry avait accompli ce qu'il voulait.

Tous les gens que je connais sont concernés par leur propre évolution. Et chacun de nous porte en soi un potentiel énorme d'énergie en vibration. C'est palpable. Chaque fois que nous rencontrons quelqu'un qui dégage une vibration négative, nous le sentons immédiatement; cela signifie que cette personne a du chemin à faire, qu'elle agit comme un réflecteur pour notre propre cheminement, et que, par conséquent, nous ne devons pas la juger.

Ce soir-là, pour moi, les forces physiques et non physiques commençaient à exister simultanément dans ma réalité. J'apprenais des leçons des deux niveaux. J'aimais ces deux forces. J'ÉTAIS les deux.

Je n'avais plus qu'à continuer à jouer mon rôle dans la vie que je m'étais écrite. Le monde continuerait d'être la scène de mon spectacle. Certains personnages en sortiraient dans un flamboiement de lumière; d'autres y entreraient de la même manière.

Avec son mélange de mélodrame, de comédie antique et de tragédie désespérée, une vérité claire et indubitable apparaissait : La pièce est la salle de classe dans laquelle nous prenons pleinement conscience que nous sommes dans l'intention Divine. Cela se construit en nous, et l'effet physique de cette illumination fera briller une lumière intense sur le monde. L'acteur et le rôle ne font qu'un. Dieu et l'homme ne font qu'un. C'est vraiment une Divine Comédie.

Cet ouvrage a été réalisé sur
Système Cameron
par la SOCIÉTÉ NOUVELLE FIRMIN-DIDOT
Mesnil-sur-l'Estrée
pour le compte des Éditions 13-Michel LAFON
le 5 octobre 1987

Photos de couverture : Matthew Rolston
Directeur technique : Claude Fagnet
Directeur artistique : Dominique Jehanne
Attachés de presse : Nathalie Ladurantie
J.-Philippe Bertrand

Imprimé en France
Dépôt légal : octobre 1987
N° d'édition : 7060 – N° d'impression : 7739